Het overspeldieet

EVA CASSADY

Het
OVERSPEL
DIEET

the house of books

Eerste druk, februari 2008
Tweede druk, juni 2008

Oorspronkelijke titel
The Adultery Diet
Uitgave
Pocket Books, a division of Simon & Schuster, Inc., New York
Published by arrangement with Lennart Sane Agency AB
Copyright © 2007 by Eva Cassady
Copyright voor het Nederlandse taalgebied © 2008 by The House of Books,
Vianen/Antwerpen

Vertaling
Marjet Schumacher
Omslagontwerp
marliesvisser.nl
Omslagdia
Hollandse Hoogte
Opmaak binnenwerk
ZetSpiegel, Best

ISBN 978 90 443 2053 4
D/2008/8899/22
NUR 302

voor chocolade

DANKWOORD

Mijn dank gaat naar allen die honger hebben geleden,
om te bewijzen dat het goede leven de beste wraak is.

119

Iedereen vraagt me hoe ik het heb gedaan. Vrouwen drommen om me heen op feestjes, spreken me aan in de gangen op kantoor terwijl hun ogen taxerend over mijn lichaam glijden, hun gespannen glimlachjes een afspiegeling van de lange geschiedenis van hun falen.

Vertel het me, smeken hun ogen. Stuk voor stuk hebben ze een plank vol dieetboeken thuis: low carb, no carb, Weight Watchers, en Zone, South Beach, Atkins, en hamsterdiëten van sla en kiemen. Ze hebben fitness en aerobics gedaan, yoga en hiphop, tai-bo, callanetics en de Ab Lounge. Ze hebben persoonlijke trainers ingehuurd, hun maag laten dichtnieten of hun vet laten wegzuigen. Nu zijn ze boos en beschaamd. Ze voelen zich een mislukkeling. Maar bovenal voelen ze zich bedrogen. Alle boeken en tv-reclames hebben hen voorgelogen, en laten we wel wezen, ze hebben zichzelf voorgelogen. Ze komen bij mij voor de waarheid.

'Er is geen geheim,' vertel ik hun. 'Gewoon een dieet in combinatie met lichaamsbeweging.'

Maar dat is ook een leugen. Elk dieet heeft een geheim: ijdelheid, gekrenkte trots, woede. Of begeerte. 'Je moet het willen,' zeg ik, en ze knikken.

Het kan echter van alles zijn. Je moet iets hebben wat sterker is dan crème brûlée, verleidelijker dan chocola, krachtiger dan de honger zelf. En uiteindelijk kom je tot de ontdekking dat het niet om *het* gaat. Het is het *willen* dat je elke ochtend naar de sportschool drijft, dat je op weg naar je werk voorbij de bakker jaagt, dat je 's avonds terugvoert naar de sportschool voor de genadeloze cardio met de in lycra gehulde gazelles van modellenbureau Ford en

Elite. Je moet hongeren, geen honger lijden. Je moet gedreven zijn om die vierentwintig huizenblokken naar je werk te lopen en vervolgens linksaf te slaan naar de trap in plaats van je bij de menigte bij de liften te voegen. Er moet iets aan je vreten.

'Eva ziet er geweldig uit,' zeggen de mannen tegen mijn echtgenoot, en ik zie hem glimlachen. Welke man wil er nou niet benijd worden? Welke man wil er nou niet zijn vrouw terugkrijgen op haar vierenveertigste, en tot de verrassende ontdekking komen dat er een jongere vrouw tevoorschijn komt onder het gewicht van de jaren, als een bloem die ontluikt in de sneeuw? Ze zeggen het niet hardop, maar hun ogen zeggen: *Hoe heeft ze dat voor elkaar gekregen? Kan ze het mijn vrouw ook leren?*

Tuurlijk, jongens. Maar weet waar je aan begint.

Herfst 2005

Sinds wanneer is de weegschaal in de badkamer de tiran die mijn leven regeert? Vroeger lachte ik altijd om vrouwen die elke ochtend op de weegschaal gingen staan, in een grijs verleden toen ik nog een sexy jong ding was – leren minirokje, kop koffie en een sigaret als ontbijt, en hup, de deur uit. Maar tijden veranderen. Zelfs Bob Dylan heeft nu waarschijnlijk een weegschaal, waar hij elke ochtend tegen gromt als het ding zijn hart breekt.

'Hoe laat gaat Chloe's vliegtuig?' David komt de badkamer binnen en pakt zijn tandenborstel. Ik stap van de weegschaal en schuif hem vlug onder het schoenenrek in de hoek van de kast.

'Half drie.' Ik schiet mijn ochtendjas aan en stap in mijn pantoffels. 'En ze is nog niet eens half klaar met pakken.'

'Ze is derdejaars studente. Dat komt wel goed.' Hij kijkt naar me in de spiegel. 'Misschien wordt het een keer tijd voor een nieuwe ochtendjas.'

Ik kijk neer op het pretentieloze velours, waar de rafels aan hangen en waarvan de zoom loshangt. 'Ik heb deze voor moederdag gekregen van Chloe. Toen ze acht jaar was.'

'Je zult nog steeds haar moeder zijn, ook al koop je een nieuwe ochtendjas.'

In gedachten zie ik zijde voor me, golvend over slanke rondingen. Maar dan heb ik eerst een nieuw lichaam nodig. 'Misschien kan ze er in Parijs eentje voor me kopen. Hebben ze daar ook moederdag?'

David glimlacht. 'Ik denk dat de Fransen andere opvattingen hebben over het moederschap.'

Slank en chic, waarschijnlijk. Audrey Hepburn die achter een wandelwagen loopt langs de oevers van de Seine. Zouden Parijse vrouwen ook een weegschaal hebben?

'Heb je een drukke dag vandaag?'

David schudt zijn hoofd. 'Vanmiddag een vergadering met Maribel Steinberg en haar agent. Ik zal vanochtend de contracten in orde moeten maken.'

Maribel Steinberg. Ik had haar nieuwe boek ontdekt in de stapel manuscripten op Davids nachtkastje: *Het wees-trouw-aan-jezelf dieet*. Ik had het opgepakt en doorgebladerd terwijl David zich bedklaar maakte. In het begeleidend schrijven van de agent werd het omschreven als 'een dieetboek voor vrouwen die niet in lijnen geloven'.

'Is dat niet net zoiets als wapens verkopen aan Quakers?'

David keek me aan. 'Hoe bedoel je?'

'Nou, je kunt best tegen wapens zijn, maar als je er eentje koopt, wil je wel dat-ie het doet.'

Hij haalde zijn schouders op. 'Onze marketingmensen zien er wel wat in. Ze hebben al een hele publiciteitscampagne op de plank liggen. Kernachtige taal over gewichtsverlies. Zonder zelfhaat je gewicht de baas.'

'Klinkt goed.'

De getallen liegen er dan ook niet om. Na drie weken van gematigde lichaamsbeweging en doelgerichte zelfbeloning in combinatie met een positief zelfbeeld, ben ik maar liefst twee pond kwijtgeraakt. Oké, mijn dochter vertrekt voor een jaar naar Parijs en het tijdschrift waar ik voor schrijf zit midden in een grootscheepse reorganisatie om het dalende lezersaantal op te krikken, beide aanzienlijke 'stressfactoren' volgens Maribel Steinberg, die kunnen leiden tot 'destructieve zelfbeeldvorming', maar twéé pond?

'Mam, ik kan mijn paspoort niet vinden!'

David kijkt naar me op, zijn mond vol tandpasta. Het is een blik die zegt: *Ze riep jou.* Dezelfde blik die hij me altijd schonk toen ze drie was en midden in de nacht lag te roepen. Zijn haar (of wat ervan over is) en baard zijn inmiddels zilvergrijs, en hij is wat gevulder rond zijn middel, maar er zijn nog steeds momenten dat ik een glimp zie van de zesentwintigjarige student met zijn passie voor poëzie en sociale gerechtigheid, die schuilgaat onder de editor van middelbare leeftijd.

Denkt hij hetzelfde als hij naar mij kijkt?

Chloe zit op de grond in haar kamer, te midden van stapels kleren en openliggende koffers. Ze heeft haar tasje op haar schoot, haar portemonnee in haar hand. 'Ik kan mijn paspoort niet vinden,' zegt ze nog een keer, op klagende toon. 'Hij zat in mijn tasje toen we gisteren naar de bank gingen, maar nu is-ie weg.'

'Zal ik even voor je kijken?'

Ze werpt me een ongeduldige blik toe. Heel even is ze weer veertien, moe van haar moeders onvermogen om de complexiteit van een tienerleven te begrijpen.

'Waar heb je je travellercheques opgeborgen?'

Ze doet haar tasje open, haalt er een envelop uit. Als ze de envelop opendoet, vindt ze haar paspoort, weggestopt in het pakje cheques. 'Godallemachtig.' Ze haalt hem eruit, stopt hem in het binnenvak van haar tas waar ze haar mobiele telefoon bewaart, en stopt vervolgens de envelop met cheques terug in haar tas. Mijn oog valt op een pakje condooms naast de haarborstel in haar tasje, en ik wend haastig mijn blik af. In ieder geval vrijt ze veilig.

'En je hebt je ticket?'

Ze rolt getergd met haar ogen. 'Ja, ik heb mijn ticket.' Ze propt haar portemonnee terug in haar tas, ritst hem dicht. 'Ik ben geen klein kind meer.'

Ik laat haar daar achter, te midden van haar bagage. Het is nu haar verhaal. David en ik zijn slechts de ouders waar ze 's zomers een paar weken haar tenten opslaat, de nooit veranderende achtergrond waartegen de veranderingen in haar eigen leven accuraat afgelezen kunnen worden. Voor haar is de toekomst een en al mogelijkheden – studeren, Parijs, carrière, en ja, seks. Wij zijn wat ze achter moet laten. Wij hebben onze keuzes gemaakt, en nu wil ze dat we ophoepelen zodat zij de hare kan maken.

David staat inmiddels onder de douche, zodat de spiegels beslaan. Ik ga op het bed zitten en luister naar het verkeer op Riverside Drive. Houdt het verhaal echt op als je vierenveertig bent? Als je over het algemeen gelukkig en succesvol bent – goede baan, mooi appartement, een kind dat studeert – wat blijft er dan eigenlijk nog te wensen over? Het is moeilijk te geloven dat het van nu af aan misschien alleen maar meer van hetzelfde is, of erger nog, een langzame aftakeling, als stof dat zich ophoopt in een leeg huis. Sinds wanneer gaat het leven niet meer over hoop?

Maar zelfs halverwege die gedachte reik ik onwillekeurig naar een papiertje en krabbel neer: *Oude huizen als eenvoudige metafoor voor ons leven. Is dat de reden waarom we er zo dol op zijn?* Een van de leuke kanten van mijn baan als redacteur bij het tijdschrift *House & Home,* naast de eindeloze fotosessies in kitscherige huizen van beroemdheden en verhalen over het opnieuw politoeren van houten vloeren, is mijn maandelijkse column. Soms is het moeilijk om niet in lachen uit te barsten bij het idee dat iemand die de afgelopen twintig jaar in appartementen in de Upper West Side van New York heeft gewoond, een maandelijkse bespiegeling schrijft over welke rol architectuur speelt in ons leven, voor een lezerspubliek van rijke carrièretypes die de luxe hadden om victoriaanse huizen te restaureren. Mijn uitgever had zo zijn twijfels toen ik het idee voor de column opperde, maar het bleek een verrassend populair item bij de lezers, en ik heb zelfs uitnodigingen ontvangen voor gastoptredens op woonbeurzen en in een televisieprogramma dat gewijd is aan het renoveren van oude huizen. Uitnodigingen die ik beleefd heb afgeslagen, aangezien ik niet door de mand wilde vallen. Het schrijven van een column met seksadviezen voor alleenstaande twintigers, of tips voor chirurgen die openhartoperaties verrichten, zou bijna net zo onwaarschijnlijk zijn als wat ik nu doe.

David is inmiddels klaar met douchen en staat te neuriën terwijl hij zich afdroogt. Het is mijn beurt om te douchen, maar het is een kleine badkamer, en ik merk dat ik me ineens eigenaardig onzeker voel (de getallen liegen er niet om), dus ik ga naar de keuken en eet staand bij de gootsteen een bakje magere yoghurt.

Seksadviezen voor alleenstaande vrouwen. *Geniet ervan zolang het nog kan, schat. Je lichaam blijft niet altijd zo.* Ooit heb ik zelf met condooms in mijn tasje rondgelopen, me vrolijk door mijn studententijd heen geneukt, en daarna heb ik de helft van de kroegen in de Upper West Side afgewerkt tijdens mijn eerste jaar in de stad.

Schreeuwend 'Ik ben op zoek naar een baan bij een uitgeverij' boven de Eurythmics uit terwijl de man in kwestie verwoed naar de serveerster zat te gebaren dat ze meer margarita's moest brengen, als een soldaat die doodsbang was dat hij midden in een gevecht zonder kogels zou komen te zitten. De resultaten waren behoorlijk voorspelbaar: ik heb mijn portie plafonds wel gezien, mijn portie taxiritjes in de vroege ochtenduren wel gehad, en uiteindelijk heb ik David ontmoet, een paar weken te laat om me omhoog te neuken naar een positie als assistent-editor bij een grote uitgeverij, aangezien ik net een baan had aangenomen bij *House & Home* waarvan ik misschien daadwerkelijk de huur zou kunnen betalen.

David komt de keuken binnen op het moment dat ik mijn lege yoghurtbakje in de afvalbak gooi. 'Kun jij Chloe dan naar het vliegveld brengen?'

Het is al de derde keer dat hij me deze vraag stelt sinds gisteren, toen we tot de conclusie waren gekomen dat ik haar zou brengen omdat hij een vergadering had. Zoals altijd op dit soort momenten heb ik de keus uit drie mogelijkheden: (1) gillen; (2) moorden; of (3) hem verzekeren dat hij zich niet schuldig hoeft te voelen omdat hij haar niet kan wegbrengen.

'Liz haalt ons om tien uur op,' zeg ik.

'Denk je dat dat vroeg genoeg is?'

Ik kijk hem aan. 'Om naar LaGuardia te komen? Ja, dat moet wel lukken.'

'Mits Liz onderweg niet verdwaalt.'

'Ik zal wel navigeren.'

Liz is mijn oudste vriendin in New York, en ze raakt altijd overal de weg kwijt, al zo lang als ik haar ken. Ze is in staat om een rondje te rijden op zoek naar een parkeerplaats en dan een verkeerde afslag te nemen waardoor ze ineens in de naaldbossen van Jersey belandt. Davids theorie is dat het een schreeuw om hulp is van een alleenstaande vrouw. Maar de waarheid is veel eenvoudiger: ze begint te kletsen en dan vergeet ze waar ze heen moet. Als ze een sterk argument naar voren wil brengen, benadrukt ze dit graag door van richting te veranderen. En aangezien ze hartstochtelijk kan praten over praktisch ieder onderwerp – vooral de onbetrouwbaarheid van mannen – gaat ieder ritje in haar auto gepaard met abrupte veranderingen van rijstrook en plotselinge rukken aan het stuur. Autorijden, zo zou je kunnen zeggen, is haar passie. Tegenwoordig neemt ze meestal een taxi.

Desalniettemin heeft ze aangeboden om Chloe naar het vliegveld te brengen, omdat ze het leuk vindt om haar uit te zwaaien wanneer ze aan haar Parijse avontuur begint. 'Met Franse mannen weet je tenminste waar je staat,' verzekert ze mijn dochter terwijl we Manhattan uit rijden. Ze rukt hard aan het stuur en snijdt een busje af. 'Althans, als je niet lígt. Het is onmogelijk om ook maar iets te geloven van wat een man zegt in bed.'

Chloe knikt. Haar ene hand ligt op het dashboard en met haar andere hand klemt ze haar gordel vast. Ze kijkt angstig. Zou het Liz' rijstijl zijn, of haar romantische adviezen? Welk meisje van twintig wil er nou luisteren naar een verhandeling over de liefde van een afgestompte vrouw van veertig? Dat is net zoiets als medisch advies krijgen van een begrafenisondernemer.

En om de zaak nog erger te maken, ligt de auto vol kattenharen, die een duivels spelletje spelen met mijn allergieën. Liz heeft twee siamezen, het meest neurotische ras dat er maar bestaat. Ze heeft ze genomen toen ze veertig werd, onder het motto: 'Als ik dan geen kinderen krijg, moet ik iets anders hebben om te martelen.' Ze heeft ze Touchy en Surly genoemd en voert ze graag stukjes rauwe lever van de slager in het Food Emporium op Broadway. 'Ik ben ze aan het africhten,' zegt ze tegen mij. 'Als er nog één keer een kerel tegen me liegt, snij ik zijn lever eruit en voer die aan mijn katten.'

Mijn tranende ogen en de haarbal die zich in mijn keel aan het vormen is, zijn de enige redenen waarom ik bij haar in de auto kan zitten zonder doodsangsten uit te staan. Na vijf minuten in haar auto zie ik niet eens meer wat voor spoor van vernieling we trekken door de stad – de taxichauffeur die naar ons staat te schreeuwen vanuit de berm op de plek waar we hem van de weg hebben gedrukt, de gepimpte Caddie die ons tien huizenblokken lang achtervolgt terwijl de bestuurder zwaaiend met een pistool uit zijn raampje hangt. Het gaat allemaal in een waas aan me voorbij, en Liz lijkt niets in de gaten te hebben, dus alleen Chloe, die op de passagiersstoel vastgesnoerd zit met een angstige blik in haar ogen, lijkt het beklemmend te vinden. Tegen de tijd dat we bij het vliegveld arriveren, is iedere mogelijke angst die ze had voor de vlucht of het vooruitzicht van leven in een ander land verdwenen. Opgewekt rukt ze haar koffers uit de kofferbak van de auto en draaft voor ons uit door de terminal met de woorden: 'Echt, mam, je hoeft niet te wachten.'

Maar het is mijn taak om daar te zitten terwijl de bezorgdheid zich in mij opbouwt totdat ik iets zeg wat zo ergerlijk is dat mijn dochter met haar ogen rolt en opspringt om in de rij te gaan staan voor de douane alsof ze een plek probeert te bemachtigen in de laatste helikopter die uit Saigon vertrekt. Nog een laatste omhelzing, en daarna staan Liz en ik achter het plexiglas te kijken terwijl ze langzaam naar voren schuift in de rij, haar schoenen uittrekt om ze door de scanner te halen, en vervolgens wacht tot ze door de metaaldetector mag. Aan de andere kant verzamelt ze haar spullen, blijft even staan om nog een laatste keer monter naar ons te zwaaien, en dan is ze weg.

'Ziezo, dat is dat,' zegt Liz terwijl we teruglopen naar haar auto. 'Ik vind dat je het er heel goed vanaf hebt gebracht.'

Ik ben inmiddels in tranen. Mijn baby ben ik definitief kwijt, en ik ben vergeten tegen haar te zeggen dat ze moest schrijven. Ze zal terugkeren als Sabrina, die van elegantie en soufflés aan elkaar hangt, een zelfverzekerde vrouw met een hele rits Franse minnaars op haar naam en duidelijke ideeën over accessoires. Ik zal eruitzien als een slons vergeleken bij haar wanneer we over Broadway lopen, gewoon een ordinaire huisvrouw die op stap is met haar lieftallige dochter.

'Zo, nu gaan we jou dronken voeren,' stelt Liz voor.

De rit terug naar de stad is een waas van piepende remmen en misselijkmakende bonken, waar we doorheen laveren op een nimmer aflatende stroom van Liz' geklets, als een komeet door een vlammende hemel. We arriveren zonder kleerscheuren in de garage van haar appartementengebouw, al zullen er van hier tot Boston verzekeringsmaatschappijen wankelen en falen onder het gewicht van de slachting die ze heeft aangericht. Ze neemt me mee naar boven, maakt martini's in haar keuken, en we gaan naast een open raam zitten, waar ik de vervuilde lucht van Manhattan kan inademen terwijl haar katten in de deuropening rondhangen, loerend op nietsvermoedende mannen.

'Ik moet eigenlijk even naar kantoor bellen,' zeg ik na de eerste martini. Ik heb een vrije dag genomen, maar je weet nooit wat er kan gebeuren tijdens je afwezigheid. Er kan wel iemand een nieuw vulmiddel hebben uitgevonden. Railverlichting kan wel een onverwachte comeback hebben gemaakt. Na de tweede martini zeg ik: 'Waar blijft de tijd?' Tegen de tijd dat we de derde achter onze kiezen hebben, is het onderwerp pijpen. Waarom zo vaak? En met zo weinig resultaat?

Bij nummer zes moet ik in een taxi gehesen worden voor de benevelde rit terug naar huis, haard en wederhelft. Ik ben een moeder van middelbare leeftijd die zojuist haar kind op het vliegtuig heeft gezet om verleid te worden door god weet hoeveel geurige Fransmannen, maar om de een of andere reden heb ik de slappe lach. Liz was naar de keuken gegaan voor nog meer drank, mij alleen achterlatend bij het raam, en na een poosje hoorde ik haar bulderen: 'Nee! Laat dat! Nee!'

Haar katten kwamen de keuken uit gestoven, staart omhoog, maar ze leken hun standje niet al te serieus te nemen. Ze vertraagden allebei hun pas tot een lome wandelgang zodra ze uit haar zicht verdwenen waren, en een van de twee – Surly? Ik kan ze nog steeds niet uit elkaar houden – liep behoedzaam om de ander heen, snoof onder diens opgeheven staart, en klom vervolgens op zijn dooie gemak boven op hem. Op dat moment kwam Liz de woonkamer binnen met onze drankjes, en ze stampte met haar voet en schreeuwde: 'Nee! Laat dat!'

De katten verdwenen in de gang. Liz bleef hen even in wanhoop staan nastaren. 'Alsof het nog niet erg genoeg was,' zei ze, 'dat er geen heteromannen meer over zijn in deze stad, zit ik opgescheept met homofiele katten.' Ze gaf me mijn drankje. 'Vorige week heb ik ze betrapt toen ze op mijn bed lagen te neuken.' Ze keek me kwaad aan. 'Hou op met lachen. Het is mijn bed, niet een of ander wollig homoparadijs. Denk je dat ik daarin wil slapen? Hoe dan ook, ik zou degene moeten zijn die er ligt te neuken.'

Typisch Liz, hoor ik David zeggen. En: *Wie kan het hen kwalijk nemen? Dat effect heeft ze waarschijnlijk op ik weet niet hoeveel mannen gehad.*

Maar het enige wat ik daarop wist te zeggen, toen ik was gestopt met giechelen, was: 'Misschien had je geen twee mannetjes moeten nemen.'

'Het zijn *broers.* Dat maakt het nou juist zo ranzig. Hoe moest ik nou weten dat ze constant boven op elkaar zouden springen?'

De taxi is inmiddels twee huizenblokken van mijn appartementengebouw verwijderd, en ik zit alweer te giechelen. David zal met afschuw vervuld zijn als hij me ziet, en die gedachte alleen maakt het onmogelijk om ermee op te houden. Ik dwing mezelf om diep adem te halen, klem mijn kaken op elkaar, en staar uit het raam naar de waas die Broadway heet. Het ziet er allemaal zo... *spookachtig* uit. Is dit echt waar ik woon? Hoe is het zover gekomen?

David blijkt niet eens thuis te zijn. Hij heeft een bericht ingesproken op het antwoordapparaat. Hij neemt Maribel Steinberg en haar agent mee uit eten om het contract te bezegelen. De auteur uitlaten, noemt hij het. Met haar pronken tegenover alle andere uitgevers. Wat zal ze bestellen? Zal ze trouw zijn aan zichzelf, of alleen maar lusteloos een blaadje sla over haar bord heen en weer schuiven?

Ik tuur naar de kliekjes in de koelkast. Er is een doos met twee dagen oude mu-shu, en die roept me met alle verleidingskracht van drie martini's. Ik ga aan de keukentafel zitten en eet het koud op, zo uit de doos. Het is merkwaardig plezierig om hier te zitten in een leeg appartement, geen monden te voeden. Chloe vliegt op dit moment boven de Atlantische Oceaan. Ze heeft het gordijn het liefste dicht tijdens een nachtvlucht – ze verkiest het vage baarmoederachtige licht in de beslotenheid van de cabine boven die uitgestrekte duisternis aan de andere kant van het glas. Ze zal eerst wat lezen, en daarna gaan slapen. En als ze wakker wordt, zal ze de rode daken van Parijs zien. Wat wil een mens nog meer?

Ik laat de lege afhaaldoos in de gootsteen staan, loop wankelend naar de slaapkamer en kruip onder de dekens. Het licht boven mijn hoofd is nog aan, maar ik lig daar dromerig met gesloten ogen te denken aan de verrukking van mijn dochter. Het is merkwaardig opwindend. Hoop. Verandering. Frans eten. Franse mannen. Het is het tegenovergestelde van het huwelijk, het moederschap en de middelbare leeftijd. Het is het holle gevoel in je buik dat je vertelt dat op dit moment alles mogelijk is. Je staat open voor de wereld, wachtend tot je erdoor wordt meegesleept. Angstaanjagend, maar ook adembenemend en spannend.

Het licht is nog steeds aan, maar ik kan me er niet toe zetten om op te staan en het uit te doen. Ik ben te moe, en de kamer tolt een beetje. Niet genoeg om misselijk van te worden, gewoon een aangenaam zwieren, alsof je aan het walsen bent met een graaf in een Russische roman. Sneeuwvlagen en kaarslicht. Bleke meisjes in bont.

David doet het licht wel uit als hij thuiskomt.

178

Hoe kan een vrouw nu trouw zijn aan zichzelf in deze wereld? Ze brengen koekjes mee naar kantoor als we tegen een deadline aan zitten. Als je niet uitkijkt, krijg je zo een bokkenpoot voor je kanis. Ik ben laat met mijn column en ik heb een kater van Liz' martini's, en vanochtend vroeg David aan me: 'Denk je niet dat die broek een beetje te strak zit?'

Serieus. Alsof hij me probeerde te helpen. Ik stond voor de spiegel mijn make-up aan te brengen – of liever gezegd, ik probeerde de overtuigende illusie te creëren dat mijn ogen daadwerkelijk open waren – en hij kwam achter me staan, bleef daar even staan met een blik alsof hij ernstig over het probleem nadacht, en toen zei hij het –

'Denk je niet...' (een pauze hier, nadenkend, en dan een minimaal knikje in de richting van mijn met moeite in bedwang gehouden heupen) 'dat die broek een *beetje*...' (zijn stem ging nu ietsje omhoog, alsof het woord bijna te klein was om uit te spreken) 'te strak zit?'

Speerstoot, midden in het hart.

Ik geef Maribel Steinberg de schuld, de trut. Ze had een salade besteld en vervolgens de hele avond benut om hem te vertellen dat het een mythe is dat het heel natuurlijk is dat vrouwen na hun veertigste wat aankomen. Als je *trouw* bent aan *jezelf*, aan je *innerlijke vrouw*, dan zal je man je *nooit* hoeven vragen of je niet denkt dat je broek een *beetje*...

Het probleem is, hij heeft gelijk, verdomme. Ik kan me nauwelijks verroeren in deze broek. Op het moment zelf was ik te dronken om een discussie aan te gaan en te vernederd om iets anders aan te trekken. '*Nee,*' zei ik tegen hem, 'ik denk *niet* dat deze broek te *strak* zit.' Ik schonk hem een vernietigende blik in de spiegel – of liever gezegd, iets wat door moet gaan voor een vernietigende blik wanneer je je ogen niet meer dan half open kunt krijgen – klapte mijn make-updoosje dicht en beende naar de keuken. Ontbijten was nu uitgesloten, en ik kon me ineens niet voorstellen dat ik een kop koffie zou drinken terwijl hij me vertelde over zijn heerlijke avond met de charmante en ranke Maribel Steinberg (de magere trut), dus ik bleef net lang genoeg bij de gootsteen staan om een glas water te drinken, waarop de kamer prompt weer begon te tollen. Ik heb dit ooit geweten, op de universiteit. Alcohol dehydrateert. Water rehydrateert. Als je de volgende ochtend een glas water drinkt, maakt dit enkel de alcohol wakker die nog ligt te sluimeren in je lichaam. Je kunt het beter bij koffie en sigaretten houden. Alleen heb ik het roken jaren geleden al opgegeven, hetgeen de reden is waarom mijn kont nu zo dik is dat mijn broeken niet meer passen. Dat, plus Chloe. Maribel Steinberg is vast kinderloos. En een roker. Daarom is Liz nog steeds dun. Maar daarnaast is ze ook verbitterd, alleenstaand en runt ze een tehuis voor homofiele katten.

Sommige vrouwen hebben nu eenmaal altijd geluk.

Ik liet mijn glas in de gootsteen staan, naast de lege afhaaldoos – David was te lui geweest om hem weg te gooien toen hij thuiskwam. Chloe was één dag weg en alles liep in het honderd. Het zou me hooguit een seconde hebben gekost om het glas in de vaatwasser te zetten en de doos in de afvalbak onder de gootsteen te gooien, maar de boodschap voor David leek duidelijker op deze manier. Hij stond zich nog steeds aan te kleden toen ik wegging.

Ik ging in de rij staan bij de Starbucks op de hoek, en moest vervolgens met het bekertje jongleren in de metro tot aan 59th Street. Tegen de tijd dat ik op kantoor kwam, waren al mijn knokkels verbrand en zat er een koffievlek op mijn linkerschoen, maar ik had mijn boodschap duidelijk gemaakt. Wanneer was ik voor het laatst zonder te ontbijten van huis gegaan? David zou weten dat ik boos was.

Intussen verrekte ik van de honger. En er lagen koekjes op de vergadertafel voor onze stafvergadering van tien uur. Mijn lot was bezegeld.

House & Home, zo houdt mijn uitgever ons altijd graag voor, heeft twee soorten abonnees: homokoppels die een huis hebben gekocht in een veranderende buurt, en tandartsen. Het gemiddelde homokoppel abonneert zich door middel van een invulkaartje na hun eerste bezoek aan de bouwmarkt, waar we strategisch in een rek bij de kassa's liggen. ('Het zijn stadspioniers,' zegt Ron altijd, 'dus kopen ze ons in plaats van *House & Garden*. Wij doen geen tuinen.') Tandartsen hebben ons in hun wachtkamer.

In feite overdrijft Ron in beide gevallen. We zijn een prestigieus tijdschrift voor voorstedelijke salontafels, en een vorm van porno voor stedelijke toiletten. We verkopen een fantasie van hout, tegels en melkglas. 'Het heeft niets met de realiteit te maken,' brengt Ron altijd graag naar voren tijdens onze maandelijkse stafvergadering. 'We verkopen dromen, net als Hollywood. Alleen zijn de dromen die wij verkopen voorzien van planken vloeren.'

Ron Nunberg is geboren in de Bronx en opgegroeid in een driekamerflat aan de Grand Concourse. Zijn vader werkte bij een ijzerwarenhandel, dus toen hij op de middelbare school zat, bracht hij zijn zomervakanties door met het vullen van de schappen met decoratieve scharnieren, sloten en koperen leidingen. 'Daar heb ik het vak geleerd,' brengt hij ons altijd in herinnering. 'Onze lezers zijn de mensen die graag door ijzerwarenwinkels dwalen omdat ze gefascineerd zijn door alle *spullen*. Wat we hun bieden, is een droom van orde. Volmaakte voorwerpen voor een volmaakbare wereld.'

Nu heeft hij een victoriaans huis in Katonah, waar hij één keer in de maand een weekend naartoe gaat om toezicht te houden op de restauratie. De rest van de tijd woont hij in een rommelig appartement op de hoek van Park Avenue en 66th Avenue, met hoge stapels oude tijdschriften op ieder oppervlak. Architectuurtijdschriften, modebladen, roddelbladen. Met één blik op die stapels begrijp je dat het huis slechts een excuus is voor het tijdschrift, en dat hij in dat opzicht niet zo heel veel verschilt van onze lezers. Iedereen heeft een ideaal nodig om na te streven. Het is meer dan een fantasie; het is waar we elke ochtend voor uit bed komen.

Althans, dat is de theorie. Vanochtend lijkt uit bed komen alleen maar te leiden tot koekjes en een confrontatie met mijn persoonlijke tekortkomingen. Mijn broek zit te strak, mijn deadline nadert, en mijn column is niet meer dan een vaag krabbeltje op een blaadje papier dat ik op mijn nachtkastje heb laten liggen. Iets over oude huizen als metafoor voor ons leven. Alleen nemen oude huizen niet in omvang toe naarmate ze ouder worden.

Of toch wel? Chloe studeert in een klein stadje in New England waar het helemaal in is om schitterende oude huizen op te kopen en ze vervolgens uit te breiden met joekels van moderne kamers en appartementen voor de schoonfamilie. Het resultaat, zo lijken de eigenaars te denken, zal hun alle charme van een oude boerderij opleveren, en alle ruimte van een fabrieksvilla.

Frankenhuis, krabbel ik op mijn notitieblok. *Behoud of verkrachting?*

We zitten met zijn allen rond een glazen vergadertafel die bezaaid is met drukproeven, foto's en de brokstukken van onze diëten. Ron gaat de tafel rond om de nieuwste rampberichten te verzamelen – de fotosessie die niet goed afliep, een architect die bij zijn eigen project is weggelopen toen de fotograaf weigerde om uitsluitend met natuurlijk licht te werken, de fabrikant van dakpannen die heeft gebeld om te dreigen met een rechtszaak als we inderdaad een consumentenrapport publiceren over zijn producten. Ik was al vroeg de kamer binnen geglipt, zoals altijd, om op de stoel rechts naast Ron plaats te nemen. Hij gaat altijd van links naar rechts de tafel rond, hetgeen mij vijfenveertig minuten extra geeft om een onderwerp te verzinnen voor mijn column.

Worden onze huizen omvangrijker, krabbel ik neer, *tegelijk met onze taille?*

Het is niet veel, maar we zullen het ermee moeten doen. Overigens zit iedereen naar zijn eigen notitieblok te staren, geheel in beslag genomen door zijn eigen ramp. Zou iemand het merken als ik nog een bokkenpoot nam?

Morris, onze ontwerper, beëindigt zijn verslag, en voordat Ron een vernietigende opmerking kan maken, kijkt hij op en vraagt opgewekt: 'O, en hebben jullie al gehoord dat Michael Foresman de Pritzker Prijs heeft gewonnen? Het was vanmorgen op het nieuws.'

Het is een briljante strategie. Iedereen kijkt geïnteresseerd op van zijn notitieblok, en Ron leunt achterover, trekt zijn wenkbrauwen op. 'Dat meen je niet. Foresman? De Gek van Santa Monica heeft de grootste architectuurprijs gewonnen?' Dan, zonder enige waarschuwing, blijft zijn blik op mij rusten. 'Jij kent hem toch, Eva?'

'Ik heb hem wel eens ontmoet,' zeg ik gespannen, en kijk neer op mijn notitieblok op een manier die, naar ik hoop, duidelijk maakt dat het onderwerp gesloten is.

Maar Ron zit op zijn troon aan het hoofd van de vergadertafel, met zijn onderdanen om zich heen geschaard. Hij is hier om wijsheid te verstrekken en, indien nodig, gerechtigheid te doen geschieden. En laten we wel wezen, het is niet bepaald eind goed, al goed in Rons koninkrijk. In het volgende nummer van *House & Home*, te oordelen naar de sombere verslagen van de redacteuren, zal geen fotoreportage staan van het liefdesnestje in Malibu van de nieuwste popdiva, geen vernietigende onthullingen over de dakpanindustrie, en geen geestige column (al weet hij dit nog niet) over de nieuwste mode op het gebied van huisinrichting. Ik had kunnen weten dat hij het niet zou laten rusten.

'Je hebt hem wel eens ontmoet.' Hij denkt hier even over na. 'Hoe bedoel je, ontmoet? Ontmoet in de zin van "Hallo, ik ben..." of ontmoet in de zin van "Kun je me de condooms even aangeven?"'

Mijn gezicht wordt rood. Ik dwing mezelf om hem verwijtend aan te kijken. 'Er kwamen geen condooms aan te pas.' (Het was drieëntwintig jaar geleden. En ik wist niet beter destijds.)

Hij haalt zijn schouders op, steekt zijn beide handen in de lucht alsof hij zich overgeeft. 'Oké, sorry. Ik vroeg me alleen af of we een connectie hadden waar we iets mee kunnen.'

We gaan verder, en als ik aan de beurt ben, omschrijf ik mijn Frankenhuis-idee. Hij knikt, maar ik kan zien dat hij zo zijn twijfels heeft.

'Denk je niet dat je onze lezers daarmee voor het hoofd zult stoten?' vraagt onze chef distributie. 'Het is niet zo dat ze hun huizen allemaal terugbrengen in de originele staat. Veel van hen bouwen er ook stukken aan.' Hij kijkt naar de chef advertentieverkoop. 'Adverteerders zouden er ook wel eens over kunnen vallen. Er worden veel bouwmaterialen verkocht voor al die aanbouwen.'

De chef marketing heeft verlangend naar de koekjes zitten kijken, maar nu leeft ze op. 'Ik heb daar ook zo mijn vraagtekens bij. Ze zijn toch al boos op ons vanwege je column over kunststof kozijnen.'

Ron krimpt zichtbaar ineen bij de herinnering. 'Misschien kun je beter iets anders verzinnen,' zegt hij tegen mij. Hoezo persvrijheid?

Later zit ik in mijn kantoor te worstelen met mijn nietmachine die bijgevuld moet worden, als Ron in mijn deuropening verschijnt. 'Het spijt me als ik je vanmorgen in het nauw heb gedreven,' zegt hij. Hij doet discreet de deur van mijn kantoor achter zich dicht, zodat iedereen op de hele verdieping reikhalzend in mijn richting kijkt om te zien wat er aan de hand is. Ron gaat tegenover me zitten, zucht diep alsof het gewicht van de hele wereld op zijn vermoeide schouders rust. Mijn impuls, zoals altijd, is mijn excuses aanbieden omdat ik hem zoveel ongemak heb bezorgd. Maar ik bijt op mijn tong. Ik ken dit trucje. Hij gebruikt het ieder jaar tijdens de salarisonderhandelingen. Ik leg mijn nietmachine weg, vouw mijn handen zorgvuldig in mijn schoot en kijk hem ernstig en aandachtig aan.

'Ik ben gewoon een beetje van de kaart door dat hele gedoe met Michael Foresman,' zegt hij, nadenkend uit mijn raam starend naar de muur aan de overkant van het steegje. 'Weet je nog dat hij dat artikel in *Architecture* heeft geschreven, een paar jaar geleden, met de titel "Tegen schoonheid"? Nu hij die prijs heeft gewonnen, haalt hij alle kranten. Hij is het snoepje van de week. Voor onze lezers zal het voelen alsof de duivel tot paus is gekozen.'

'Ron, sinds wanneer kan het ons iets schelen wie de architectuurprijzen wint? Je kunt niet eens voorgedragen worden voor die dingen tenzij je meest recente project eruitziet als een stapel kartonnen dozen die je kind omver heeft geschopt. Het is net als met modeshows: iedereen is in rep en roer over dingen die niemand daadwerkelijk zou willen dragen. En dat artikel dat hij heeft geschreven, was alleen maar een manier om aandacht te trekken. Niemand ziet je voor vol aan in dat wereldje tenzij je iemand tegen je in het harnas jaagt, net als in de kunstwereld.'

Hij knikt. 'Ja, dat weet ik allemaal wel. Ik zit alleen aan onze lezers te denken. Zij zullen van ons verwachten dat we op zijn minst *iets* zeggen over deze vent. Ik bedoel, we hebben het hier over de man die zei dat hij niet gelooft in huizen. Hij vindt dat iedereen in een appartementengebouw moet wonen.'

Mijn verbazing is duidelijk zichtbaar. 'Heeft hij dat gezegd?'

'In een interview vorig jaar.' Ron haalt een vel papier uit zijn zak, vouwt het open, schuift het over mijn bureau naar me toe. 'Hij heeft ook gezegd dat het renoveren van oude gebouwen net zoiets is als andermans kliekjes opeten. Architectuur hoort de kunst van het nieuwe te zijn.'

Ik pak de fotokopie van het tijdschriftartikel, kijk neer op een foto van Michael Foresman die met een ernstig gezicht in de camera staart. Hij is ouder geworden, heeft wat grijs in zijn naar achter ge-kamde haar, maar het is nog steeds hetzelfde gezicht waar ik ooit een hol gevoel van in mijn maag kreeg, alsof alleen al het ontmoe-ten van die intense blik zou kunnen voelen als een kus, een streling, een golf die je mee zou kunnen voeren.

'Hij houdt ervan om te provoceren,' zeg ik, het papier aan Ron teruggevend. 'Ik vermoed dat hij graag wil dat een gebouw hetzelf-de doet.'

'Ken je hem goed genoeg om een interview te krijgen?'

Ik had het moeten zien aankomen, maar toch voel ik het bloed naar mijn wangen stijgen. 'Hij geeft waarschijnlijk interviews aan *Newsweek* en CNN. Waarom zou hij zijn tijd verdoen met ons?'

Hij werpt me een steelse blik toe. 'Wij hebben een persoonlijke connectie.'

Dat is één manier om het te zeggen. Michael Foresman en ik heb-ben bijna een hele week doorgebracht in een *persoonlijke connectie* in de zomer na mijn tweede jaar op de universiteit. Een meisje wier ouders een huis hadden in Palm Beach had Liz uitgenodigd (die prompt mij uitnodigde) om direct na de tentamens naartoe te gaan om op het strand te liggen, margarita's te drinken en lange, ter-loopse wandelingen te maken langs het huis van de Kennedy's. De bars waren elke avond vol, en Liz bleek een expert te zijn in het los-peuteren van drankjes bij mannen die we nog maar net hadden ontmoet. Tot die mannen behoorde ook een groep architectuurstudenten van Harvard.

'Studeren jullie *allemaal* voor architect?' Liz zag eruit alsof ze zojuist op een goudader was gestuit. Ze knikten. 'En allemaal aan Harvard?' Nog meer geknik. Ze leunde achterover, slaakte een zucht van genoegen. 'Oké, wie van jullie wil er met me trouwen?'

Ze nam hen één voor één zorgvuldig op, en haar blik bleef rusten op eentje die donkere, rusteloze ogen had en wiens blik ongeduldig afdwaalde naar de andere kant van de kamer als een van de anderen een opmerking maakte die hij onnozel vond. De andere vier mannen dromden om ons heen, en één van hen leunde gretig over de bar om de aandacht van de barman te trekken, in zijn haast om ons vol te gieten met nog meer drank. Maar hij bleef stil, waakzaam.

'En hoe heet jij?' vroeg Liz aan hem, langs de anderen heen leunend om haar hand op zijn onderarm te leggen.

'Michael.'

'En jij bent de uitdaging in deze groep?'

Hij glimlachte. 'Dat ben ik.'

'Ik houd wel van een uitdaging.'

Zoiets lukt mij in geen honderd jaar. Het zou nooit in me opgekomen zijn om op die manier tegen een man te praten, en ik was onwillekeurig jaloers op haar. Ze kwam over als ondeugend en vrij. Ze noemde het 'haar innerlijke slet eer aandoen.' Ondertussen zat ik in stilte toe te kijken.

Hij moet mijn blik hebben gevoeld, want hij keek naar me. Onze ogen ontmoetten elkaar, en ik wendde vlug mijn gezicht af. Een van de andere jongens zei iets tegen me, en ik glimlachte alsof hij iets intelligents en grappigs had gezegd, maar in werkelijkheid voelde ik me een beetje misselijk.

Oogcontact. Het is de differentiaalrekening van de begeerte. Je kunt het of je kunt het niet. Het is de rollende R van de seks. ('Flirrrr-ten,' zegt Liz, met Sadeaanse verrukking.) Verliefd als ik was, vloog ik zonder iets te zien, schrille kreten uitstotend als een vleermuis, mijn best doend om niet tegen een boom op te knallen.

Later, toen de margarita's hun gebruikelijke ravage hadden aan-

gericht, wankelden we naar het strand om naar het maanlicht te kijken of de zee of weet ik het wat voor andere toeristische attractie
uit de brochure, en een van de architecten – degene die zo vreselijk
zijn best had gedaan om me een glimlach te ontlokken, om precies
te zijn – boog zich voorover en gaf over in het zand.

'Wie gaat er mee zwemmen?' vroeg Liz. Toen bracht ze haar hand
naar beneden en maakte haar rok los en liet deze op de grond vallen. Wij stonden daar toe te kijken terwijl zij al haar kleren uittrok
en vervolgens de branding in rende. Meteen begon een aantal van
de architecten hun kleren uit te rukken. Liz' vriendin, Andrea, keek
me aan en vroeg: 'Ga jij ook?'

Ik schudde mijn hoofd. Ze aarzelde en begon toen te lachen. 'Wil
jij dan op onze kleren letten?' Ze begon haar blouse los te knopen.

Ik ging op het zand zitten naast de stapel kleren. De jongen die
had overgegeven lag een eindje verderop te slapen. Ik keek om me
heen, zag dat Michael zich had omgedraaid en met zijn rug naar de
zee stond te kijken naar de rij hotels die uitkeken op het strand. Ik
kon Liz horen lachen boven het geluid van de golven uit. Na een
poosje kwam Michael naar me toe en ging naast me zitten.

'Ik haat Florida,' zei hij. 'Het is hersenloos.'

Ik legde mijn kin op mijn knieën en keek op naar de nachthemel.
'Wat zou jij hier bouwen?'

'Niets. Alles wat je hier zou bouwen, zou in het niet vallen bij de
locatie. Het zou te zeer leunen op de context om enige betekenis te
hebben. Ik zou liever bouwen in een stad, waar je andere gebouwen
hebt die combineren met het jouwe.' Hij zweeg even, uitkijkend
over het water. 'Trouwens, stranden begrenzen je fantasie. Denk
eens aan wat je ziet aan het strand. Het zijn altijd huizen of hotels.
Enorme hoeveelheden glas aan de waterkant. Ik zou in de verleiding komen om een blinde muur neer te zetten aan de kant van de
zee, en alle ramen uit te laten kijken op het land.'

'Wat is daar het nut van?'

'Dat mensen hun verwachtingen in twijfel gaan trekken.'

Ik keek hem aan. 'Wat als ze de zee willen zien?'

'Dan moeten ze maar in een ander gebouw gaan staan.' Hij keek
om naar de rij hotels achter ons. 'Keuze genoeg.'

We waren allebei een poosje stil. Ik keek naar de stapel kleren naast ons. Liz had een zijden blouse van me geleend toen we ons aan het omkleden waren om uit te gaan. (We hadden destijds dezelfde maat.) Nu lag die daar op een hoopje in het zand. Ik weerstond de neiging om haar uit te schudden.

'Waarom ben je hier dan gekomen,' vroeg ik aan Michael, 'als je niet van Florida houdt?'

'Ik loop stage bij een firma in New York. Ze zijn hier een cultureel centrum aan het bouwen.'

'Waar kijken de ramen op uit?'

Hij glimlachte. 'Het staat een paar kilometer landinwaarts.' Toen keek hij naar de figuren die ronddartelden in de branding en zei: 'Hoe lang denk je dat ze verwachten dat we nog op hun kleren letten?'

'Zeg dat je hem niet hebt geneukt,' gebood Liz de volgende ochtend.

'Ik heb hem niet geneukt,' loog ik.

We waren in de keuken van het huis van Andrea's ouders, Liz onderuit gezakt aan de tafel terwijl ik de keukenkastjes binnenstebuiten keerde, op zoek naar pijnstillers. Ik had de donzige badjas aan die Andrea me had geleend, nadat ik twintig minuten daarvoor stilletjes naar binnen was geslopen, enkel om tot de ontdekking te komen dat het huis verlaten was. Ik had precies genoeg tijd gehad om koffie te zetten en aan tafel te gaan zitten met een kommetje volkoren cornflakes toen Liz binnen kwam zeilen, nog steeds gekleed in haar piepkleine rokje en mijn inmiddels verruïneerde zijden blouse. Andrea was nog steeds niet thuisgekomen.

'Nou, dat is een opluchting,' verzuchtte ze. 'Toen we uit het water kwamen en merkten dat jullie weg waren, dacht ik: Wat een gewiekste trut! Ze hangt een beetje het zwijgzame typje uit terwijl ik in de branding lig te rollebollen, en dan smeert ze 'm met de man waar ik mee ga trouwen. Ik dacht dat ik mezelf van kant zou maken van pure wanhoop.'

In plaats daarvan was ze met een van de andere architecten mee naar huis gegaan en had ze de rest van de nacht atletische seks met hem gehad in het zwembad van het appartementencomplex waar hij logeerde. 'Vanmiddag gaan we zeilen.' Ze hief haar hoofd op en keek me bezorgd aan. 'Je vindt het toch niet erg als ik er weer vandoor ga, hè? Ik zou je wel willen vragen om mee te gaan, maar het schijnt maar een klein bootje te zijn.'

'Geeft niks,' zei ik tegen haar. 'Eigenlijk ben ik een beetje moe. Ik blijf hier gewoon wat rondhangen bij het zwembad.'

En zo ging het vier dagen lang. Elke ochtend verontschuldigde Liz zich omdat een van de architecten haar gewoonweg *moest* leren jetskiën als hij klaar was met werken. En dan glimlachte ik en verzekerde haar dat ik uitstekend in staat was om mezelf te vermaken, en vervolgens kneep ik ertussenuit om de avond in bed door te brengen met Michael. Het was niet helemaal duidelijk waarom we het geheim hielden. Na een paar dagen hield Liz op met smachten naar hem, nadat ze al zijn vrienden had geneukt en het duidelijk werd dat ze hem allemaal arrogant vonden. Het idee dat het geheim moest blijven voor mijn vrienden, maakte het echter des te opwindender. Toen de week op zijn eind liep, wilde Michael de ochtend vrij nemen zodat hij mee kon naar het vliegveld om me uit te zwaaien, maar ik schudde mijn hoofd. 'Ik wil Liz niet van streek maken. Ik bel je zodra ik thuis ben. Misschien kan ik een keertje naar Boston komen als je weer terug bent.'

We spraken elkaar die zomer nog een paar keer door de telefoon, en in de herfst gingen we samen een weekendje naar Cape Cod, al zijn we nooit onze motelkamer uit gekomen. 'Wat valt er nou te zien?' zei hij. 'Alleen maar nog meer zand en water. Ik kijk liever naar jou.'

Maar zelfs terwijl hij het zei, kon ik merken dat hij met zijn gedachten ergens anders was. Het was zijn laatste jaar aan de universiteit, en hij vertelde dat hij een baan aangeboden had gekregen in Californië. 'Het is een geweldige firma,' zei hij. 'Heel dynamisch, en ze zijn niet bang om risico's te nemen. Ik denk dat het echt iets voor mij is.'

En ik dan, wilde ik vragen. *Ben ik dan niet echt iets voor jou?* Maar het weekend vloog voorbij, en dat was dan dat. Er waren nog een paar telefoongesprekken in de herfst, maar hij had het druk met zijn afstudeerprojecten, en hij was van plan om in de vakantie naar Los Angeles te vliegen om een huis te zoeken. Het voorjaar daarop volgde ik een college over de geschiedenis van de moderne architectuur en schreef ik een essay over de tirannie van het uitzicht in de Amerikaanse strandarchitectuur. *Zeer provocerend,* schreef de professor op de laatste bladzijde, *10–*. Ik belde Michael op om het te vertellen, maar hij was niet thuis, dus ik sprak een boodschap in op zijn antwoordapparaat. Dat was de laatste keer dat ik zijn stem had gehoord.

'Ik denk dat je mijn relatie met hem overschat,' zeg ik nu tegen Ron. 'Hij zal zich waarschijnlijk niet eens meer kunnen herinneren wie ik ben.'

Ron hijst zich uit de stoel. 'Niet geschoten is altijd mis, nietwaar?'

$177\left(^3/_4\right)$

Hallo Michael...

Ik kom er niet uit. De e-mail staat al de hele ochtend op mijn beeldscherm, ongeschreven. Van tijd tot tijd haal ik hem op, staar er een poosje naar, walg vervolgens van mezelf en klik op de knop om het bericht weer haastig terug te sturen naar de onderste rand van mijn beeldscherm, als een rat die in zijn hol verdwijnt. *Dit is idioot,* denk ik boos. *Ik heb wel belangrijker dingen te doen.*

Ik laat twee dagen verstrijken in de hoop dat Ron er misschien niet meer aan zal denken, maar vanochtend sprak hij me aan in de gang en vroeg: 'Al nieuws over het interview met Foresman?'

'Ik ben ermee bezig,' verzekerde ik hem. 'Ik laat het je weten zodra ik iets hoor.'

Dus tenzij ik er vrede mee had om als enorme leugenaar door het leven te gaan, zou ik daadwerkelijk een poging moeten ondernemen. Ik ging terug naar mijn kantoor, surfte naar de website van zijn firma en vond een e-mailadres. Toen, met ijzeren vastberadenheid, drukte ik op de knop *Nieuw bericht*, typte het adres in, en bij de onderwerpregel schreef ik *Gefeliciteerd!* Vervolgens, voordat ik me kon bedenken, typte ik *Hallo Michael*, drukte op enter en wachtte even.

En zo staat het er nu nog steeds voor.

Ik heb ooit ergens gelezen dat het middernachtelijke e-mailtje naar een ex-vriend inmiddels zo gewoon is dat het de keerzijde is geworden van de ik-geef-je-de-bons brief. Over zelfverminking van de moderne vrouw gesproken.

Net als met drinken en telefoneren, komt er alleen maar ellende van. Er zou een wet moeten komen die alle e-mailservers verplicht om de boel stil te leggen na twee uur 's nachts. Als je het niet kunt versturen in het kille ochtendlicht, hoef je het überhaupt niet te versturen.

Maar hoe schrijf je zoiets als dit, gezeten in je kantoor om elf uur 's morgens op een donderdagochtend? Ik heb Liz nodig met haar homokatten en haar martinishaker voor inspiratie bij deze daad van zelfvernedering. Liz is altijd mijn muze geweest op dat gebied. Wie anders zou me mee uit winkelen hebben genomen om kleren te kopen op mijn veertigste verjaardag om me te helpen inzien dat ik niet alleen oud, arm en te dik was, maar ook nog eens hopeloos ouderwets. We begonnen in de neusring- en anorexia-boetiekjes in Soho, en toen dat niets werd, zochten we ons heil bij Prada – totdat ik een blik op de prijskaartjes wierp. Aan het eind van de dag waren we bij Saks.

'Moet je dit nou zien,' zei ze, haar stem druipend van minachting, zoals het een echte fashionista betaamt. 'Ze hadden het beter *Sucks* kunnen noemen, oftewel: waardeloos.'

Ik probeerde haar de mond te snoeren, maar de verkoopster keek ons vuil aan. En ik had nota bene net iets gevonden wat ik wilde passen.

Maar hoe kon ik Liz uitleggen dat ik probeerde te schrijven aan een man die ik onder haar neus vandaan had gestolen, en die ik vervolgens – stupide als ik was – had laten gaan voordat hij een beroemdheid was geworden? Ik wist niet goed welk van de twee ze erger zou vinden.

Dus ik sta er alleen voor. Waar zijn de koekjes als je ze nodig hebt?

Hallo Michael,
   Misschien weet je niet meer wie ik ben, maar ik wilde je feliciteren met de Pritzker Prijs. Ik heb je succesvolle carrière met plezier gevolgd in de voorbije jaren...

O god, ga ik hem nou echt vertellen dat hij die prijs als geen ander verdiende? Het lijkt voor de hand liggend om zoiets te zeggen, maar moet hij dat nou echt horen van een of andere griet waar hij meer dan twintig jaar geleden mee naar bed is geweest?

Niet dat iets van dit alles er ook maar enigszins toe doet. Ik zal dat mailtje schrijven en het versturen, en daarmee is de kous af. Hij heeft waarschijnlijk een assistente die zijn e-mail filtert, een of ander knap jong ding met een titel van Yale om zijn kantoor op te leuken met haar opgewekte, moeiteloze schoonheid. Ze zal er dertig seconden naar kijken, zich ervan verzekeren dat het niet van een belangrijk iemand afkomstig is, en het dan wissen met de rest van de stortvloed aan felicitaties van vandaag.

... Ik was verheugd om te zien dat je werk op zo'n publieke manier erkenning krijgt.

Tijd voor iets persoonlijks, om hem te helpen herinneren wie je bent.

Geen gebouwen aan het strand, valt me op. Het doet me deugd om te zien dat je trouw bent gebleven aan je principes. (Te oppervlakkig? Te vaag, misschien. Misschien heeft hij die redevoering wel tegen ik-weet-niet-hoeveel mensen gehouden. Jonge meisjes die hij wilde imponeren. Enfin, daar heb je je aanknopingspunt.) *Vergeef me het cliché...* (Korte pauze terwijl ik op zoek ga naar het accent aigu), *maar het lijkt echt alsof het gisteren was dat we op het strand zaten in Florida...* (Pauze, te vaag. Stop, wissen.)... *in Palm Beach...* (Pauze, te veel stranden nu, te dicht op elkaar. Stop, wissen.)... *in Florida, en jij gebouwen aan het ontwerpen was die de zee de rug toekeerden.*

Oké, dat is niet slecht. Een klein vleugje humor, en de gebouwen zijn gepersonifieerd, waardoor het makkelijker voor hem wordt om ons voor zich te zien daar in het zand. Moet ik nu zinspelen op wat er volgde?

Ik ben blij dat jij mij niet de rug hebt toegekeerd...

Jakkes! (Stop, wissen.) En bovendien, dat heeft hij wel gedaan. Je nooit meer teruggebeld, de harteloze klootzak. Hou het bij vleierij.

Ik was onder de indruk van je heldere visie die avond... (onder andere)... *en het doet me deugd te zien dat je door de jaren heen trouw bent gebleven aan die visie.*

Alsjeblieft. Vleierij, maar met een verstandige ondertoon. Alsof je zijn hoge eisen deelt, of zelfs hebt zitten kijken of hij je verwachtingen wel kan waarmaken. Je smeekt niet om zijn aandacht, zoals andere journalisten. Per slot van rekening heb je hem naakt gezien.

Minuten verstrijken. Ik staar uit het raam. Iedereen die langs mijn kantoor loopt, kan zien dat ik zit te glimlachen. Mona Lisa, alleen met haar ranzige gedachten.

Mijn telefoon gaat. Het is David, natuurlijk. Hebben we iets op de 24e? Hij probeert een boekenfeestje te plannen. Ik kijk in mijn agenda. Nee, we hebben niets. Geweldig. Gaat alles goed? Ja hoor, prima. En met jou? Druk.

We hangen op, en daar zit ik dan, starend naar mijn computerscherm, en ik voel me eigenaardig schuldig. Belachelijk eigenlijk. Het is maar een herinnering. Alsof David nooit denkt aan meiden waar hij mee naar bed is geweest toen hij nog vrijgezel was.

De cursor knippert verwijtend naar me: kom nou eens ter zake. *Het toeval wil dat ik werk voor een architectuurtijdschrift...* (Nee, veel te direct. Stop, wissen. Voorlopig alleen maar de kennismaking hernieuwen, dan kun je daarna wel naar een interview vragen als de tijd rijp is.)

Je zult het nu vast vreselijk druk hebben, maar als je ooit een vrij moment hebt, zou ik heel graag willen horen hoe het met je gaat. (Champagne zuipen en aanbeden worden door de wereldpers. Maar evengoed bedankt dat je het vraagt.)

Iets persoonlijks tot besluit?

Ik heb de voorbije jaren vaak aan je gedacht.

Niet waar, eigenlijk. Ik heb af en toe aan hem gedacht, zoals je doet met ex-vriendjes, maar wie wil dat nou horen? Dit impliceert zuchten en smachten. En een hint van verleiding? Een vage hint dat hij een tweede keer zou mogen opscheppen, als hij nog steeds honger heeft?

Ik word er een beetje misselijk van, hetgeen eigenlijk wel een prettig gevoel is op het moment. Waarschijnlijk zal het niet genoeg zijn om antwoord te krijgen, maar laat hem maar een dag of twee terugdenken aan dat meisje in Palm Beach. Was ze dan niet de moeite van het bellen waard?

Ik zet mijn naam eronder, voeg eraan toe *(uit 1982, Palm Beach)* voor alle duidelijkheid, en dan ineens, in een plotselinge opwelling van durf, druk ik op *Verzenden*.

Ik heb er meteen spijt van. Waarom zou hij iets willen horen van dat meisje uit Palm Beach, na al die jaren? En zelfs al wilde hij dat wel, wat is er dan nog over van dat meisje na drieëntwintig jaar huwelijk, het moederschap en een uitdijende taille? Die gedachte doet me ineenkrimpen. Zou hij me überhaupt nog wel herkennen? En om het nog erger te maken, op de o zo voorspelbare manier, heb ik *zijn* foto al gezien: hij staat in de kranten, op de website van zijn firma, er is zelfs een videoclipje van dat hij geïnterviewd wordt op PBS nadat een van zijn meer radicale ontwerpen is uitgekozen voor een nieuw museum in Berlijn. Vanavond zit hij waarschijnlijk in het journaal, genietend van zijn moment van triomf of als de belichaming van alles wat er niet deugt aan de hedendaagse architectuur, afhankelijk van naar welke zender je kijkt. Hij ziet er nog steeds goed uit. Sexy, op die verwaaide Californische manier, als een man die hard gewerkt heeft, maar tegelijkertijd ook goed geleefd. Ik zie hem al voor me in een zeilboot, als hij niet zo'n hekel had gehad aan de zee. Ik zie hem al voor me terwijl hij over het bouwterrein loopt met een helm op en een leren jack aan om erop toe te zien dat iedere spijker wordt gehamerd volgens zijn visie.

Hij ziet eruit alsof hij geen gram zwaarder is geworden in drieëntwintig jaar tijd, alleen maar wijzer en succesvoller en rijker aan publieke erkenning. Dat knappe jonge ding in zijn kantoor, met haar geweldige benen en haar stoere bril en haar bul van Yale, is beslist verliefd op haar baas. Hij is precies het soort man waar ze zichzelf mee ziet trouwen.

Misschien maakt je mailtje haar dan wel jaloers.

Ja, vast. Ze zal er een blik op werpen, op *Verwijderen* drukken, en dat was dan dat. Je kunt in ieder geval tegen Ron zeggen dat je het hebt geprobeerd.

De middag breng ik door met het persklaar maken van een artikel getiteld *Keukens om van uit je pan te gaan!* Tegen de tijd dat ik klaar ben, heb ik een onweerstaanbaar verlangen naar gebakken mosselen van een of andere tent aan het water op City Island. Wat ben ik toch een bedriegster. Mijn idee van een perfecte keuken is er eentje compleet met serveerster en cocktailbar. Ik weet alles van convectorovens en ik kan je precies vertellen welk fornuis als beste uit de consumententest is gekomen, maar ik ben de heersend koningin van de Chinese afhaalmaaltijd: ik weet de telefoonnummers uit mijn hoofd, en waar je moet zijn voor Hunan biefreepjes, de beste kung pao garnalen, of een mu shu van varkensvlees waar je hart sneller van gaat kloppen. Toen Chloe op kamers ging, zijn David en ik opgehouden met thuis eten, tenzij je pizza zo uit de doos meetelt. We werkten tot een uur of zes en hingen vervolgens tien minuten aan de telefoon om te beslissen waar we elkaar zouden ontmoeten voor het eten. Als het slecht weer was, zaten we op onze bank met onze voeten op tafel afhaalpasteitjes te eten terwijl we naar oude films keken op tv met een gevoel van zondige decadentie. Het was net alsof we weer pasgetrouwd waren, en als we ons rolrond hadden gegeten, legden we de restjes in de koelkast, smeten de lege dozen in de vuilnisbak en waggelden we naar de slaapkamer om te vrijen als twee hitsige walvissen. Een paar maanden lang was het werkelijk verrukkelijk.

Toen las David een manuscript getiteld *De mythe van de middelbare leeftijd*, waarin werd beweerd dat mannen die na hun veertigste regelmatig sporten en vetarm eten, een hogere testosteronspiegel hebben dan mannen die zich door hun verdorven echtgenote laten verleiden met afhaalmaaltijden. Vanaf dat moment begon hij 's avonds naar de sportschool te gaan, terwijl ik mistroostig kipfilet en voorverpakte sla inkocht om als avondmaal te serveren.

Waar heeft hij al dat testosteron voor nodig? Dat vroeg ik me onwillekeurig af. Beslist niet voor mij. Vanwege al dat sporten kroop hij kort na het eten zijn bed in, en vervolgens kon ik in mijn eentje de afwas doen en me de rest van de avond zelf vermaken. Oude films zijn lang niet zo leuk als je er in je eentje naar kijkt. Een tijd lang e-mailde ik bijna elke avond met Chloe op school, totdat ze steeds langer in de bibliotheek begon te blijven om te studeren voor haar tentamens. (Althans, dat beweerde ze.) Daarna ging ik over het web surfen, waar het permanent middernacht is voor de ziel, en de eenzamen ontdekken hoeveel ze gemeen hebben. Ik zocht naar ex-vriendjes (waaronder, dat geef ik toe, Michael Foresman), en vervolgens naar studiegenoten. Niemand had de Nobelprijs gewonnen, godzijdank, maar er waren voldoende successen geboekt –

boeken gepubliceerd, doctoraalstudies volbracht, zelfs een federaal rechterschap – om me dagenlang een depressief gevoel te bezorgen.

'Het is niet zo dat ik het vervelend vind dat David vroeg naar bed gaat,' zei ik op een avond tegen Liz toen we ergens iets gingen drinken. 'Ik bedoel, hij ziet er fantastisch uit en hij zegt dat hij overdag veel meer energie heeft. Ik wou alleen dat we wat meer tijd hadden voor elkaar.'

Over haar glas martini heen keek Liz me aan. 'Je bedoelt dat er niet wordt geneukt.'

Ik schudde mijn hoofd. 'Ik heb het niet over seks. We hebben altijd fases doorgemaakt waarin we vaak seks hadden en andere tijden dat een van ons een poosje de belangstelling leek te verliezen. Het maakt deel uit van de cyclussen van het huwelijk.'

'Gelul.' Ze viste de olijven uit haar glas en stopte er één in haar mond. 'Je bent van streek omdat je dacht dat je met een fijne vent was getrouwd, en nu blijk je met een theemuts opgescheept te zitten. Het is de klassieke situatie, alleen gaf je er voorheen Chloe altijd de schuld van.'

'Ik heb Chloe nooit ergens de schuld van gegeven!'

'Ik zeg niet dat je haar de *schuld* gaf, alleen dat je er altijd vanuit ging dat dit bij het ouderschap hoorde. Dus nu is ze weg, en jij dacht je man terug te krijgen, maar hij heeft het te druk met in de sportschool rondhangen.' Ze haalde haar schouders op. 'Je moet gewoon de conciërge neuken. Dat doe ik ook.'

Vol afgrijzen staarde ik haar aan. 'Zeg dat het niet waar is. *Harold?*' Harold de Conciërge was zo ongeveer de waterspuwer van haar gebouw, alleen was hij te dik om op het dak gehesen te worden, dus hielden ze hem beneden op straatniveau, waar hij leveranciers en alleenstaande vrouwen kon afblaffen.

'Alsjeblieft zeg,' zei ze, huiverend. 'Niet Harold. De knul die hem verving tijdens zijn vakantie afgelopen zomer. De surfer.'

'Met al die tanden?'

'Hmmm.' Ze glimlachte, alsof ze genoot van de herinnering. 'Hij wil acteur worden. Ik kan beslist instaan voor zijn prestaties.' Ze voegde de daad bij het woord, zeer gedetailleerd, en met een stem die net een tikje te hard was voor privacy. Tegen de tijd dat ze klaar was, zagen de effectenhandelaren die aan het tafeltje naast ons zaten lijkbleek.

Ik dronk mijn glas in één teug leeg. 'Nou,' zei ik, 'dan is het probleem van een fooi geven met Kerstmis ook opgelost.'

Ze hief haar glas. 'Service met een glimlach.'

Maar in mijn gebouw hebben we geen conciërge, dus ik had niet direct iets aan Liz' advies. David bleef elke avond naar de sportschool gaan, en in de stapel manuscripten op zijn nachtkastje begonnen dieetboeken te verschijnen. Er kwam een keukenweegschaal op onze aanrecht, en hij begon zijn porties met wetenschappelijke zorgvuldigheid af te wegen.

'Heb je eraan gedacht dat hij misschien wel een verhouding heeft?' Liz trok een wenkbrauw op. 'De man is een wandelende midlifecrisis.'

Ik zuchtte. 'Gisteravond vertelde hij dat hij er altijd van heeft gedroomd om een Harley te kopen en ermee naar Californië te rijden.'

'Zie je nou wel: hij begint zijn leeftijd te voelen.' Ze glimlachte ondeugend. 'Misschien moet *hij* de conciërge neuken.'

Dus daar zit ik dan, tot aan mijn dikke nek in de designkeukens, en het enige waar ik aan kan denken, is de conciërge neuken. Is dit een algemeen voorkomend verschijnsel in New York? Wat zal het gênant zijn als je dan een keer iemand mee naar huis neemt na een afspraakje, of zelfs als je even de krant gaat halen. Een van de verrukkingen van het huwelijk is dat je, als je boodschappen gaat doen of naar de stomerij gaat, *geen* mensen tegen het lijf loopt die je hebben zien schreeuwen in een moment van passie.

Je man telt uiteraard niet, want die zie je elke dag, en met hem heb je een stilzwijgende overeenkomst om er geen grapjes over te maken, tenzij er verleiding in de lucht hangt. Het huwelijk is een instituut dat gebaseerd is op een gedeeld waandenkbeeld over privacy: jij ziet niet dat ik koekjes verstop onder de theedoeken als ik niet zie dat jij in je neus peutert. En geen van beiden deelt de geheimen van de ander met buitenstaanders, *nooit*.

Vooral mannen lijken heel gevoelig op dit vlak, misschien omdat ze bang zijn dat vrouwen achter hun rug om aantekeningen aan het vergelijken zijn. En daar hebben ze natuurlijk gelijk in. De meeste vrouwen, zo heb ik gemerkt, trouwen enkel vanwege het genoegen om bij hun vriendinnen te klagen over de tekortkomingen van hun echtgenoot. Het is als omgekeerd pochen, een wedstrijd om te bepalen wie haar leven en haar eeuwige trouw heeft beloofd aan de meest weerzinwekkende klootzak. (Maar als de andere vrouw ook maar enigszins laat doorschemeren dat je man weerzinwekkend is, dan is het oorlog.) Het lijkt een verwachtingspatroon te zijn, een van de draagbalken van de vriendschap tussen vrouwen. Liz moppert altijd dat ik niet genoeg weerzinwekkends weet te ontdekken aan David. Als getrouwde vriendin ben ik een teleurstelling voor haar. Waar is het bloed? Waar zijn de dampende ingewanden waaraan zij zich te goed kan doen?

Maar ik geef de voorkeur aan privacy. Het is als het ware de afhaalmaaltijd van de romantiek: makkelijk, praktisch, en je hebt er na afloop helemaal geen troep van.

Als mijn gedachten blijven afdwalen, krijg ik dit artikel nooit af: afzuigkappen, turbobranders, antispatschermen, allemaal belangrijk voor gefrituurd voedsel. (En het huwelijk?) Davids obsessie voor vetarm ebde na een paar maanden weg, en tegen de tijd dat Chloe thuiskwam na haar eerste jaar studeren, waren we weer terug bij pizza en Chinees. Hij ging nog steeds een paar keer per week naar de sportschool na zijn werk, maar dan had hij honger als hij thuiskwam, dus het was niet alsof ik een Spartaanse krijger in huis had. Chloe was wat aangekomen van het studenteneten, dus hij nam een familieabonnement bij de sportschool, en dan ontmoetten ze elkaar daar 's avonds om samen te sporten.

'Dan weet je in ieder geval dat hij geen verhouding heeft met een of andere huppeltrut,' merkte Liz op met haar gebruikelijke discretie.

Ik ben een paar keer met hen mee geweest, maar ik vond het een gênante vertoning. Wat is er nou voor lol aan om te gaan staan zweten tussen allemaal mensen die je niet kent? Ik werd er vreselijk onzeker van om in een zaal te zijn met mensen die helemaal gefocust zijn op hun lichaam, en dan heb ik het nog niet eens over de kleding gehad! Mijn sporttas, met zijn gevaarlijke lading van lycra en ongewassen handdoeken, ligt op kantoor onder mijn bureau een dagelijkse beschuldiging te wezen. Maar David en Chloe leken te genieten van de tijd die ze samen sportend doorbrachten. Ze kwamen vaak lachend thuis, elkaar praktisch met hun handdoeken slaand, als kinderen na de gymles. Mijn taak was om te zorgen dat het eten klaar stond zodra ze binnenkwamen, en zolang er geen kipfilet en voorverpakte sla aan te pas kwam, vond ik het best. Mijn keuken mag dan geen turbobranders en spatschermen hebben gehad, maar er was wel telefoon en een la vol afhaalmenu's. En wie heeft er nou een afzuigkap nodig als het eten dat wordt gebracht zulke heerlijke geuren verspreidt?

Eindelijk leg ik de laatste hand aan het persklaar maken, ik smijt het artikel in Rons bakje, ga vervolgens terug naar mijn kantoor en bel David om te vragen wanneer we voor het laatst gebakken mosselen zijn gaan eten. Maar hij zit niet achter zijn bureau en ik krijg de voicemail. 'Hoi, met mij. Ik zat aan je te denken.' (Een leugen, maar het lijkt me niet eerlijk om hem te vertellen dat hij in de schaduw staat van een bord gebakken mosselen.) 'Bel me even als je tijd hebt.'

Ik controleer mijn e-mail, maar er is niets van Michael Foresman, en overigens ook niet van iemand anders. Ik probeer Liz te bellen, maar haar assistente vertelt me dat ze op stap is met een klant. Liz heeft een zeer succesvol interieuradviesbureau. Ze heeft een uiterst lucratieve nichemarkt aangeboord door gescheiden vrouwen te helpen met het uitgeven van het geld van hun ex-man aan de inrichting van hun nieuwe appartement op Park Avenue – de aangewezen interieurontwerpster voor boze vrouwen met een fabelachtige smaak.

Ik probeer Chloe's mobieltje, maar ze neemt niet op. Het is het café-uurtje in Parijs. Waarschijnlijk is ze uit met een of andere bleke existentialist en laat ze haar telefoon rinkelen in haar tasje terwijl ze diep in zijn gevoelvolle ogen staart.

Ik heb overal berichten ingesproken, maar de middag verstrijkt zonder dat iemand me terugbelt. Ik ben de vergeten vrouw. Ik breng lange, eenzame uren door in de persklaarmaak-hel. Twee artikelen van freelancers en nergens een fatsoenlijk werkwoord te bekennen.

Hoe komen we aan deze mensen? Rons vriendinnen, ongetwijfeld. Hij scharrelt steeds weer een nieuwe liberale doctorandus in de letteren op met beeldschone tieten en de wens om freelance schrijfwerk te verrichten. Hoe beter de tieten, hoe slechter ze schrijven. En het is aan mij om orde te scheppen in de chaos, ervoor te zorgen dat het nieuwste nummer van het tijdschrift voldoende actieve werkwoorden bevat om, volgens de huidige wettelijke bepalingen, als Engels te worden aangemerkt.

Dit keer heeft Ron zichzelf echter overtroffen. Ik kan alleen maar hopen dat hij waar voor zijn geld krijgt, want tegen vieren bonst mijn hoofd, druipen de pagina's van de rode inkt, en is het mij nog altijd niet duidelijk of we een nummer hebben dat de moeite van het uitgeven waard is. Buiten regent het, maar ik besluit om even snel naar Cupola te lopen op de hoek van de straat voordat ik mijn polsen begin te bewerken met een briefopener. De late namiddag is een slechte tijd om naar een koffiebar te gaan. Iedereen die er binnenkomt, heeft een verwilderde blik in zijn ogen, alsof de dag hen uiteindelijk dan toch te pakken heeft gekregen, schuimbekkend en met ontblote tanden. We zijn allemaal toe aan alcohol, maar er moet nog gewerkt worden, dus we staan wezenloos voor de toonbank, omhoog starend naar de lijst met soorten koffie als vluchtelingen die voor de storm uit zijn gedreven.

'Een latte macchiato met magere melk,' zeg ik tegen het meisje, 'met een scheut suikervrije amandelsiroop.' Er is een vitrine met gebak, maar ik dwing mezelf om niet te kijken. Ik ben een recidivist: nog één amandel-chocoladereep en ik krijg levenslang.

Als ik terugkom bij mijn bureau, knippert het lichtje van mijn telefoon. Chloe heeft mijn bericht gekregen, en het gaat goed met haar. David moet nog een telefoontje plegen naar een auteur, maar hij zal me opnieuw proberen te bellen als hij daarmee klaar is. Liz is terug van de lunch met haar klant en popelt om verslag uit te brengen. Kennelijk ben ik dus toch geen paria. Of misschien hebben ze allemaal gewacht tot mijn cafeïne-niveau op peil was en ik weer aanspreekbaar was.

Tot mijn verbazing is er ook e-mail. *FORESMANM*, luidt de eerste regel in mijn inbox.

Mijn cursor zweeft een poosje boven zijn naam om moed te verzamelen, en klikt dan.

Hallo Eva. Bedankt voor je aardige briefje. Natuurlijk weet ik nog wie je bent! Ik heb projecten aan het strand al die jaren gemeden uit angst om je teleur te stellen.

Ik pauzeer, lees die laatste zin een tweede keer. Mijn hart stottert even.

Die hele toestand met die prijs is een tikje gênant. Sterker nog, werken is al sinds maandag onmogelijk gebleken. Maar wat wel een groot genoegen is, zijn de berichtjes van oude vrienden.

Nu zinkt de moed me in de schoenen. Ik ben slechts één van velen. Waarschijnlijk hebben hele volksstammen ex-vriendinnen hem geschreven. Hij toont beleefd zijn erkentelijkheid voor het gebaar.

Als jonge man had ik zo'n haast, wilde ik zo graag iets bewijzen aan mezelf en aan de rest van de wereld, dat ik mijn vrienden niet altijd heb gegeven wat hun toekwam.

Interessant. Een dergelijke reflecterende toon zou je niet verwachten van een man die zojuist de hoogste onderscheiding op zijn vakgebied heeft gekregen. Maar misschien stelt succes je in de gelegenheid om de kostprijs ervan te meten.

In de meeste gevallen was ik ronduit egoïstisch. Ik wist mijn vrienden niet naar waarde te schatten, en nu merk ik dat ik de behoefte heb om mijn excuses aan te bieden.

O jee, nu worden we wel heel erg sentimenteel. Te veel champagne?

Maar er zijn ook gevallen waarvan ik weet dat het mijn verlies was. Ik heb de afgelopen jaren vaak aan je gedacht...

Ik ben gestopt met ademhalen. Mijn ogen lijken niet verder te kunnen lezen dan deze zin. Kan het echt zo zijn dat hij dit zegt?

...en ik heb me vaak afgevraagd wat er zou zijn gebeurd als we contact hadden gehouden.

Drieëntwintig jaren vallen in één klap weg. Ik ben jong, slank, en ik woon in Californië met mijn vriend de architect. De gedachte is opwindend en tegelijk eigenaardig verdrietig. Hoe zou mijn leven eruit hebben gezien?

Ik hoop dat je een goed leven hebt...

Dat heb ik. David, Chloe, een baan die ik over het algemeen erg leuk vind.

...en ik zou er heel graag iets meer over willen horen als je een keer in de gelegenheid bent. Tot die tijd nogmaals bedankt voor je aardige briefje, en voor het feit dat je nog steeds aan me denkt na al die jaren.
Groet,
Michael

Ik zit nog steeds verbluft naar het scherm te staren als de telefoon gaat. Mijn hand gaat automatisch naar de hoorn, brengt deze naar mijn oor. 'Hallo?' zeg ik afwezig.

Een korte stilte, en dan zegt David: 'Eva?'

Ik word overspoeld door schuldgevoelens. Ik ben in Californië geweest met een andere man, heb over zonverlichte stranden gelopen, waar alle huizen van de filmsterren met hun rug naar de zee toe staan.

'David! Sorry, ik was er even niet bij met mijn hoofd.' Normaal gesproken neem ik op kantoor de telefoon op met 'Eva Cassady' met een licht omhooggaan van mijn stem bij de laatste lettergreep, niet echt een vraag maar een opening voor een gesprek. Alleen thuis neem ik de telefoon op met een dof 'Hallo,' en dan ook nog alleen als ik lag te slapen.

'Drukke dag, hm?'

'Ja, veel persklaarmaakwerk. Rons schrijvende meiden weer.' Met een druk op de knop klik ik Michaels bericht weg, alsof David er een glimp van zou kunnen opvangen door de telefoon.

'Ik heb je boodschap gekregen, maar ik heb de afgelopen drie uur aan de telefoon gezeten. Alles goed?'

'Ja hoor – ik had alleen behoefte om met iemand te praten die weet wat een actief werkwoord is. Ik heb Chloe en Liz geprobeerd, maar ik vermoed dat hun werkwoorden te actief zijn.'

'Wat zegt dat dan over mij?'

'Dat jij in de uitgeverijwereld zit.' Ik kan zijn toetsenbord horen rammelen op de achtergrond. Hoezo onverdeelde aandacht?

'Ik weet niet of ik het wel leuk vind dat Chloe en Liz in dezelfde categorie vallen.'

'Alleenstaande vrouwen. Wen er maar aan.' Ik druk op de knop om Michaels bericht weer te op te halen. Wat hij kan, kan ik ook. *Ik heb de afgelopen jaren vaak aan je gedacht...*

'Is dat alles? Meer was er niet?'

'Gebakken mosselen,' zeg ik tegen hem. 'Wanneer zijn we voor het laatst naar City Island geweest?'

'Twee zomers geleden?'

'Dan wordt het nu weer de hoogste tijd.'

Hij is even stil.

'Ben je er nog?'

'Ja, ik was even afgeleid. We kunnen er wel naartoe gaan als je zin hebt in gebakken mosselen. Maar niet vanavond, oké? Je kent Edie, hè, bij mij op kantoor? Ze probeert weer eens een paar manuscripten van me af te pakken, dus ik moet mijn achterstand met lezen wegwerken. Wat dacht je van dit weekend?'

'Afgesproken.' We hangen op, en ik lees Michaels e-mail nog een keer. Ineens heb ik geen trek meer in gebakken mosselen. Alleen al bij de gedachte aan al dat vet word ik een beetje misselijk.

... ik zou er heel graag iets meer over willen horen als je een keer in de gelegenheid bent.

Is het te vroeg om te reageren? Als ik meteen een antwoord terugvuur, lijkt het misschien alsof ik niets beters te doen heb. Maar aan

48

de andere kant, wat is er mis met een oprechte uiting van vreugde over zijn lieve woorden? En bovendien, Ron wil een interview in het volgende nummer.

Ik druk op Beantwoorden.

Hallo Michael.
Wat een lief berichtje! Je wist altijd al hoe je een vrouw in moest pakken.

Te flirterig? Waarschijnlijk, maar ik wil het toch zeggen.

En je kunt jezelf beslist niet verwijten dat je mij niet hebt gegeven wat me toekwam.

Oké, dat gaat echt te ver. Maar ik kan mezelf er niet toe brengen om het te wissen. Laten we wel wezen, hij is met me naar bed geweest, en waarom doen alsof het geen aangename herinnering is? Het is meer dan twintig jaar geleden. Een speelse knipoog na zo'n lange tijd kan geen kwaad, toch?

Ik heb een goed leven, zij het lang niet zo opwindend als dat van jou. Ik woon in Manhattan en ik heb een studerende dochter die voor een jaar naar Parijs is om haar Frans op te krikken... (stop, wissen)... Frans te studeren, of in ieder geval Franse mannen. Ze heet Chloe, dus ik stel me een film van Eric Rohmer voor.

Interessant dat ik David niet heb genoemd. Dat lijkt oneerlijk. Na enige aarzeling ga ik met tegenzin terug en verander de zin in *Ik woon in Manhattan, getrouwd, en heb een studerende dochter...* Eerlijk duurt nog altijd het langst.

En jij? Heb jij kinderen om al dat talent te erven?

Ik kan niet informeren naar een vrouw, hoewel ik brand van nieuwsgierigheid. Er staat niets in de krantenartikelen of op de website van zijn bedrijf dat wijst op de aanwezigheid van een vrouw, maar dat betekent nog niet dat ze niet bestaat. Lang, blond en slank, waarschijnlijk. Een elegante vrouw met een la vol Frans ondergoed om de jonge sexy assistente op een afstand te houden. Als ze slim is, heeft ze al vriendschap met het meisje gesloten, haar mee uit lunchen en winkelen genomen in Beverly Hills om haar te laten zien dat ze geen schijn van kans maakt tegenover zoveel elegantie. Misschien even een winkel binnengewipt om het meisje haar parfum te laten proberen, zodat ze op kantoor verschijnt, geurend als zijn vrouw.

Maar wacht even. Als er een elegante echtgenote is, waarom dan al die spijtbetuigingen in zijn e-mail? Hij klinkt meer als een man die onlangs gescheiden is. Waarschijnlijk een workaholic die zijn carrière boven zijn gezin heeft gesteld. Nu heeft hij het gemaakt en is er niemand waarmee hij zijn succes kan delen. Zijn ex-vrouw heeft een relatie met haar echtscheidingsadvocaat, en zijn kinderen ziet hij alleen in het weekend. Zelfs de jonge, sexy assistente heeft een vriend, een inwonend chirurg bij Cedars-Sinai. Wat blijft er dan nog over behalve flirten met ex-vriendinnen over de mail?

Ik overweeg om mijn antwoord te wissen, maar wat voor harteloos kreng zou ik zijn als ik de arme man nu in de steek liet? Ik ben alles wat hij nog heeft! Mijn ogen vullen zich met tranen en ik wil net een zakdoekje pakken als mijn telefoon gaat. 'Hallo?'

Liz zegt: 'Je klinkt alsof je hebt zitten huilen.'

'Ik denk dat ik ergens allergisch voor ben.'

'Dat verklaart de zwelling.'

Au. Is er een wet waarin staat dat alleenstaande vrouwen boven een bepaalde leeftijd een vrijbrief krijgen om krengerig te doen? Ik hou Eve Arden verantwoordelijk.

'Bel je alleen om me te beledigen of had je ook nog iets anders op je hart?'

Liz zucht. 'Jij hebt mij gebeld, liefje. Weet je nog? Je baalde van je leven en je had mij nodig om je op te vrolijken. Dus heb je een bericht achtergelaten bij mijn secretaresse en bel ik je braaf terug, maar nu is er al iets spannends tussendoor gekomen en heb je me niet meer nodig. Ik zal eenzaam en onbemind sterven, en mijn homofiele katten zullen zich te goed doen aan mijn rottende lijk.'

'En dat geeft je het recht om mij dik te noemen?'

'Je hebt gelijk – ik ben een kreng. Het zijn mijn hormonen. Ik zou een veel beter mens zijn als er iemand was die me liet kreunen als een hoer.'

Liz zou stand-upcomedy kunnen doen, ware het niet dat ze zelden lang genoeg overeind blijft. 'Hoor jij wel eens iets van ex-vriendjes?' vraag ik.

'Straatverboden meegerekend?'

'Even serieus.'

'Tja, één vent nodigde me uit voor zijn bruiloft. Ik heb de antwoordkaart teruggestuurd met daarop: "Nee, dank je. Ik wacht wel op de begrafenis."' Haar stem krijgt een samenzweerderige klank. 'Dit is een interessant onderwerp. Wat is er aan de hand?'

'Niks hoor,' zeg ik, te snel. 'Ik heb tijdens de lunch in een tijdschrift zitten bladeren en daar stond een artikel in over de nieuwste trend op het gebied van relaties: ex-vriendjes die terugkomen voor een tweede ronde. Je weet wel, het middernachtelijke mailtje – "Hoe is het met jou? Ik mis je. Zullen we een keer ergens koffie gaan drinken?" Ik vroeg me gewoon af of ik de enige was die zulke mailtjes niet krijgt.'

'Je bent een waardeloze leugenaar, Eva,' zegt ze. 'En ik ben diep teleurgesteld dat je kennelijk meent dat je me zo makkelijk kunt afschepen.'

'Nee, serieus, ik voelde me gewoon onzeker. Dat heb ik altijd als ik een tijdschrift lees. Iedereen lijkt een interessanter leven te hebben dan ik.'

'Zo verkoop je tijdschriften, liefje. Heb je een ogenblikje?' Ze zet me in de wacht en is even later weer terug met de woorden: 'Trouwens, zou je echt iets willen horen van een van die kerels? Als ze me niet onderhouden, neuken of mijn huur betalen, verlies ik persoonlijk de belangstelling.'

'En James dan?'

'Dat is anders. James is homo. Met hem kan ik winkelen en praten over wat een eikels mannen zijn. Hij is veel beter als homo-vriend dan hij ooit is geweest als vriendje.'

'Dat krijg je als je uitgaat met een vent die je hebt ontmoet op een parkeerplaats langs de snelweg.'

'Hij had een seksualiteitscrisis. Ik wilde helpen.' Ze zucht. 'Kennelijk heb ik hem vooral geholpen om in te zien dat vrouwen niet zijn ding zijn.'

'Je zou een bureau kunnen beginnen. Aanplakbiljetten ophangen in Central Park.'

'Denk maar niet dat ik daar nog nooit aan heb gedacht. Massa's knappe kerels, een paar afspraakjes met elk, en geen verwachtingen. Dat zou absoluut een verbetering zijn ten opzichte van mijn huidige liefdesleven.'

Na vijfentwintig jaar weet ik dat er niemand is die zo'n goede radar heeft voor leugens als Liz. Maar ik weet ook dat het eenvoudig is om haar een rad voor ogen te draaien. Zet haar gewoon op haar praatstoel over haar teleurstellingen in de liefde, en je gaat vrijuit. De rest van het telefoontje gaat over de vraag waarom vrouwen niet simpelweg met homo's uit kunnen gaan, met wie ze zoveel meer gemeen hebben.

Ik controleer mijn e-mail, maar er is geen antwoord van Michael. Ik heb hem waarschijnlijk afgeschrikt door zo openlijk te flirten. Of door de verwijzing naar mijn huwelijk – die combinatie zou verwarrend *kunnen* zijn. Dat is het probleem met e-mail: wat speels lijkt als je het schrijft, arriveert zonder enige ironie op iemands beeldscherm. Ik heb ooit, in een mailwisseling met een redacteur bij een ander tijdschrift, een keer schertsend gezegd dat de kwaliteit van het werk dat we van freelancers kregen zo slecht was dat ik in staat was om het raam van mijn kantoor open te doen en te springen. Tien minuten later kreeg ik een telefoontje van de beveiliging. Ze had hen in paniek opgebeld met de mededeling dat er mogelijk een vrouw met zelfmoordneigingen rondliep in hun gebouw.

Misschien ben ik gewoon niet grappig, maar ik geef liever het medium de schuld. Bij welke andere vorm van schrijven krijg je er plaatjes bij die je vertellen wanneer je moet glimlachen? Ik heb altijd een hekel gehad aan die kleine ;) die naar me knipogen als de dorpsgek, en breek me de bek niet open over *LOL!* Mensen moeten afgaan op je stem om te weten wanneer je een grapje maakt.

De rest van de middag zit ik aan de telefoon met onze drukker te discussiëren over een fotoreportage. Er zijn jonge mensen, breng ik mezelf in herinnering, die een *moord* zouden doen voor mijn baan.

Om half zes zit ik nog steeds aan de telefoon met de drukker, of liever gezegd, ik sta in de wacht terwijl hij met iemand van zijn productieteam praat. Terwijl ik wacht, controleer ik terloops mijn mail. Oké, ik beken dat mijn hart een sprongetje maakt wanneer ik zijn antwoord zie. Twee mailtjes op één dag! Heeft hij niets belangrijkers te doen dan mij te schrijven? Interviews met de internationale media, telefonische felicitaties van rijke klanten, architectuur-groupies die zich aan zijn voeten werpen...

Heel even kom ik in de verleiding om David te bellen en triomfantelijk te jubelen. Weet je vrouw naar waarde te schatten, makker! Ze heeft een ex-vriendje dat haar *twee keer op één dag* schrijft. Bij nadere beschouwing zie ik er toch maar vanaf. Het is beter om niets te zeggen en alleen te glimlachen in stille voldoening als de intrigerende en mysterieuze vrouw die ik nu eenmaal ben.

Ik klik zijn mailtje aan. *Vrouw*, staat er. *Kind. Huis. Hond. De gebruikelijke verzameling. Ik ben gelukkig in alle belangrijke opzichten.*

Mijn hart krimpt ineen. Natuurlijk is hij gelukkig. Niet dat ik zou willen dat het anders was, maar...

Ik begin de rest te lezen, en uiteraard kiest de drukker dat moment om weer aan de telefoon te komen, pratend over pixels en resoluties. We discussiëren er nog eens twintig minuten over. Tegen die tijd ben ik zwaar teleurgesteld over mijn leven, en ik richt me weer op Michaels e-mail met iets wat grenst aan vrees. Wat voor paradijselijke tafereeltjes zal hij hebben uitgekozen om met me te delen? Zonovergoten Californisch geluk, ongetwijfeld. En ik durf te wedden dat zijn vrouw haar dagen niet doorbrengt met ruziën met drukkers. Maar ze zal ook niet de dure leeghoofd zijn die ik me had voorgesteld. Ze is vast civiel advocaat of ze doet onderzoek naar kanker. Ze zijn vegetariërs, actief in de politiek. Zij kweekt organische groenten en weet op de een of andere manier tijd vrij te maken voor yoga in haar drukke schema.

Ik haal diep adem en keer me weer naar het computerscherm. *Vrouw Mari, dochter Emma.* Mari? Niet wat ik had verwacht. Ze zou nog steeds elegant kunnen zijn en Frans ondergoed kunnen dragen, maar ik proef ook een zweem van geaffecteerdheid. *Mary* met de neus in de lucht. Ik durf te wedden dat ze constant aan iedereen moet uitleggen hoe je het uitspreekt.

De hond, zo moet ik tot mijn spijt bekennen, heet Walter Gropius.

Onwillekeurig voel ik me opgelucht. Zijn idee of dat van haar? Het had grappig moeten zijn, maar ach, dat arme beest!

Het spijt me als ik een tikje melancholisch klonk in mijn vorige mailtje. Dit gedoe met die prijs is enigszins enerverend gebleken. Je weet hoe dat gaat, dan gebeurt er iets leuks en zou je eigenlijk blij moeten zijn, maar het enige waar je aan kunt denken, is welke offers je ervoor hebt gebracht.

Eerlijk gezegd weet ik dat niet. Ik heb onlangs geen grote prijzen gewonnen. Maar ik geloof je op je woord.

Ik heb vanochtend drie televisie-interviews gedaan, en ik vrees dat ik ben overgekomen als een arrogante klootzak. Maar misschien ben ik ook wel een arrogante klootzak. Dan zit ik daar in de tv-studio, met een hoofd vol make-up als een of andere achttiende-eeuwse hoveling, terwijl de presentatoren zitten te ratelen over de meest recente showbizz-echtscheiding, en dan ineens wenden ze zich tot mij en beginnen over mijn werk te praten op een toon vol ongeloof, alsof ik al die idiote gebouwen heb neergezet, puur om aandacht te krijgen. Het is niets persoonlijks; ik kan de vrouw haar tekst zien oplezen van een kaartje. Maar ineens moet ik mijn levenswerk verdedigen tegenover Amerika, alsof ik snak naar publieke goedkeuring. Ik voelde me net een hoer. En ze laten foto's voorbij flitsen van mijn projecten, en ineens ziet mijn werk er zo opgeblazen uit, alsof het zichzelf veel te serieus neemt. Ik kwam zwaar gedeprimeerd terug uit de studio. Dus ik bekijk mijn mail, en daar tussen alle valse felicitaties van mensen die menen dat ze me nu moeten vleien, en de verzoeken om interviews van journalisten die geen flauw idee hebben wat ik met mijn werk probeer te bereiken maar denken dat ze hun lezers kunnen amuseren door er de draak mee te steken, vind ik jou!

Oké, dus ik voel me een tikje schuldig aangezien ik niet heb vermeld dat ik een van die mensen ben die een interview willen. Maar wanneer was de laatste keer dat iemand vond dat ik een uitroepteken waard was? Ik lees snel verder.

Je zult het je misschien niet realiseren, maar je hebt enorm veel invloed op me gehad. Ik wilde indruk op je maken, en alle dingen die ik tegen je zei, waren dingen waarvan ik wilde dat ze waar waren, zowel over mij als over mijn werk. Ik heb de afgelopen jaren vaak aan je gedacht, en in zekere zin ben jij die aspiraties gaan belichamen in mijn gedachten. Wanneer ik twijfels had over een ontwerp, stelde ik me altijd voor dat ik het aan jou liet zien, en aan de mate waarin ik me moest inspannen om het uit te leggen, kon ik altijd aflezen of het werkte of niet. Het is een beetje gênant om toe te geven, maar jij bent mijn muze geweest, Eva, in zekere zin. Jij bent het mooie meisje op het strand dat me vroeg waarom mijn gebouwen allemaal met hun rug naar de zee toe staan.

Ik zit inmiddels te huilen, omdat zijn woorden zo lief zijn en omdat ze zo onverdiend lijken. Wat zou hij wel niet denken als hij me nu kon zien, een vrouw van vierenveertig, zittend in haar piepkleine kantoor op de redactie van het tijdschrift *House & Home*, die grote moeite heeft om de dag door te komen zonder haar toevlucht te nemen tot koekjes of elektroshock? *Ik* was het niet waar hij al die jaren aan heeft gedacht, net zomin als ik het was waar hij mee heeft gevrijd tijdens onze week in Palm Beach. Het was een of ander meisje uit zijn dromen, wijs en scherpzinnig, dat het beste in hem naar boven zou halen.

Je wilt niet weten hoe vaak ik de telefoon heb gepakt om je te bellen tijdens mijn eerste jaren hier in Californië. Ik heb een aantal brieven geschreven, maar nooit de moed op kunnen brengen om ze op de bus te doen. Ik wilde wachten tot ik iets had om je te laten zien waar ik trots op kon zijn, en tegen de tijd dat het zover was, leek het allemaal zo lang geleden dat ik ervan uitging dat je me allang vergeten zou zijn.

Een van de secretaresses loopt langs mijn kantoor, blijft staan en komt naar de deur toe. 'Eva? Alles goed?'

Ik knik, snuffend. 'Het spijt me,' zeg ik gegeneerd. 'Niks aan de hand, hoor. Gewoon een briefje van een oude bekende.'

Ze kijkt me aan met iets wat lijkt op medelijden. 'Kan ik iets voor je doen?'

'Nee, dank je, ik voel me prima.' Alleen een beetje ontluisterd. Nadat ze vertrokken is, sta ik op en doe de deur van mijn kantoor dicht.

Enfin, interviews doe ik niet meer. Die zijn slecht voor de ziel. Ik ga gewoon weer aan de slag, en ik zal mijn best doen om alle commotie die om me heen is losgebarsten te negeren. Ik benijd je omdat je in New York woont. Op momenten als deze zou ik dolgraag naar buiten willen stappen en over Broadway of Fifth slenteren, me laten meevoeren door de mensenmenigte. Los Angeles voelt te veel als een televisiezender die dag en nacht in de lucht blijft, ook al is er geen uitzending.

Wat doe jij tegenwoordig, behalve mijmeren?

Michael

Paniek! Hoe kan ik het hem nu nog vertellen? De teleurstelling zal hartverscheurend zijn. Ik staar een paar minuten naar het scherm en probeer een manier te verzinnen om onder het beantwoorden van de vraag uit te komen, maar mijn blik glijdt onwillekeurig steeds weer terug naar zijn woorden. *Jij bent mijn muze geweest, Eva.* Elke keer dat ik ze lees, begint mijn hart sneller te kloppen, en ik moet opstaan en door mijn kantoor lopen, in mijn handen wrijven om te zorgen dat ze niet gaan trillen. Het is al laat. Ik kan de computer maar beter gewoon uitzetten en naar huis gaan. Alles wat ik in deze gemoedstoestand opschrijf, zal stompzinnig zijn en alles verpesten.

Maar ik kan ook niet naar huis gaan, naar David, in deze toestand. Ik ben één bonk gespannen zenuwen.

Ik loop twee keer mijn piepkleine kamer rond voordat ik de sporttas onder mijn bureau zie liggen. Als er ooit een moment is geweest om mezelf op een loopband te hijsen, dan is het nu wel.

Ik bel naar huis en spreek een boodschap voor David in op het antwoordapparaat. 'Hé, met mij. Dat was me het dagje wel! Ik ga nog even langs de sportschool om te zien of ik er wat van die drukinkt uit kan zweten voordat ik naar huis ga. Zal het niet te laat maken. Dag!'

Ik zet de computer uit en pak mijn sporttas terwijl ik me de blik op Davids gezicht probeer voor te stellen wanneer hij mijn bericht hoort. Ik moet hebben geklonken als een cheerleader in het laatste stadium van krankzinnigheid, vlak voordat ze naar de bijl grijpt.

Ron staat bij de lift te wachten. Hij kijkt naar mijn sporttas. 'Jij ziet er deugdzaam uit.'

Ik glimlach. Ik zit de hele dag te flirten met een ex-vriendje in de baas z'n tijd, en het enige wat ik hoef te doen is een sporttas oprapen om als deugdzaam bestempeld te worden.

'De competitie is moordend,' zeg ik. 'We moeten wel scherp blijven.' Dan krijg ik ineens inspiratie, en ik kijk de gang in. 'Sterker nog, ik denk dat ik de trap neem.'

Hij staart me verbaasd na als ik wegloop. Tja, wat moet ik zeggen? Het is een enorme verantwoordelijkheid, iemands muze zijn.

176 (en krom van de pijn)

Ik ben niet goed wijs. Ik weet niet of het de crosstrainer was, de stairclimber, de halterbank of de seks, maar ik kan 's morgens amper uit bed komen. Al mijn spieren doen pijn. David staat in de badkamer te fluiten alsof het de eerste dag van de lente is, terwijl ik op zoek ga naar Advil, me voortslepend door de gang alsof ik in elkaar geslagen ben.

Hoe doen mensen dat? Op de sportschool pezen ze voort op hun apparaten alsof het de gewoonste zaak van de wereld is. 'Ik sta op mijn hamsterrad,' zegt Liz altijd als ik haar mobiel bel en ze toevallig net op de sportschool is. Het weerhoudt haar er niet van om honderduit te kletsen; ik hoor haar alleen luidruchtig ademhalen terwijl ze voortdendert op haar loopband.

Ik had mijn telefoon laten liggen in mijn sporttas, die ik in een kluisje had gepropt. Er staat een rij loopbanden voor het raam dat uitkijkt op Broadway, en ik moest een paar minuten in de rij staan wachten voordat er eentje vrijkwam. De jonge vrouw die eraf stapte, bekeek me even vluchtig terwijl ze het apparaat droogveegde. Ze zag eruit als een marathonloper, en in haar ogen viel geen genade te bespeuren.

Zweet ze, snoes, dacht ik bij mezelf. *Misschien, als je heel veel geluk hebt, zal een of andere kerel op een dag tegen je zeggen dat je zijn muze bent.*

Voor één keer voelde ik me immuun voor de weegschalen in hun ogen. *Laat ze maar kijken,* dacht ik terwijl ik op het apparaat stapte. *Het enige wat zij hebben, is hun lichaam. Ik heb een* verleden.

Ik heb altijd al het soort vrouw willen zijn dat Marlene Dietrich zou spelen, met omfloerste ogen die hun portie gebroken harten hebben gezien, maar nog steeds bereid om haar schoenen uit te schoppen en de woestijn in te lopen om de man te volgen waar ze van houdt. Een tijdlang volgde ik die colonne mannen in de verte naar de zonsondergang, gestaag voortstappend over het brandende zand, maar ik werd steeds afgeleid door de vrouw naast me, die in een verbijsterend tempo voortdenderde. Als de loopband abrupt zou zijn gestopt, vermoed ik dat ze het raam uit zou zijn geschoten en halverwege Broadway zou zijn geland. Haar armen en benen gingen als een dolle heen en weer, en ik merkte dat ik langzaam maar zeker mijn tempo opvoerde om haar bij te houden, totdat ik naar adem begon te happen en veel langzamer moest gaan lopen, me vastklampend aan de zijstangen om te voorkomen dat ik er aan de achterkant af zou schieten. Ik wierp een blik op de digitale klok op het instrumentenpaneel: ik was al acht minuten bezig. De vrouw naast me denderde voort, haar blik strak voor zich gericht, alsof ze achter een of andere prooi aan zat die niet aan haar kon ontsnappen, al rende hij nog zo hard of nog zo ver.

Dat is het geheim, besefte ik. Je moet je blik strak op de weg houden, degene die naast je staat te zweten nooit toestaan je bewustzijn binnen te dringen. Schildpad of haas, het is geen wedstrijd die je kunt winnen. De jonge vrouwen mogen dan wel strijdlustig als Spartanen voortbenen, maar uiteindelijk belanden ze op dezelfde plek als jij, voortsjokkend door de woestijn van de middelbare leeftijd. Het is beter om Marlenes voorbeeld te volgen en achter die man aan te gaan die achter de horizon verdwijnt. Hou je blik gewoon op hem gericht, en dan kom je vanzelf waar je wezen wilt.

Het is een beetje gênant om toe te geven, maar jij bent mijn muze geweest, Eva, in zekere zin...

Ik heb twintig minuten op de loopband gestaan, en vervolgens nog eens twintig op de stairclimber, hijgend als een astmatische sherpa die zijn vracht omhoog zeult tijdens de laatste lange klim. *Jij bent het mooie meisje op het strand dat me vroeg waarom mijn gebouwen allemaal met hun rug naar de zee toe staan...*

Daar had ik het bij moeten laten, maar terwijl ik stond uit te hijgen bij de waterkoeler, zag ik een vrouw die twintig jaar ouder was dan ik aan de slag gaan op de Nautilus. Ze zette zorgvuldig het gewicht terug op de laagste stand, installeerde zich op het bankje, en begon zonder enige gêne langzaam de gewichten op en neer te bewegen terwijl de Arnolds en de Buffies om haar heen de wereld op hun strak gespannen rug hesen. Dun en tenger als ze eruitzag, voerde ze haar krachttraining uit met de plechtigheid van iemand die de menselijke vorm wil perfectioneren. Kijkend naar haar, had ik ineens het gevoel dat waar we mee bezig waren meer was dan enkel een cultureel bepaalde obsessie met jeugd en schoonheid. Het had iets bijna *apollinisch* over zich, een streven naar lichamelijke perfectie door langzame, slopende arbeid, alsof we die eeuwenoude goden enkel konden benaderen door te lijden. Vraag me niet waarom die gedachte ineens bij me opkwam terwijl ik naar haar stond te kijken. Het zou logischer zijn geweest om dat te denken over de jonge homo in de hoek, die zijn toch al perfecte lichaam aan het perfectioneren was door sit-ups te doen op een steil aflopende plank, of de als een filmster ogende jonge vrouw die haar kickboksbewegingen aan het oefenen was. Maar voor mij was het de aanblik van die tengere vrouw die langzaam haar piepkleine deel van het gewicht van de wereld aan het optillen was en het weer liet zakken waardoor het allemaal mooi leek, iets wat van ons werd verwacht door oudere goden dan de onze.

Ik stond daar bij de waterkoeler, handdoek om mijn nek gedrapeerd, nippend van mijn water, en sloeg haar gade. Toen ze klaar was met haar sessie, gooide ik mijn bekertje in de prullenbak en liep naar het apparaat om haar plaats in te nemen. Als ik haar kon volgen, dan zou ik me niet generen. Ze leek zo volkomen sereen, zo onbekommerd over de blikken die ze kreeg terwijl ze langzaam van het ene apparaat naar het andere ging.

Ik merkte dat ik de gewichten makkelijk kon optillen, dus ik bestudeerde de manier waarop het gewicht was ingesteld en zette de pin een paar streepjes lager. Dat leek een grotere uitdaging. Niet moeilijk, maar ik was me nu wel bewust van het gewicht. Het was best een prettig gevoel om tot de ontdekking te komen dat ik niet de zwakste in het vertrek was. Ik stond mezelf toe om het rustig aan te doen, mijn tempo regelend naar dat van de oudere vrouw naast me. Ze schonk me een glimlach toen we opstonden om van het ene apparaat naar het volgende te gaan.

'Het is verstandig om het rustig aan te doen,' zei ze. 'Vooral de eerste keer.'

Ik glimlachte en knikte instemmend. Misschien waren we geen Atlas, die de wereld op zijn schouders torste, maar we droegen ons steentje bij. Tegen de tijd dat we klaar waren, drong het tot me door dat het publiek was veranderd. Ik wierp een verraste blik op mijn horloge. Het was bijna acht uur. Ik was er al praktisch twee uur, zo lang dat de vaste na-het-werk klanten klaar waren en vertrokken waren om te gaan eten, vervangen door mensen die uit het restaurant kwamen, klaar om hun maaltijd eraf te sporten.

Ik kleedde me vlug om en liep toen Broadway op met een gevoel van voldoening. Dat was eigenlijk zo gek nog niet. Een beetje gênant in het begin, maar zoals met alles wat nieuw is, moet je eerst even je draai vinden.

'Nou, ik begon me al zorgen te maken,' zei David, op zijn horloge kijkend toen ik binnenkwam. Hij lag languit op de bank met een manuscript. 'Ik dacht dat je er misschien met een gewichtheffer vandoor was.'

'Het duurde een tijdje voordat ik doorhad hoe alles werkte.' Ik liet mijn sporttas vallen in de deuropening naast de garderobekast, waar ik hem de volgende ochtend niet zou vergeten. 'Maar ik snap nu wel waarom je daar zo graag komt. Massa's jonge schoonheden.'

'En de meiden zijn er ook best de moeite waard. Vooral als je van zweterig houdt.' Hij gooide zijn manuscript aan de kant en ging rechtop zitten. 'Heb je al gegeten?'

'Nee, en ik val om van de honger. En jij?'

'Ik heb kip gemaakt. Het staat in de koelkast.'

Ik zou zelfs karton hebben gegeten op dat moment.

David nam zijn manuscript mee naar de keuken en kwam bij me zitten terwijl ik at. 'Wist je dat het gemiddelde getrouwde stel twee keer zoveel tijd doorbrengt met forenzen als met praten met elkaar?'

'Het zoveelste verheffende onderzoek naar het Amerikaanse huwelijk?'

'Culturele geschiedenis van de snelweg.'

'Dat klinkt opwindend.'

Hij haalde zijn schouders op. 'Met vlagen. Hij heeft een goede theorie over dat de aanleg van snelwegen het meest bepalend is geweest voor het leven in Amerika na de oorlog.'

'Is dat boek niet al geschreven?'

'Meerdere keren. Maar dat heeft ons in het verleden ook niet tegengehouden.' Hij legde het manuscript weg. 'Edie Boyarski probeert me deze in de maag te splitsen. Ze wil het ruilen tegen *Fantastische seks volgens de kabbala*. Het schijnt dat zij iemand kent die weer iemand kent die het Madonna onder de neus kan duwen. Dat is wat ze marketing noemen, tegenwoordig.'

Na het eten ging ik twintig minuten onder de douche staan. Eerst heet, om mijn spieren te verwennen, en daarna koeler, als een warme regen. Is de regen warm in Californië? Zo had ik het me wel altijd voorgesteld. Zachtjes stromend over de dorre heuvels en de eucalyptusbossen, zodat de lucht vochtig en geurig wordt. Lange dagen vol regen die de woestijn in bloei zetten. Totdat de grond langzaam maar zeker zachter wordt en begint te schuiven, huizen meevoerend, hele berghellingen met donderend geraas in woonwijken worden gesmakt, en strandhuizen in zee worden geslingerd...

Ik zette abrupt de douche uit. Was het Noachs vrouw die de zondvloed had veroorzaakt, doordat ze fantasieën had over een of andere herdersjongen?

David zat rechtop in bed de krant te lezen. 'Dit is interessant om te weten,' riep hij terwijl ik me afdroogde. 'Uit recent onderzoek naar de slaapkamerrituelen van meer dan vijftienhonderd volwassenen is gebleken dat zevenentachtig procent meestal televisie kijkt in het uur voordat ze naar bed gaan, zevenenveertig procent heeft meestal seks, en vierenzestig procent leest.' Hij liet de krant zakken. 'Als uitgever vind ik dat bemoedigend. We doen het beter dan seks.'

'Nou, volgens mij kunnen ze niet rekenen.'

'Hoe bedoel je?'

'Hun getallen kloppen niet. Als je alles bij elkaar optelt, moet er toch honderd procent uitkomen?'

Hij keek neer op de krant. 'Ik vermoed dat je meer dan één ding mocht kiezen.'

Dat zou leuk zijn. Wij lezen meestal. David zijn manuscripten, terwijl ik meestal iets meeneem wat mijn aandacht trok op de planken met het opschrift 'Warm aanbevolen' bij de boekhandel, of iets wat Liz had gekocht en waar ze na een paar hoofdstukken genoeg van had gekregen. Ze heeft ooit een keer het verzameld werk van Jane Austen gekocht nadat ze een artikel had gelezen in een vrouwentijdschrift met de titel 'Jane Austens tips voor alleenstaande vrouwen'. Na een paar weken deed ze me de hele set cadeau, met de woorden: 'Ik huur de films wel.'

Het was gek, om Jane Austen te lezen in bed met mijn man naast me. Mannen zijn ontwijkend in die boeken. Ze dansen altijd weg op feestjes of springen op hun paard om hun landgoed te inspecteren, juist als de heldin een aanzoek verwacht. En degenen die niet ontwijkend zijn, zijn krankzinnig. Een vogel in de hand, zo helpt Jane haar lezers herinneren, is *nooit* beter dan één in de lucht. Wat moet je dan vinden van de echtgenoot die naast je in slaap ligt te vallen? Geen landgoederen om te inspecteren, helaas, en door de danspassen die jij kent, laat hij zich nooit meeslepen.

Toen ik in bed stapte, legde David zijn krant weg. 'Zin om te vrijen?'

Later, toen ik opstond om naar de badkamer te gaan, merkte ik dat ik amper rechtop kon staan. De spieren in mijn onderrug voelden als een kluwen kronkelende slangen. En ineens wist ik dat het mijn straf was: ik had aan Michael gedacht terwijl David met me vrijde. Mijn gedachten dwaalden telkens af naar die nachten die ik had doorgebracht in zijn bed in Palm Beach, en op Cape Cod, onze lichamen nog jong en intens in hun opwinding. Als ik mijn ogen dichtdeed, waren het Michaels handen die me aanraakten, Michael die zwoegde op zijn eigen genot boven me. Ik was drie keer kort achter elkaar klaargekomen, elke keer met het gevoel alsof ik van een trap af was gebuiteld. En elke keer stond hij daar, wachtend onder aan de trap, klaar om me weer naar boven te helpen.

'Gaat het?' vroeg David slaperig toen ik me terug naar bed sleepte.

'Ik denk dat ik iets heb verrekt in mijn rug.'

'Tijdens het vrijen?'

'Dat vermoed ik.'

'Heb je een warme kruik nodig?'

'Misschien alleen een Advil.'

Hij zuchtte, stapte uit bed en ging naar de keuken. Ik schoof behoedzaam onder de dekens terwijl ik hem kastjes open en dicht hoorde doen. Hij kwam terug met een Advil en een glas water, ging naast me staan terwijl ik de pil in mijn mond stopte en voorzichtig mijn hand uitstak naar het glas.

'Ik voel me verschrikkelijk,' zei hij.

Ik keek naar hem op terwijl ik de pil doorslikte. 'Welnee. Je bent trots op jezelf.' Ik gaf hem het glas en liet me zachtjes in het matras zakken. 'Is dat geen klassieke mannelijke fantasie? Een vrouw zo uitputten dat ze zich niet meer kan verroeren?'

'Misschien als je twaalf bent.' Hij zette het glas neer en stapte in bed. 'Als je de veertig gepasseerd bent, is het een stuk moeilijker om rugpijn te zien als een erotische ervaring.'

Vanochtend is het niet mijn rug. Het is *alles*. En ergens in mijn achterhoofd weet ik dat het niet David is die hier verantwoordelijk voor is.

Hij komt de keuken binnen en treft me leunend tegen het aanrecht, niet in staat om te bewegen. 'Nog steeds pijn?'

Ik schenk hem een blik die suggereert dat hij geen bonuspunten krijgt voor die vraag, en ineens is hij een en al bezorgdheid. Hij helpt me naar een stoel, laat me er voorzichtig op zakken alsof ik ineens ben veranderd in zijn bejaarde moeder.

'Misschien moeten we toch maar even naar de dokter.'

Dames, laten we wel wezen, dit is wat het huwelijk is. Niet het romantische weekend in Parijs, maar de vijf dagen die je met griep in bed ligt. Je man, al heeft hij nog zoveel fouten, is degene die je thee en beschuit brengt, terwijl al die hippe carrièremeiden met hun fantastische benen en hun flirterige charme enkel kunnen huilen in hun eenzame kussen of hun moeder in Iowa moeten bellen voor troost. Je man, de schat, is degene die zegt: 'Zal ik Ron bellen, zeggen dat je vandaag niet komt werken?'

Ik breng de hele dag in bed door. Zodra de Advil begint te werken, is het eigenlijk best aangenaam. Sterker nog, zodra ik eenmaal gewend ben aan het idee dat ik niet hoef op te staan, is het een haast schuldbewust genoegen. Ik zap door de tv-zenders en voel de spierpijn langzaam wegebben als water dat wegvloeit, tot ik in een toestand van milde pijn en futloosheid beland. De fles pijnstillers staat inmiddels op mijn nachtkastje, samen met een groot glas water. Ik mag er elke vier à zes uur eentje innemen, en in de tussentijd zijn er oude films, foute soaps, en een verrassend aantal fitnessprogramma's op televisie. De meeste blijken verkapte commercials voor de nieuwste apparaten om aan je buik, billen en dijen te werken – 'een complete sportschool in één apparaat!' Ik kijk gefascineerd toe terwijl een model ons haar dagelijkse routine laat zien, daarbij elk van de verrassende snufjes van het apparaat benuttend. Het is eigenlijk tamelijk verrukkelijk om hier te liggen kijken terwijl zij haar perfecte lichaam traint. Ze glanst; ze gloeit. Het enige wat ze nodig heeft, is een bolletje vanille-ijs dat smelt op haar golvende buikspieren.

Later is er een fitnessprogramma dat is opgenomen op een Caribisch strand. Drie slanke jonge vrouwen en een vlezige bodybuilder kletsen er vrolijk op los op een zonovergoten ochtend vol gewichten, aerobics en stretchen terwijl zeilboten voorbij glijden op de zee achter hen. Ze lijken geen oog te hebben voor de schoonheid om hen heen, totaal in beslag genomen door hun eigen volmaaktheid.

Net als Michaels gebouwen, denk ik. En de gedachte aan Michael bezorgt me rillingen. God, ik heb zijn mailtje nog niet beantwoord.

Ik stap langzaam uit bed en sleep me door de gang naar Davids werkkamer, waar ik zijn computer aanzet en me, terwijl deze opwarmt, behoedzaam op zijn stoel laat zakken. Wat moet ik in vredesnaam zeggen? Het is gênant, net als een gesprek met iemand moeten voeren na een onenightstand.

Ik open mijn e-mail. Er is een hele vracht nieuw werk, maar ik heb David moeten beloven dat ik vandaag niet zou werken, dus ik scroll naar beneden totdat ik bij Michaels laatste berichtje ben, en klik dan op Beantwoorden.

Hallo Michael,

Er is zoveel wat ik tegen hem zou willen zeggen, maar het lijkt allemaal niet goed. Dus waarom niet gewoon de waarheid?

Ik ben vandaag ziek thuis. Of eigenlijk ben ik niet ziek. Ik denk dat ik gister op de sportschool iets heb verrekt in mijn rug.

Oké, het is niet de hele waarheid, maar er wel dicht genoeg bij. En zo klink ik in ieder geval niet als de volslagen idioot die ik in werkelijkheid ben. Ik kom in de verleiding om terug te gaan en er *bij het gewichtheffen* aan toe te voegen, maar dat gaat voor mijn gevoel toch net iets te ver. Laat hem zijn fantasie maar gebruiken.

Niet bepaald muze-achtig, vrees ik, maar ik moet dan ook nog steeds wennen aan deze nieuwe rol die jij me hebt toebedeeld. Wat een lieve dingen schreef je!

Nu begin ik me schuldig te voelen. Ben ik hem niet meer verschuldigd in ruil voor al die lieve woorden? Een stukje waarheid, misschien?

Ik wou dat ik dat meisje op het strand kon zijn dat jou heeft geïnspireerd. Ik ben enorm gevleid dat jij me op die manier kon zien, ook al verdiende ik het niet. De waarheid is...

En daar wacht ik even. Zit hij echt op de waarheid te wachten? Zou het zelfs wel eerlijk zijn om dat beeld aan diggelen te gooien waar hij zich al die jaren aan heeft vastgeklampt? Wat doet het ertoe wie ik werkelijk ben? Hij heeft schitterende gebouwen neergezet met een of ander meisje uit zijn verleden in zijn achterhoofd. Zou het niet egoïstisch van me zijn om erop te staan dat hij me ziet zoals ik ben?

Oké, dus ik ben gewoon een van de vele journalisten die hem willen gebruiken om de verkoopcijfers op te krikken. Maar zou hij dat echt moeten weten als ik hem nooit om dat interview vraag? Ik zou hem van alles wijs kunnen maken: dat ik lerares ben of advocate. Nadat we een paar keer heen en weer hebben gemaild, zou hij zich weer gewoon kunnen concentreren op zijn gebouwen en zijn elegante vrouw, met zijn dromen intact. En ik zou weer gewoon dat meisje op het strand worden dat haar rug naar de zee toe keert.

De waarheid is dat je alles wat je hebt bereikt, te danken hebt aan je eigen talent. Geloof me als ik zeg dat ieder 'amusement' dat ik je heb kunnen geven, puur eigenbelang was. En het is prettig om te denken dat ik een rol heb gehad in je werk, hoe onbeduidend dan ook.
Eva

Ik voel me onzelfzuchtig als ik op Verzenden druk, en kijk hoe het bericht verdwijnt. Ik heb hem nergens om gevraagd, zelfs niet om een antwoord. Hij kan terugschrijven of niet; het is zijn beslissing. Geen geflirt. (Of in ieder geval niet veel. Dat zinnetje over dat hem 'amuseren' puur eigenbelang was, zou waarschijnlijk wel als een *beetje* flirterig kunnen worden gelezen.) Ron zal moeten leven zonder zijn interview. Of een van zijn schrijvende meiden met Michael laten flirten als hij dat interview dan echt zo graag wil. Daar hebben ze vast geen bezwaar tegen.

Ik kruip weer in bed. Het is gek om midden op de dag alleen thuis te zijn; het is zo stil in het appartement, ik voel me bijna een vreemde die heeft ingebroken om te spioneren in onze levens. Ik ben tegenwoordig zelden alleen. Of ik ben op mijn werk, omringd door mensen, of ik ben thuis met David en Chloe. En zelfs als zij er niet zijn, ben ik dingen voor hen aan het doen: wassen, eten koken, boodschappen doen, opruimen. Voor een vrouw betekent het hebben van een gezin dat ze geen eigen leven heeft. Het is het wel waard, natuurlijk, maar al deze stilte heeft iets luxueus. Ik laat de tv uit en lig daar maar gewoon te genieten van de stilte om me heen. Het voelt als slapen tussen zijden lakens.

Maar dat is een gevaarlijke gedachte.

Ik steek mijn hand uit naar de telefoon. Liz is vanochtend niet op kantoor. David zit in een vergadering. Chloe zit in de les en heeft haar telefoon uit staan, dus die schakelt meteen over op haar voice-mail. Ze heeft nu een tekst in het Frans ingesproken. 'Bonjour, c'est Chloe...'

'Bonjour,' zeg ik. 'C'est je moeder. Zet onmiddellijk die baret af, jongedame! En bel je *mère*.'

Is het niet treurig dat ik háár bel op dit moment? Ik neem me plechtig voor om mijn zere rug niet ter sprake te brengen als ze belt. Ik zal gewoon tegen haar zeggen dat ik een geestelijk-welzijndag heb genomen omdat ik nog van alles moest doen in het appartement.

Ineens dringt het tot me door dat ik sinds gisteravond niets meer heb gegeten. Ik ben uitgehongerd, maar het lijkt zonde om zo'n goed begin van de dag te verpesten, dus ik ga naar de badkamer, laat het bad vollopen met kokendheet water en laat me er happend naar adem in zakken om even lekker te weken. Zodra ik achteroverleun, realiseer ik me dat ik dit al die tijd al nodig had. Geen eten, geen telefoontjes, zelfs geen ex-vriendjes. Het enige wat ik nodig had, was een bad vol heet water om de pijn te doen wegebben.

De telefoon gaat en ik hoor Liz' stem op het antwoordapparaat. 'Nou, dat is dan lekker. Ik krijg een berichtje dat je ziek thuis bent en dan bel ik, met mijn meest meelevende stem in de aanslag, en dan ben je er niet! Waar ben je dan wel? Buitenshuis aan het spij-belen? Moet ik een rondje ziekenhuizen gaan bellen? En ik al die tijd maar denken dat jij de meest stabiele bent van ons tweeën.' Er is een pauze, en dan zegt ze: 'Even serieus, bel me, oké?'

Ik doe mijn ogen dicht en laat mijn pijnlijke armen drijven op het wateroppervlak, als zeewier. Ik kan bijna mijn lichaam vergeten, dat languit onder water ligt op een manier die merkwaardig kin-derlijk moet aandoen. Toen ik een klein meisje was, stelde ik me een vrouwenlichaam altijd dun voor, gedefinieerd door rondingen en contrasten. Ik vind mijn lichaam er nu uitzien als dat van een baby, mollig en ongedefinieerd, erop gemaakt om me te beschermen tegen honger en kou. Als we onder water leefden, zou gewicht geen rol spelen. Sterker nog, dan zouden we het misschien juist fijn vinden om dik te zijn, de combinatie van drijfkracht en warmte, glibberig als zeehonden in onze dikke jassen van spek.

Een uur later klim ik uit het bad en voel ik me een heel stuk beter.

Ik wikkel me in een handdoek, ga naar de keuken, en eet een potje yoghurt. Het is een prachtige dag geworden; wat zonde om hem kniezend in het appartement door te brengen. Het is te laat om iets met Liz af te spreken voor de lunch, en ik heb geen zin om te winkelen. Maar wanneer heb ik voor het laatst een dag gewoon gewandeld?

Toen ik nog jong en platzak was, werd ik op zaterdagochtend wakker en trok ik de stad in op ontdekkingstocht. Soms liep ik bijna heel Manhattan door, en Broadway helemaal uit, vanuit mijn appartement in de buurt van Columbia, totdat ik bij de Village kwam, waar ik dan een hele ochtend rondzwierf. Als niks mijn aandacht trok, bleef ik alsmaar doorlopen, helemaal naar Battery Park om uit te kijken over de haven, en dan voelde ik me net de verwaaide heldin uit een film die op de uitkijk staat tot haar geliefde komt binnenvaren. Vervolgens naar de East Side van bagels met een dot roomkaas tot sandalen van vijfhonderd dollar om te dragen naar je strandhuis in de Hamptons.

In die tijd leek de stad net een gigantische accu die het licht in mijn binnenste helder deed branden. Soms, in de opwinding van dat zwerven, vergat ik wel eens te eten, totdat het vlammetje ineens begon te flakkeren terwijl ik voortstapte. Dan dook ik een Koreaanse supermarkt in, kocht een appel en een pak melk, en nuttigde deze zittend op de stoep van de villa van een of andere investeringsbankier in Chelsea. Als het eruitzag alsof het ging regenen, wipte ik een museum binnen of bracht ik een uur rondneuzend in een boekenwinkel door. En dat kon een avontuur op zich zijn. In New York is een knappe meid alleen in een boekenwinkel als een dier dat afgesneden is geraakt van de kudde, waar de behendige jagers al snel omheen beginnen te cirkelen. Op sommige dagen, als de jagers extreem behendig waren, kwam ik niet verder dan dat op mijn zwerftocht. Maar het gebeurde ook net zo vaak dat ik het hele eind weer terugliep door de stad, door het park in de buurt van 80th Street, en vlak voor het donker vermoeid maar opgetogen terugkwam in mijn appartement, zodat ik nog een paar uurtjes had om uit te rusten voordat ik 's avonds uit zou gaan.

Het is nu moeilijk voor te stellen dat ik ooit zoveel energie heb gehad. Of de juiste schoenen. Ik vind een paar oude sportschoenen achter in de garderobekast, maar wie wil ik nou eigenlijk voor de gek houden? Dit wordt niet zo'n soort marathon. Misschien loop ik even over Broadway naar Columbus Circle, en loop ik dan weer terug door het park. Gewoon even een wandelingetje om mijn benen los te maken.

Het is bijna zeven uur als ik terugkom in het appartement, met tassen vol afhaalspul voor het avondeten. David staat onder de douche. Zijn sporttas ligt op de grond in de deuropening, naast de mijne. Zij aan zij, als een stel luie, volgevreten honden. Het antwoordapparaat op het aanrecht in de keuken staat te knipperen van de boodschappen van alle mensen die ik in mijn moment van wanhoop heb gebeld. David heeft ze niet afgeluisterd. Betekent dat dat hij boos is, of is hij gewoon meteen onder de douche gestapt toen hij thuiskwam?

'Hallo,' roep ik om de hoek van de badkamerdeur. 'Ik ben er weer.' De douche gaat uit. Stilte. Hij is boos.

'Om een uur of elf voelde ik me al een stuk beter, dus ik ben een eindje gaan wandelen,' zeg ik snel. 'Ik had natuurlijk even moeten bellen.'

'Liz belde me vanmiddag,' zegt hij kalm, terwijl hij een handdoek pakt. 'Ze heeft me uit een vergadering laten halen. Het bleek dat ze vanochtend een bericht van jou had gekregen met de mededeling dat je thuis was en dood lag te gaan aan de pest, maar toen ze je probeerde te bellen, werd er niet opgenomen. Ze werd ongerust, dus toen heeft ze Chloe gebeld. Vraag me niet *waarom*, maar dat heeft ze gedaan. Tegen de tijd dat ze besloten om mij uit m'n vergadering te laten halen, waren ze er allebei van overtuigd dat je hier met een gescheurde milt op de grond lag. Ze heeft me gedwongen om eerder naar huis te gaan om te kijken of alles wel goed met je was. Vervolgens had ik het genoegen om Chloe te bellen en tegen haar te zeggen: "Geen zorgen, liefje. Je moeder is niet dood. Het lijkt erop dat ze is gaan winkelen."' Met woeste gebaren wrijft hij zijn haar droog.

'Het spijt me echt. Ik had geen moment gedacht dat iemand zich zorgen zou maken. Ik ben gewoon een eindje gaan lopen en toen ben ik gebouwen gaan bekijken.'

Hij kijkt me aan over zijn handdoek heen. 'Naar *gebouwen* gaan kijken?'

'Ja. Ik kom elke dag langs de meest fantastische gebouwen, maar ik kijk er nooit echt naar. En ineens realiseerde ik me dat ik, aangezien ik vandaag toch nergens hoefde te zijn, nu wel een keer de tijd kon nemen om eens echt te kijken.'

Hij staart me een ogenblik zwijgend aan. Dan zucht hij en gaat hij verder met zich afdrogen. 'Nou, bel Chloe maar even, oké? En Liz. Ik geloof dat ze bijna zover is dat ze me ervan gaat beschuldigen dat ik je lichaam in de East River heb gedumpt.'

Chloe lijkt totaal niet uit het veld geslagen als ik haar aan de lijn krijg. 'Oké, mam. Ik ben blij dat je een leuke dag hebt gehad.' Liz, daarentegen, lijkt de hele dag aan de kalmeringsmiddelen te hebben gezeten. '*God*zijdank mankeer je niets,' roept ze uit als ik haar eindelijk te pakken krijg op haar mobieltje. 'Ik was zo ongerust.'

Ze staat me te woord vanuit het damestoilet bij Pastis, waar ze aan het dineren is met een fiscaal jurist die ze die middag heeft ontmoet in de wachtkamer van haar massagetherapeut.

'We hebben nog niet eens besteld,' vertelt ze, 'en hij heeft nu al mijn loonbelastingprobleem opgelost.'

'Eet smakelijk,' zeg ik tegen haar, en ik hang op. Een man die Liz' loonbelastingprobleem kan oplossen, verdient een ongestoorde maaltijd.

Ik tref David in de keuken aan, waar hij in de tassen met eten staat te neuzen. 'Volgens mij zijn ze iets vergeten,' zegt hij.

'Hoe bedoel je?' Ik duw hem opzij en haal de dozen met Chinees eten tevoorschijn, maak ze open en zet ze op een rijtje op het aanrecht. 'Nee hoor, alles is er.'

Hij kijkt me aan. 'Waar zijn je kung pao garnalen?'

'Ik had niet zo'n honger. Ik heb alleen wat gestoomde groenten genomen.'

Hij kijkt me bezorgd aan, voelt met zijn hand aan mijn voorhoofd. 'Voel je je echt wel goed?'

'Ja hoor. Ik had gewoon zin in iets lichts. Ik heb een appel gekocht bij een Koreaanse supermarkt op weg naar huis vanuit Midtown.'

Ik merk dat hij steelse blikken op mijn bord werpt terwijl we zitten te eten, en hij blijft alsmaar proberen om me wat van zijn biefstuk te geven.

'David, ik hoef echt niet,' zeg ik tegen hem. 'Er is eten zat. Ik zal heus geen honger lijden.'

Om de een of andere reden lijkt hij dit verontrustend te vinden, en de maaltijd verloopt grotendeels in stilte. Hij lijkt niet boos, maar als ik hem vraag hoe zijn dag is geweest, haalt hij enkel zijn schouders op en zegt: 'Niets om over naar huis te schrijven, eigenlijk.'

Ineens vloeit alle energie uit mijn lichaam weg. Ik leg mijn eetstokjes neer op mijn bord en leun achterover.

'Wat is er?' David zit me weer aan te staren. 'Gaat het?'

'Moe.' Ik schuif mijn stoel naar achteren en sta langzaam op. 'Vind je het vervelend als ik gewoon naar bed ga?'

'Toe maar. Ik ruim wel op.'

Ik stap in bed zonder zelfs maar mijn tanden te poetsen. Heel even lig ik daar te genieten van het gevoel van de lakens tegen mijn lichaam. Het is nog vroeg, en ik kan het verkeer horen op Broadway. Het is een eigenaardig rustgevend geluid, alsof de stad rustig voortleeft en er ook weer zal zijn als ik wakker word, klaar om een nieuwe dag te beginnen. Terwijl ik langzaam in slaap val, hoor ik het zachte gerammel van borden in de keuken, waar David is begonnen met afruimen.

174 (Echt waar?)

Ik word vroeg wakker. Ik heb gedroomd dat ik op de bovenste verdieping sta van een heel hoog gebouw en uit het raam kijk terwijl zich beneden een mensenmenigte verzamelt. De politie heeft de hele buurt afgezet, en de mensen staan achter dranghekken in de verte en staren vol verwachting omhoog, naar mij. Dan hoor ik een doffe klap, en het hele gebouw trilt. Een kraan is begonnen om een sloopkogel tegen de zijkant van het gebouw aan te slingeren, en de menigte juicht bij elke dreun. Ik slaak een kreet en zwaai wild met mijn armen om hun te laten zien dat ik nog in het gebouw ben, maar niemand ziet me. Ze staan allemaal te kijken hoe de kogel zich in het gebouw boort en een regen van glas en puin uitstort over de lege straat beneden.

Om de een of andere reden probeer ik niet eens om uit het gebouw te ontsnappen. Ik weet dat de deuren op slot zitten, de trappen aan gort geslagen door de eerste klap van de sloopkogel. Ik zit daar gevangen, wachtend tot het gebouw onder me instort. Ik kan de kraanmachinist de hendels zien bedienen die de kogel langzaam naar opzij doen zwaaien en die hem dan weer met een enorme vaart in mijn richting sturen. En in de mensenmenigte beneden zie ik David en Chloe, die opgewonden staan te lachen terwijl de kogel zich in het gebouw boort.

Ik word wakker vlak voordat alles instort, opgelucht omdat ik gewoon in mijn eigen bed blijf te liggen. Wat zeggen ze ook alweer over dromen waarin je valt? In alle tijdschriften wordt beweerd dat ze iets betekenen, maar ik weet niet meer wat. Iets over seks, ongetwijfeld. Of het ontbreken daarvan.

David ligt nog heel diep te slapen, en de wekker gaat pas over anderhalf uur af. Maar ik ben klaarwakker, dus het heeft geen zin om nog langer in bed te blijven liggen. Ik sta op en ga naar de badkamer. Ze zeggen dat je niet elke dag op de weegschaal moet gaan staan als je probeert af te vallen, maar ik heb nooit gehoord dat dat ook geldt als je de hoop allang hebt opgegeven. Het is een dagelijks ritueel van zelfkastijding geworden, en ik aanvaard de uitslag met berusting – een extra gewicht om mee te zeulen op mijn dag.

Vanochtend is de uitslag bemoedigend. Ik zou inmiddels beter moeten weten dan hoop te koesteren, maar het hart is een blind en onnozel dier. Je kunt niet voorkomen dat het verheugd opspringt bij de geringste voorbode van goed nieuws.

Ik ga naar de keuken om koffie te zetten. Het is de lichaamsbeweging geweest, waarschijnlijk. Bijna twee uur op de sportschool, en toen ook nog eens die lange wandeling gisteren. En ik heb niet veel gegeten. Vanochtend ben ik uitgehongerd, maar ik dwing mezelf om het te houden bij twee koppen zwarte koffie en een potje yoghurt. Ik neem wel een appel mee om later op de ochtend op kantoor op te eten, en dan haal ik tussen de middag een salade. Maar het duurt nog steeds uren voordat ik op kantoor hoef te zijn, en ik merk dat ik ineens voor de geopende vriezer sta te loeren naar een doos diepvrieswafels die ik voor Chloe had gekocht toen ze in mei thuiskwam. Zij heeft ze nooit aangeraakt; ik heb er drie van gegeten.

Maak dat je wegkomt, roept mijn hart. *Red het vege lijf!*

De sportschool. Die gaat om vijf uur open, zodat alle jonge advocaten hun lichaamsbeweging kunnen krijgen voordat ze om zeven uur naar kantoor gaan. Ik zal het dit keer rustig aan doen: twintig minuten snelwandelen op de loopband, dan een paar minuten op de stairclimber, puur om mijn hartslag omhoog te krijgen. Geen gewichten.

Tot mijn verbazing kom ik tot de ontdekking dat het eigenlijk best prettig is in de sportschool 's morgens. Mensen groeten elkaar met een knikje als ze de kleedkamer binnengaan, en je hoeft niet in de rij te staan voor een loopband. Ik loop twintig minuten gestaag door, kijkend naar het gebouw aan de overkant. Ik kan me niet voorstellen hoe het zou zijn om een appartement te hebben met uitzicht op een sportschool. Elke keer dat je uit het raam keek, ongeacht het tijdstip, zou je een rij mensen zien die aan het rennen zijn op hun loopband, als een wedstrijd zonder finish. Zou je je dan altijd schuldig voelen? Of zou het ook iets plezierigs hebben, de lichamen die constant veranderen maar de beweging die altijd hetzelfde blijft, als het kijken naar bomen die bewegen in de wind?

Het duurt een paar minuten voordat ik de slag te pakken heb op de stairclimber. Geen enkele trap die ik ooit heb beklommen, geeft mee onder je voeten of vereist zo'n merkwaardige heupwiegende manier van lopen. Er klimt een vrouw op een apparaat in de rij voor me en ik probeer haar ritme te imiteren. Het lijkt meer op fietsen dan op traplopen. Ik doe mijn ogen dicht en denk aan hoe ik als kind door de straat fietste, de dag waarop ik die precieze balans vond waardoor ik staand op de pedalen kon rijden, zoals de oudere meisjes, drie keer snel trappen en dan boven op de pedalen en glijden. Op dit apparaat valt niks te glijden, er is niet de extase van de volmaakte, zwevende balans, maar als ik de beweging eenmaal onder de knie heb, weet ik weer hoe het voelde om je een fysieke vaardigheid eigen te maken – het gevoel van vrijheid en publieke erkenning als je trots voorbij het groepje kinderen reed, nonchalant pronkend met iets waar je maandenlang op had geoefend. Als volwassene beleef je maar weinig van dat soort momenten.

Is dat hoe het zou zijn om de sportschool binnen te lopen zonder je onzeker te voelen? Om je handdoek nonchalant over de handvatten van een apparaat te gooien, je trainingsprogramma in te toetsen op het bedieningspaneel en aan de slag te gaan met een air van zelfverzekerdheid? Zou je eruit moeten zien als een van die dunne, gespierde vrouwen die elke avond op de crosstrainers hun weg naar de schoonheid vervolgen?

Ik stap het appartement weer binnen op het moment dat David onder de douche vandaan komt. Hij kijkt me bevreemd aan. 'Waar ben je geweest?'

'Ik werd vroeg wakker, dus ik dacht, laat ik eens naar de sportschool gaan.' Ik trek mijn T-shirt en joggingbroek uit en gooi ze in de wasmand. ''s Morgens is het minder druk.'

Hij staart me aan in opperste verbijstering. 'Wat bezielt je toch?'

'Ik denk dat ik er gewoon aan toe ben om meer te gaan bewegen.'

Ik stap onder de douche en zet de kraan op de heetste stand. Ik laat het water over mijn rug en schouders stromen, genietend van het rillerige gevoel dat door mijn huid trekt.

Ik kleed me vlug aan, en tegen de tijd dat David klaar is met ontbijten, ben ik al de deur uit. Het is merkwaardig opwindend om deze extra tijd te hebben op mijn dag, alsof ik mezelf voor ben: ik neem een eerdere, minder drukke metro, en als ik op kantoor arriveer, staat er nog maar een klein groepje wachtenden bij de lift. Maar ik ben ongeduldig. Het zijn maar zes trappen; ik heb vanmorgen op de sportschool waarschijnlijk al twee keer zoveel trappen gelopen. Ik loop langs de kiosk, waar de oude man achter de toonbank 's morgens mueslirepen verkoopt, en chocolaatjes na de lunch. Hij knikt naar me, een vaste klant, maar ik loop stug door.

Lichaamsbeweging is de sleutel, besluit ik. Tegen de tijd dat ik de derde verdieping bereik, beginnen mijn benen te protesteren, maar in tegenstelling tot op de sportschool, geven deze treden niet mee onder me, en ik kan voelen dat ik vooruitkom. Is het te vroeg om te zeggen dat ik op dieet ben? Dat ik ben begonnen met sporten? Ik stop de gedachte weg. Eerst maar eens boven zien te komen. Tree voor tree.

Daarna is het werken, werken, werken. Niets van Michael. Ik voel de dag als een loopband onder me door glijden, maar ik moet gewoon steeds de ene voet voor de andere blijven zetten. Halverwege de ochtend krijg ik honger, maar ik ben een sterke vrouw met karakter: niets kan mijn wil breken, tenzij ik dat zelf toesta. Om 11.30 loop ik naar beneden, voorbij de kiosk, en loop naar de winkel op de hoek, twee blokken verderop, waar ik een groene appel en een potje magere kwark koop. Ik loop terug, neem de trap naar boven en ga achter mijn bureau zitten, net op tijd om de telefoon te horen rinkelen.

'Ben je vrij voor de lunch?' vraagt David. 'Mijn lunchafspraak gaat niet door, en ik dacht dat we misschien wel samen een hapje konden gaan eten.'

'Ik heb net een appel en kwark gekocht.'

Stilte. Ik kan horen hoe de vraag zich vormt in Davids hoofd – *Ben je op dieet?* – maar na drieëntwintig jaar huwelijk haalt hij het niet in zijn hoofd om het te vragen.

Dus zegt hij alleen: 'Een andere keer dan maar,' en we hangen allebei op.

Het zit namelijk zo: mannen willen dat hun vrouw er goed uitziet, maar ze *haten* het als we aan de lijn doen. Ze vatten het persoonlijk op, alsof we hen op de een of andere manier van ons af willen duwen. In werkelijkheid, echter, is het omdat mannen het liefste eten zonder erbij na te denken. Lijnen is een bewustzijn van oorzaak en gevolg: *oorzaak* – voedsel; *gevolg* – walgelijk, afzichtelijk vet, en de halve garderobekast die verboden terrein is. Mannen hebben van nature een afkeer van een dergelijke manier van redeneren. Ze leven liever in een wereld waarin bier leidt tot supermodellen, en het spelletje gewonnen kan worden door de miraculeuze vangst. Als hun vrouwen stoppen met eten, is het alsof we de borst hebben teruggetrokken. Daarna gaan ze pruilen, totdat je je door manlief laat meeslepen naar Ray's voor pizza, waar hij gelukzalig naar je gaat zitten glimlachen terwijl jij zijn dieet-handgranaat doorslikt.

Nog geen jaar geleden kocht ik kipfilet en salade voor hem. Klaagde ik toen dat we geen Chinees konden halen terwijl ik zin had in mu shu? (Oké, maar hardop?) Voordat mannen ook gingen lijnen, waren de regels duidelijk: de man bestelde biefstuk, en zijn vrouw at sla. Vervolgens kreeg de man een hartaanval en verhuisde zijn vrouw naar Florida en at waar ze trek in had.

Tegenwoordig hebben mannen ook een lichaam. En vrouwen hebben ogen. Waarom kunnen ze dan niet accepteren dat dit *afzien* is?

Gelukkig omvat ieder dieet koffie. Het bevat geen vet, geen koolhydraten, geen calorieën. Alleen de duivel zou zo'n volmaakt voedingsmiddel geschapen kunnen hebben. Als de appel en de kwark op zijn, ga ik naar beneden voor een kop koffie zo groot als mijn eerste appartement.

Ik heb niets anders om me op te verheugen vanmiddag dan een stafvergadering en een drukproef. En daarna, ongetwijfeld, een naargeestig avondmaal met David.

Misschien ga ik nog even langs de sportschool op weg naar huis...

168

Hallo Eva,

*Ik hoop dat het weer wat beter gaat met je rug. Sorry dat ik af-
gelopen week niks van me heb laten horen, maar ik moest halsoverkop naar Tokio...*

!

*... om de nieuwste crisis bij ons project daar het hoofd te bieden.
Ben je er wel eens geweest?*

Alsjeblieft. Mijn stomerijgoed is nog bereisder dan ik. Dat gaat tenminste om de zoveel weken naar Jersey.

*Het schijnt dat ze tegenwoordig 'Lost in Translation' aanbiedin-
gen hebben voor Amerikaanse toeristen. Je kunt logeren in hetzelfde hotel waar Bill Murray aan slapeloosheid heeft geleden, en
alle plekken bezoeken waar hij zijn midlifecrisis heeft gehad. In
mijn geval zou het weggegooid geld zijn geweest, aangezien ik er
zelf middenin lijk te zitten.*

Is dit ironisch en zelfkritisch bedoeld, of probeert hij me iets te vertellen? Het toeval is frappant, aangezien David mij gisteravond in
de keuken van een midlifecrisis beschuldigde. We stonden te ruziën
in de keuken, hoewel het mij niet helemaal duidelijk was waar de
ruzie over ging. Kennelijk breng ik de laatste tijd te veel tijd door in
de sportschool, en heb ik mijn plichten als echtgenote verzaakt. Hij
had drie avonden op rij gekookt, en ik had alleen maar lopen kla-

gen. Ik probeerde hem duidelijk te maken dat ik juist *heel* dankbaar was geweest, en dat ik dat ook elke avond had gezegd. En wat dat klagen betreft: het enige wat ik had gezegd, was dat als hij het niet erg vond, ik wel een salade voor mezelf zou maken in plaats van de driekazenlasagne te eten die hij net uit de oven had gehaald.

'Het ziet er heerlijk uit,' zei ik tegen hem, 'ik heb alleen liever iets lichters.'

'Maar ik heb het speciaal voor jou gemaakt! Het is je lievelings-kostje!'

Mijn lievelingskostje? Sinds wanneer? Maar zijn gezicht stond gekwetst, dus ik zei maar: 'Dank je, dat was heel attent. Maar je hoeft niet voor me te koken, oké? Ik scharrel wel gewoon iets bij el-kaar als ik thuiskom.'

'Dus we eten apart.'

'Als je het niet vervelend vindt om te wachten, kan ik wel iets voor ons allebei maken.'

Hij schudde zijn hoofd. 'Heb ik iets gemist? Ik dacht dat we ge-trouwd waren.'

'En jij hebt het gevoel dat ik iets doe wat daar afbreuk aan doet?' Ik begon mijn geduld te verliezen. 'Ik ga naar de sportschool en ik let op wat ik eet. *Jij* bent degene die tegen mij heeft gezegd dat ik op dieet moest.'

'Wanneer heb ik dat gezegd?'

'Toen je zei dat mijn broek te strak zat.'

Hij staarde me aan. 'Dus dat zit hier allemaal achter.'

'Ja.' *Leugenaar.*

'Dus je straft mij door mijn lasagne niet te eten?'

'Het is geen straf. Ik wil gewoon niet zo'n enorme lading kaas eten.'

Dat leek mij duidelijk genoeg, maar we bleven er nog twintig mi-nuten over doorzaniken. Uiteindelijk wierp David me een vuile blik toe, smeet zijn ovenwant in de gootsteen en zei: 'Prima. Ik eet die lasagne wel. Eet jij maar waar je zelf trek in hebt.'

Zoals hij het zei, klonk het als het toppunt van onzelfzuchtigheid. Hij greep een spatel, schepte een stuk van de lasagne voor zichzelf op en nam zijn bord mee naar de tafel. 'Ik hoor het wel als die midlifecrisis van je achter de rug is en we weer gewoon samen kunnen eten.'

Dus daar zaten we dan, in stilte ieder ons eigen maaltje te eten. In welke zin was dit anders dan samen eten? En sinds wanneer betekent getrouwd zijn dat je elke avond allebei hetzelfde voedsel moet eten? Voordat Chloe geboren was, hadden we het soms zo druk met ons werk dat we allebei om half tien thuiskwamen met een tas afhaaleten. Als we er zin in hadden, dan deelden we, maar het gebeurde ook net zo vaak dat hij zijn Firehouse Bar-B-Que at terwijl ik mijn risotto met porcini en feta at.

Nadat we een kind hadden gekregen, leek het belangrijk om gezamenlijk te eten, dus dan kwam één van ons vroeg thuis om te koken en deed de ander de afwas. Uiteindelijk kreeg Chloe ook een rol in het geheel, en in de laatste twee jaar van de middelbare school kookte ze een paar keer per week. Niets bijzonders, gewoon hamburgers of een omelet, maar het was fijn om thuis te komen en haar in de keuken aan te treffen.

'Afwassen, jullie,' riep ze dan. 'We eten over vijf minuten.'

Maar nu? Chloe zit in Parijs, en wij zijn volwassenen met een actief leven en ieder een eigen smaak. Kun je niet getrouwd zijn *en* je eigen leven leven?

Terwijl ik Michaels woorden lees, vraag ik me af of David niet gelijk had. Heb ik een midlifecrisis? Waarom kunnen vrouwen geen midlifecrisis hebben?

Het is grappig dat dit alles nu komt, nu ik een prijs heb gewonnen voor mijn werk, aangezien ik met een soort vermoeidheid tegen al mijn projecten aan begin te kijken. Ik ben trots op de gebouwen, maar ik vraag me telkens af: 'Is dit alles?' Ik ging er altijd vanuit dat er een moment zou komen waarop het gewicht van datgene wat ik had bereikt groter zou zijn dan het gewicht van wat ik nog hoopte te bereiken – maar de projecten die ik mag bouwen, zijn bijna nooit de projecten die ik me had voorgesteld. Het zijn antwoorden op de specifieke wensen van een klant, of op de restricties van een bouwterrein. Zuivere architectuur be-

staat uiteraard niet, maar ik had altijd gehoopt dat ik op een dag een project kon afronden en zeggen: 'Dat is mijn visie.'

Heb ik al verteld dat ik een huis aan het bouwen ben? Vroeger zei ik altijd: 'We zijn een huis aan het bouwen,' maar mijn vrouw wil er niets meer mee te maken hebben. Ik geloof dat ze steeds meer de kant van mijn klanten begint te kiezen. Als ik klaag over hun gebrek aan visie, zegt ze: 'Nou ja, zij moeten leven met wat jij bouwt.' Ze heeft natuurlijk gelijk, maar het is een beetje irritant om dat thuis te moeten horen.

Wat haar irriteert, is dat als ik zeg: 'Ik ben een huis aan het bouwen,' ik het ook letterlijk bedoel: elke steen, elk stukje glas, de bedrading, de leidingen. Ik heb tien jaar geleden een stuk grond gekocht in de buurt van Ojai, en ik ben er elk weekend aan het werk. Ik gebruik alleen recyclebare materialen. Mijn vrouw lacht als ze me die term hoort gebruiken. 'Andere mensen noemen het oude troep,' zegt ze. Soms vraag ik me af sinds wanneer ons huwelijk niet meer gaat over het delen van elkaars dromen, maar is veranderd in een toestand van wederzijds ongeduld. Maar dat wil je vast niet horen.

Meent hij dat? Denkt hij echt dat ik niet geïnteresseerd zou zijn in de staat waarin zijn huwelijk verkeert, of is dat gewoon zijn manier om zichzelf in te dekken omdat hij er überhaupt over begonnen is?

Hoe dan ook, ik begin hierover omdat ik speel met de gedachte om een poosje vrij te nemen om aan het huis te gaan werken na dit hele gedoe met die prijs. Ik merk dat het mijn hoofd leegmaakt, en dan hoef ik niet zoveel tijd door te brengen met worstelen met mijn onreine ziel. Jammer genoeg moeten we over twee weken beginnen aan een project in Stony Brook, dus het ziet er niet naar uit dat ik die kans binnenkort zal krijgen. Sterker nog, ik zal af en toe in New York zijn terwijl we dat project van de grond proberen te krijgen. Zin om een keer iets af te spreken voor de lunch? Het zou een mooie gelegenheid voor ons zijn om even bij te kletsen.

Je hebt nooit antwoord gegeven op mijn vraag over wat jij al

die jaren hebt uitgevoerd. Ik zou het vreselijk vinden als we het de hele tijd alleen maar over mij gaan hebben.
Michael

Een golf van paniek overspoelt me. Meent hij dat? Wil hij een afspraak maken om samen te gaan lunchen? *Hoe kan ik hem afpoeieren?* Hij zal een oudere versie verwachten van het meisje dat hij ooit heeft gekend, niet een of andere opgeblazen huisvrouw van halverwege de veertig.

En hij was duidelijk niet van plan om me luchtig over de vraag over mijn werk heen te laten praten. Hij wilde het echt weten.

Hoe vertel je een man die een huis van recyclebare materialen aan het bouwen is dat je werkt voor een tijdschrift dat gespecialiseerd is in onroerendgoedporno? Centerfolds van overrijpe victorianen met flirterige slaapkamerramen en pruilende veranda's. Nauwelijks legaal te noemen nieuwbouw met interieurdetails van Restoration Hardware. Huisjes aan de kust van ruwe steen en roodhout voor Wall Street bankiers die zich 'terugtrekken' in de natuur op 2000 vierkante meter, met cederhouten sauna's, multimediakamers en airco. Boerderijen in Connecticut voor vrouwen uit Manhattan die op zoek zijn naar boerenromantiek, met stallen en overdekte kruidentuinen.

Wat voor soort huis zou Michael aan het bouwen kunnen zijn? Eentje zonder rechte hoeken, misschien? Een postmodern hobbithol van twijgen en modder, met ramen gemaakt van oude plastic mineraalwaterflessen? Ron zou ervan gaan kwijlen als hij het wist. Hij zou een fotoreportage van vier pagina's willen, plus een interview. Wat een enorme opsteker voor *House & Home*! Iets om onze abonnees mee te amuseren en tot woede te drijven in hun met zorg ingerichte voorstedelijke landhuizen, als de rauwe gember die sommige chique restaurants tegenwoordig tussen de gangen door serveren – niet om de smaakpapillen te zuiveren, maar om ze met geweld uit hun gelukzalige bedwelmde toestand wakker te schudden.

Michael zou vol afkeer alle contact verbreken als ik dit geheim in handen van Ron liet vallen. Maar ik kan zijn vraag over mijn werk niet gewoon negeren, en zijn uitnodiging om ergens samen koffie te gaan drinken als hij in New York is evenmin. Waarom zouden we elkaar eigenlijk moeten ontmoeten? Waarom kunnen we niet gewoon doorgaan met het uitwisselen van e-mails met een enigszins flirterige ondertoon, althans, totdat ik kans heb gezien om wat af te vallen en een betere baan te zoeken?

Nou, hij heeft er een week over gedaan om mijn vorige mailtje te beantwoorden, dus ik mag ook een paar dagen nemen voordat hij zich beledigd kan gaan voelen. Dat geeft me iets meer tijd om een antwoord te verzinnen dat zowel bemoedigend als vrijblijvend is.

Desalniettemin beginnen zijn mailtjes zich op te stapelen in mijn inbox, en ik heb er een steeds onaangenamer gevoel bij als ik ze daar zie, waar Ron ze zou kunnen zien als hij ineens binnenstapte en een blik op mijn scherm zou werpen. *Of David*, denk ik in plotselinge paniek, als ik mijn account thuis ooit open zou laten staan. Ik maak een nieuwe map en denk even na over hoe ik deze zal noemen. Iets wat geen nieuwsgierigheid wekt als iemand het toevallig zou zien.

Dieetgroep, typ ik, ineens geïnspireerd. Wie zou daar nou naar kijken? Het klinkt gênant, een stel te dikke vrouwen die elkaar bemoedigende berichten sturen. En in zekere zin is het niet ver van de waarheid. Michaels e-mails geven me een goed gevoel, waardoor ik niet zo snel merk dat ik honger heb. Daar is toch niets mis mee?

Per slot van rekening doe ik niets anders dan e-mailen met een oude vriend, met hem praten over onze levens. En het is niet meer dan logisch dat ik daardoor ben gaan nadenken over een aantal dingen die ik zou willen veranderen in mijn leven. Opletten wat ik eet, naar de sportschool gaan – dat is allemaal goed, nietwaar? Zelfs David zou dat erkennen, als hij de afgelopen twee weken niet steeds zo'n rothumeur had gehad.

Ik bedoel, het is heus niet zo dat ik met deze man in bed zal belanden. Ik wil hem niet eens ontmoeten. (Althans, niet voordat ik wat ben afgevallen.) Zie je wel, ik verwijder zijn mailtje uit mijn inbox en heb niet de intentie om er binnenkort op te reageren. Zou ik dat doen als ik opgewonden was vanwege zijn berichtje?

Dus er is niets om me zorgen over te maken.

Ik ga weer aan het werk, met hernieuwde energie. Flirten, de cocaïne van de getrouwde vrouw.

Drie kwartier later leg ik de drukproeven die ik heb zitten lezen aan de kant en controleer mijn e-mail nog een keer. Tot mijn verbazing is er weer een bericht van Michael.

Ben jij dit?

Eronder staat een link naar een website. Mijn hart bonst in mijn keel. Heeft hij me gegoogled? Wat heeft hij gevonden?

De link leidt naar een column die ik vorig jaar heb geschreven, getiteld 'De allure van leien vloeren', en die nu is opgenomen op de website van een tegelfabrikant. Het is niet mijn beste werk, en het hart zinkt me in de schoenen als ik het nog eens doorlees. Hoe kan hij nu nog enig respect voor me hebben? Onderaan staat in een korte biografie 'Eva Cassady is vaste columniste bij het tijdschrift *House & Home*', en ze hebben er de foto bij gezet die altijd bij mijn columns staat: een glimlachende portretfoto waarbij ik mijn hoofd een tikje naar opzij gedraaid houd, zodat het lijkt alsof ik de lezer aankijk met één fonkelend oog, zoals Rosalind Russell in *The Front Page*. Eva Cassady, sterreporter. Het goede nieuws is dat de foto minstens tien jaar oud is, dus ik zie er in ieder geval niet dik uit.

Maar nu ben ik uit de kast. Het is beter om maar gewoon op te biechten en mezelf over te leveren aan de genade van het hof.

Ik druk op Beantwoorden en typ: *Betrapt. Ik schrijf voor een huizentijdschrift. Kun je me vergeven?*

Ik verstuur het bericht, en daar zit ik dan, gedeprimeerd. En hongerig. Ik zou een moord doen voor een chocolate chip cookie op dit moment. De zachte soort, zoals ze die maken bij de bakker op 53rd Street, waar de chocola binnen in het koekje smelt tijdens het bakken. Het is tien minuten lopen, maar dat lijkt een geringe prijs als je er eenmaal bent. En je hebt bijna het gevoel dat je het verdiend hebt, als je stevig doorloopt.

Het kost een enorme dosis wilskracht, maar ik blijf achter mijn bureau zitten. De middag sleept zich voort. Nog geen antwoord van Michael tegen de tijd dat ik om vijf uur het kantoor verlaat. Dus dat was het dan: hij heeft besloten dat ik gewoon een ordinaire mediahoer ben. Of de foto heeft hem doen inzien hoe oud ik ben geworden. Hoe het ook zij, het meisje op het strand is voorgoed verdwenen.

170

Eén stuk pizza en ik voel me een slet.

De sportschool kon ik niet opbrengen gisteravond, dus ik ben rechtstreeks naar huis gegaan. Toen ik de koelkast opendeed, herinnerde ik me weer dat ik boodschappen had willen doen onderweg. Het enige wat er nog over was, was een korstig stuk van Davids lasagne van vorige week, dat zelfs hij niet meer wilde opeten, een paar plakjes ham, en vijf eieren. We wilden de lasagne geen van beiden weggooien: David had dat stuk overgelaten als een beschuldiging, terwijl ik stug deed alsof het niets met mij te maken had. Dus het lag daar maar, opgekruld aan de randen als een of ander zeebeest dat het strand op was gekrabbeld om te sterven.

De eieren waren een mogelijkheid. Ik zou de ham in stukjes kunnen snijden en een omelet maken die we konden delen. Misschien nog een fijngesneden ui erdoor om het wat pit te geven. Er lag een half zakje sla in de groentela, plus nog wat rubberachtige champignons en een tomaat die de salade nooit meer zou halen. Ik smeet de tomaat weg, en ik was net bezig de rest van de ingrediënten uit de koelkast te halen toen ik Davids sleutel hoorde in het slot.

'Hallo?' Zijn stem klonk verbaasd. Mijn sporttas lag op de grond in de hal. Ik was de afgelopen twee weken elke avond naar de sportschool geweest om een uur te trainen, dus ik was bijna nooit eerder thuis dan hij.

'Ik ben in de keuken,' riep ik.

Toen hij binnenkwam, pakte ik net de snijplank uit een kastje om de uien fijn te gaan hakken. 'Hoe is het?'

'Goed. Met jou?'

Hij haalde zijn schouders op. 'Ga je eten koken?'

'Er is niet veel in huis. Ik had boodschappen willen doen, maar ik ben het vergeten. Bezwaar tegen een omelet met een salade?'

Hij keek naar de champignons en het halve zakje sla op het aanrecht. 'We kunnen ook uit eten gaan.'

'Wat heb je in gedachten?'

'Niks bijzonders. Waarom gaan we niet gewoon hier ergens in de buurt een hapje eten?'

Pizza, steakhouse, Chinees-Cubaans. Even verderop zit een macrobiotische tent, maar die hebben we nog nooit geprobeerd. 'Prima. Wat jij wilt.'

Ik legde het eten terug in de koelkast en we liepen de straat uit naar een pizzeria waar we altijd met Chloe naartoe gingen. De gebruikelijke caesarsalade stond er wel op de kaart, maar David zei: 'Zullen we een salade delen en een paar stukken pizza nemen?'

Het leek een test. Zou ik me strikt aan mijn dieet houden, of kon ik de touwtjes even laten vieren en gewoon gezellig samen met hem eten? Om de een of andere reden leek het een aanbod dat ik niet kon weigeren. Of misschien had ik gewoon een moment van zwakte. 'Dat klinkt goed.'

In eerste instantie heerste er een pijnlijke stilte, zoals bij twee mensen tijdens een mislukt eerste afspraakje, maar toen ik die eerste hap pizza nam, was het alsof er een grote liefde was teruggekeerd. David keek naar de uitdrukking op mijn gezicht en glimlachte.

'Fijn om je ergens van te zien genieten.'

Iets aan de manier waarop hij het zei, maakte me triest. Ik wilde hem vertellen dat er juist een heleboel dingen waren geweest waar ik de afgelopen twee weken van had genoten, maar ik slikte de woorden in en glimlachte enkel. 'Wat zou Maribel Steinberg wel niet zeggen?'

Zijn glimlach verdween. Hij pakte zijn stuk pizza en nam een hap, bedachtzaam kauwend. Toen slikte hij. 'Ik vermoed dat ze zou zeggen dat je trouw moet zijn aan jezelf.' Hij knikte naar het stuk pizza dat voor me lag. 'Van één stuk pizza ga je heus niet dood.'

'Niet onmiddellijk, in ieder geval.'

Opnieuw daalde er een stilte neer, en we keken allebei uit het raam naar een paar jonge stelletjes die voorbijliepen op straat.

'Hoe doet haar boek het?'

Hij haalde zijn schouders op. 'Dieetboeken verkopen altijd goed. Het is het volmaakte product: als er eentje niet werkt, is daarmee vanzelf de markt gecreëerd voor het volgende. Er is altijd hoop. Dus het enige wat je nodig hebt, is een marketingstrategie en een supermodel om deze kracht bij te zetten. Het is een soort porno voor vrouwen.'

'Denk je dan niet dat haar plan werkt?'

'Net zo goed als ieder ander plan, volgens mij.' Hij keek me aan. 'Er is maar één manier om af te vallen, als je het mij vraagt. Eten is brandstof. Als je meer verbrandt dan je tot je neemt, val je af. Dus ga sporten en let op wat je eet. Maar daar verkoop je geen boeken mee. Iedereen wil een geheim om af te vallen zonder dat het enige inspanning kost. Dus geven we boeken uit waarin ze wordt verteld dat ze alleen maar één bepaald ding moeten eten, of dat ze iets anders moeten laten staan, terwijl het in feite zo voor de hand liggend is: eet groen spul in plaats van klef spul, en ga sporten.'

'Dat is precies waar ik mee bezig ben.' Ik keek neer op mijn pizza. 'Althans, tot vandaag.'

We liepen terug naar ons appartementengebouw door de warme avond. David was stil, alsof hem iets dwarszat. Ik stak mijn arm door de zijne en zei: 'Zeg eens, waar denk je aan?'

Hij haalde enkel zijn schouders op. 'Werk. Niets belangrijks.'

Vroeger praatten we altijd over alles, van de simpelste dingen tot onze meest complexe gevoelens. Toen Liz me vroeg hoe ik had geweten dat David de man was waar ik mee moest trouwen, had ik tegen haar gezegd: 'Ik kan overal met hem over praten. Ik heb het gevoel dat we echt op dezelfde golflengte zitten.'

Maar ergens onderweg lijken we ons vertrouwen in elkaar te zijn kwijtgeraakt. Je praat alleen eerlijk en open met mensen als je het gevoel hebt dat ze het zullen begrijpen, dat ze vol sympathie naar je zullen luisteren en je woorden niet tegen je zullen gebruiken. De laatste tijd zijn er zoveel dingen die we niet tegen elkaar lijken te kunnen zeggen, terreinen van ons huwelijk die te gevaarlijk lijken om over te praten, en beter onuitgesproken kunnen blijven.

Ik ging naar bed met een heel triest gevoel, en zoals elke vrouw die ooit heeft geprobeerd af te vallen je kan vertellen, is pizza en triestheid een dodelijke combinatie. Als je gemoed zwaar is, zijn je dijen dat ook. Ik stapte vanochtend op de weegschaal en kromp ineen bij het zien van de uitslag. Hoe kun je van één stuk pizza *twee pond* aankomen? Maar dat is gerekend zonder de triestheid, die zich verspreidt over alles wat je eet.

En dus ga ik deze ochtend met een zwaar gemoed naar kantoor. En wat nog erger is, ik ben laat, om mij onduidelijke redenen. Het is niet zo dat ik later ben opgestaan dan anders, of dat ik heb getreuzeld met mijn ontbijt. Dik en traag, dat is wat ik ben geworden. Het gevolg is dat er geen tijd is om naar de sportschool te gaan of naar mijn werk te lopen. Ik moet me in een volgepakte metrowagon wringen, waarin ik met de rest van de kudde word gesmoord terwijl de metro piepend en slingerend naar Columbus Circle rijdt. Haastig loop ik de laatste paar blokken, en dan dwing ik mezelf om de trap te nemen, al ben ik inmiddels nat van het zweet en aan de late kant voor een redactievergadering. Niet hetzelfde als naar de sportschool gaan, maar het is in ieder geval iets.

Ik heb net genoeg tijd om mijn spullen in mijn kantoor neer te leggen, een kladblok van mijn bureau te grissen en haastig de vergadering binnen te lopen. Ron heeft een pesthumeur, en dat reageert hij op iedereen af. De ontwerpen zijn afgezaagd, de foto's zijn saai, en een kind uit groep vijf zou volgens hem nog beter schrijfwerk afleveren. Als hij bij mij komt, vraagt hij autoritair: 'Hoe zit het met Foresman? Krijgen we een interview of niet?'

'Ik heb contact met hem opgenomen,' zeg ik, niet op mijn gemak. 'Hij is overspoeld met aanvragen voor interviews, dat kun je je wel voorstellen –'

'Mijn voorstellingsvermogen is het enige wat ik héb,' snauwt Ron, 'aangezien jij hebt besloten dat het niet belangrijk genoeg is om me erover op de hoogte te houden.'

Ik voel het bloed naar mijn gezicht stijgen. Ron en ik kunnen het goed met elkaar vinden, vooral omdat hij me altijd met respect behandeld heeft. Ik ben niet bereid om daar nu, ten overstaan van het voltallige personeel, met hem over te onderhandelen.

'Je hebt me gevraagd misbruik te maken van een oude vriendschap,' zeg ik, mijn stem gespannen. 'Als je problemen hebt met de manier waarop ik dat doe, kun je misschien beter iemand anders vragen om hem te schrijven.'

Ron kijkt me aan, verbaasd. Dan kijkt hij vlug de tafel rond. Zijn personeel staart hem stuurs aan, als de bemanning van een schip vlak voordat ze de kapitein overboord zetten in een piepklein bootje met water voor drie dagen en een roestig mes.

'Wat?' zegt hij. '*Wat?*'

Niemand zegt iets.

Ron leunt met een zucht achterover. 'Oké, je vindt het schofterig van me. Dat snap ik wel. Maar het is mijn naam die in het colofon staat, hetgeen betekent dat ik degene ben die in verlegenheid wordt gebracht als we een waardeloos nummer afleveren.' Hij kijkt naar mij. 'Laten we het interview met Foresman voorlopig even op een laag pitje zetten. Als we er in de toekomst een kunnen krijgen, zou dat fantastisch zijn. Zo niet...' Hij haalt zijn schouders op. 'Het is niet zo dat onze lezers zullen weten dat ze iets hebben gemist.'

De vergadering wordt kort daarna gesloten, en we keren zwijgend terug naar onze kantoren. Ik heb niet het gevoel dat ik een overwinning heb geboekt, hoewel het iedereen duidelijk is dat Ron nog nooit zo dicht bij het uiten van excuses is geweest. Maar waarom voel ik me dan zo beroerd? Het is net als wanneer ik een ruzie met David win, maar dan toch het gevoel heb dat ik degene ben die zijn excuses zou moeten aanbieden.

Eenmaal weer achter mijn bureau zet ik de computer aan en haal gelaten mijn e-mail binnen. Het is al een rotdag sinds het moment dat ik ben opgestaan en op de weegschaal ben gestapt. Waarom zou daar nu dan verandering in komen?

In mijn inbox verschijnt een e-mail van Michael:

Hallo Eva,

  Dus je hebt je interesse voor architectuur niet verloren. Daar ben ik blij om.

Zijn toon is meer ingetogen, maar het is aardig van hem dat hij er een zo goed mogelijke draai aan probeert te geven.

Heb je specifieke belangstelling voor restaureren? Ik meen me te herinneren dat daar het zwaartepunt ligt van jouw tijdschrift. Restauratie heeft nooit echt mijn belangstelling gehad, maar het ligt dan ook niet echt in de aard van een architect om dingen te laten zoals ze zijn. De natuurlijke impuls van een architect is om te bouwen, zoals een chirurg de natuurlijke impuls heeft om te snijden. En soms laten we allebei littekens achter.

Misschien kun jij me ooit nog eens het een en ander bijbrengen over restaureren.

Michael

Ik heb *geen* specifieke belangstelling voor restaureren. Ik heb een baan bij een tijdschrift dat tot doel heeft om doe-het-zelfproducten te verkopen, en we schrijven artikelen om onze lezers inspiratie te geven en de ruimte tussen de advertenties op te vullen.

Over het algemeen vind ik dat wel prima. Maar hoe zeg ik dat tegen iemand als Michael, die al zijn hele leven naar zijn principes leeft?

Door eerlijk te zijn, besluit ik.

Hallo Michael,

Wat kan ik zeggen over mijn werk, behalve dat ik dankbaar ben voor je begrip? Het is een baan. Er zijn momenten dat ik het werk leuk vind, en andere momenten, zoals vandaag, dat ik het liefste gewoon mijn biezen zou pakken. Ik geniet ervan om de column te schrijven, hoewel ik niet kan zeggen dat deze enig diepgeworteld geloof reflecteert in het principe van restauratie. Zoals de meeste tijdschriften, verkopen we een consumentenfantasie. Het brengt brood op de plank, en er zijn momenten dat we in staat zijn om de verbeelding van onze lezers te prikkelen door nieuwe ideeën over ze uit te storten.

Ik doe mijn ogen dicht, haal diep adem, en dan typ ik: *Ik zou het geweldig vinden om ze ooit eens te prikkelen met jouw ideeën.*

Hoer! Slet! *Redacteur!*

Maar nu is het gebeurd. Ik heb de woorden opgeschreven, en

mijn gemoed voelt lichter. Nu kan ik Ron onder ogen komen zonder het constante gevoel dat ik hem teleurstel, en Michael zal precies weten wat voor verloren ziel ik ben geworden. Hij zal begrijpen waarom ik hem heb geschreven, en hij zal het contact met een zuiver geweten kunnen verbreken.

Maar na een paar minuten naar het scherm te hebben gestaard, zie ik in dat ik het daar niet bij kan laten. Ik moet iets zeggen om hem duidelijk te maken dat ik geen complete carrièrehoer ben.

Ik weet dat je het erg druk hebt op het moment, dus ik wilde niet aansluiten in de rij van journalisten die schreeuwen om je tijd en aandacht. En ik geniet veel te veel van onze gesprekken om enig verlangen te koesteren om op de opnameknop van mijn bandrecorder te drukken. Heb je er bezwaar tegen als ik je voorlopig even voor mezelf houd? Het is egoïstisch, ik weet het. Mijn uitgever zou kwaad zijn als hij het me hoorde zeggen, maar laat onze lezers hun eigen genie maar zoeken.

Ik zet mijn naam eronder en verstuur het bericht, en blijf vervolgens een paar minuten uit het raam zitten staren terwijl ik nerveus aan een paperclip zit te draaien. Waarom is een e-mail versturen altijd spannender dan er eentje ontvangen? Het is makkelijker om enge dingen te zeggen in een mailtje, dus ik lijk altijd verder te gaan dan ik zou doen als ik een persoonlijk gesprek met iemand voerde. Als ze me terugschrijven, zijn het echter gewoon woorden op mijn scherm. Je kunt de emotie niet voelen die iemand in zijn woorden heeft gestopt als je ze leest op je computerscherm, maar je eigen woorden worden de cyberspace in geslingerd, beladen met een gevaarlijke vracht van risico's en hoop.

En het ergste is dat een deel van je altijd onmiddellijk antwoord verwacht. Was dat de lol van brieven in de negentiende eeuw? Je verstuurde je langeafstandswoorden van liefde of woede, en vervolgens kon je er dagen – of zelfs weken, of *maanden* – over gaan zitten piekeren voordat je verwachtingsvol naar de brievenbus kon gaan staren, hopend op antwoord. Aan de andere kant, als je Jane Austen leest, krijgen haar hoofdpersonen altijd briefjes die worden gebracht door bedienden, die vervolgens in de keuken gaan staan wachten tot jij je antwoord hebt geschreven. En tot aan de Eerste Wereldoorlog werd er in de chique buurten van Londen drie keer per dag post bezorgd. Je kon 's morgens een liefdesbrief sturen en je hoop al de grond in geboord zien voordat je 's avonds aan tafel ging.

Door mijn werk voor een tijdschrift dat is gewijd aan het verbouwen van huizen, heb ik geleerd dat het moderne leven niet meer is dan een stijl: nieuwe manieren van doen wat we altijd hebben gedaan. Tel alle computers en kabels bij elkaar op, netten vol ether en netten vol werk, alle hardware en software die gewijd is aan knipperende getallen over de hele wereld, en dan kom je op miljarden dollars. En waar gebruiken we het allemaal voor? Om geld te verdienen en vrienden te maken, om in contact te komen met oude geliefden, en te zoeken naar manieren om te ontsnappen aan onze verveling. Als renoveren wil zeggen, nieuwe toepassingen vinden voor oude spullen, hoe moeten we het gebruiken van al deze nieuwe technologie voor dezelfde oude toepassingen dan noemen? En om het nog maffer te maken, staat er ergens een computer die het allemaal bewaart: ons geflirt, onze cyberseks, onze 'Zie ik je straks?' briefjes, en ons 'Sorry, ik kan vanavond niet.' Als er iets nieuw is aan al deze nieuwigheden, is het wel hoe weinig privacy we hebben, en hoeveel er van ons bewaard blijft als we er niet meer zijn. Iedere verhouding, iedere kruiperige vleierij of pertinente leugen wordt ergens opgeslagen. Niets wat we doen is nog onzichtbaar. Maar maakt dat echt iets uit? Als iemand de moeite nam om het te lezen, zou hij of zij dan iets nieuws of verrassends zien? Gewoon dezelfde oude verlangens, maar dan in een nieuwe vorm.

Net als jij, denk ik onwillekeurig met een glimlach.

Dat is waar ook: ik moet aan de slag, zodat ik op tijd weg kan om naar de sportschool te gaan.

166

Wanneer wordt een dieet een dieet, en is het niet meer gewoon 'opletten wat je eet'? Er is een moment waarop dat voornemen, dat al zo vaak is gekomen en gegaan, wortel schiet in de dunne bodem van je karakter. Een tijd lang kun je jezelf er niet toe brengen om het hardop uit te spreken, zelfs niet voor jezelf. Maar de gedachte is er en groeit in je binnenste. En dan komt er een dag waarop je in de verleiding komt en je die weerstaat met de woorden: 'Nee, dank je. Ik doe aan de lijn.'

Is dat wat er gebeurt als je aan een verhouding begint? Groeit het stilletjes in je binnenste, niet eens een bewuste gedachte tot het moment dat je je realiseert dat je geen nee kunt zeggen? Of is het het huwelijk dat als een dieet is, en is het idee van een andere man de chocoladeroomtaart die je in verleiding brengt?

Er gaan drie dagen voorbij zonder antwoord van Michael. Maar de weegschaal is in ieder geval in beweging gekomen. De twee pond die ik was aangekomen, lijken een illusie te zijn geweest; de volgende dag alweer verdwenen, en de getallen blijven dalen. Weer twee pond nu.

Ik breng mijn lunchpauze door bij Barnes en Noble, bladerend in dieetboeken. David heeft gelijk: ze hebben allemaal een gimmick. Er zijn boeken met een eindbestemming: Scarsdale, South Beach, Beverly Hills. Dan heb je het genre snel en eenvoudig: *Nu tien pond afvallen! Dunnere dijen in twintig minuten. Het eenmaal-per-dag dieet.* En ten slotte het vaag magische genre: *De Zone, Denk jezelf slank, Bid het vet eraf! Eet meer, weeg minder!* Bij de meeste staat hetzij een dokter, hetzij een supermodel op de omslag, witte jas of blote dijen. Maribel Steinberg, die broodmagere trut, poseert in een witte laboratoriumjas (ze is gediplomeerd diëtiste, naar het schijnt) die tot halverwege de dij valt, als een minirok; ze is aantrekkelijk voor beide markten. Mooie benen, dat moet ik haar nageven.

Binnenin is het een en al vermaningen en mysterieus medisch jargon: eicosanoïde balans, proteïne-koolhydraten verhouding, lipiden, insulineresistentie. Fase 1 tot en met 4, met bijpassende maaltijdideeën. Het is een cultus, vertrouwen opbouwen door het herhalen van sleutelzinnen. Het vertrouwen houdt je gefocust, zodat je op het rechte pad blijft. De hemel is een halve portie; verlossing kan worden bereikt met een suikervervanger.

Maar doet het dieet zelf iets wat je niet kunt bereiken met salades, fruit en sporten? Al die wetenschap verkoopt het boek, maar is het ooit echt meer dan een kwestie van vertrouwen?

Dus ik werk, ga naar de sportschool, ga naar huis waar mijn echtgenoot wacht. David en ik hebben deze week twee keer gevrijd, hetgeen voor ons doen niet slecht is. En ik ben erin geslaagd om me aan mijn dieet te houden, voornamelijk door elke dag hetzelfde te eten: magere yoghurt en een halve banaan als ontbijt, een appel om half elf als tussendoortje, wortels en kwark voor de lunch aan mijn bureau, een cola light halverwege de middag om me door het moeilijke uurtje heen te slepen, en dan een grote salade met gestoomde kipfilet of een magere hamburger van kalkoengehakt – geen broodje, geen kaas – voor het avondeten. Het is saai, maar ik heb de verveling het hoofd geboden door mijn tijd in de sportschool te verdubbelen. Ik ga nu vóór en ná mijn werk, telkens drie kwartier. En ik dwing mezelf om op kantoor minstens twee keer per dag de trappen op en af te lopen – van de begane grond tot aan het dak. Op die manier besluit ik elke dag met het gevoel dat ik een prestatie heb geleverd, en beginnen de meeste dagen zonder rampen op de weegschaal.

Is dit het lang uitgestelde moment waarvan ik altijd heb gezworen dat het zou komen, waarop ik mezelf onder handen neem en mijn leven een andere wending geef, en een van die gedreven, georganiseerde vrouwen word die ik bewonder? Of ben ik gewoon (hetgeen ik vermoed) als een dolle bezig om in vorm te raken om Michael te ontmoeten, zodat hij niet teleurgesteld zal zijn?

Niet dat hij ook maar enigszins haast lijkt te hebben om me te komen opzoeken. Maar er zijn pas drie dagen verstreken. Terwijl ik ervandoor stuiter op de stairclimber, verzeker ik mezelf dat het er in wezen niets toe doet als hij nooit meer iets van zich laat horen. Ik doe dit voor *mezelf*. Heimelijk heb ik zo mijn twijfels, echter.

Gisteravond ben ik wat gaan drinken met Liz, en nu is zij ook achterdochtig. Het zou ook walging kunnen zijn. We hadden afgesproken in een hippe restaurant-bar in de buurt van haar kantoor op 57th, en ze bestelde een martini met extra veel wodka en olijvennat, en 'zo droog als een non op paaszondag'. Ik vroeg om bronwater.

'Is dat het enige wat je neemt?'

'Ik doe aan de lijn.'

Ze staarde me vol afgrijzen aan. 'Lieverd, ik ook. Ik doe *altijd* aan de lijn.' Ze gebaarde met een hand om zich heen. 'Iedereen in deze *stad* doet aan de lijn. Maar dat betekent niet dat je moet stoppen met leven. Trouwens, olijvennat is een uitstekende bron van vitaminen.'

'En wodka?'

'Wodka is een uitstekende bron van lome gratie. Ik heb altijd al Elizabeth Ashley willen zijn.'

'Ik dacht dat je Holly Golightly wilde zijn.'

Ze schudde haar hoofd. 'Daar ben ik te oud voor. Van nu af aan is het Tennessee Williams. Ik heb besloten om slonzig te worden.'

Ik lachte. 'Nou, de mannen zullen blij zijn om dat te horen.'

'Hoort zegt het voort.' Ze keek me aan. 'Even serieus, je ziet eruit alsof je bent afgevallen. Welke doe je?'

'Ik doe gewoon maar wat. Weinig vet, veel fruit en groente. En ik ga twee keer per dag naar de sportschool.'

Ze trok een gezicht. 'Wat walgelijk fantasieloos. Je hebt een interessante naam nodig, anders telt het niet als dieet.' De barman bracht onze drankjes, en haar gezicht klaarde op toen hij de martini voor haar neerzette. Twee olijven zo groot als koeienogen dreven in een soep van wodka en olijvennat. 'Je zou 't "Het martini dieet" kunnen noemen. Je eet de hele dag sober als een monnik, en dan mag je 's avonds een martini om aan je aanbevolen dagelijkse hoeveelheid lome gratie te voldoen. Dat is een dieet waarmee ik zou kunnen leven.'

'Ik hoopte eigenlijk op iets snellere resultaten.'

Ze nam een slokje uit haar glas, nam me over de rand heen op. 'O ja? Vanwaar die haast?'

Ik aarzelde. 'Ik wil Chloe verrassen als ze thuiskomt.' Ik viste mijn schijfje limoen uit het bruisende water, kneep het uit, en liet het er toen weer in vallen.

Liz keek me aan met een vage glimlach. 'Je bent altijd al een waardeloze leugenaar geweest.'

'Het is echt waar! Het leek me fijn voor Chloe als haar moeder er niet uitzag als een oude vrouw wanneer ze terugkomt uit Frankrijk.'

'Hmm.' Ze nipte van haar martini. 'Omdat iedere jonge meid wil dat haar moeder dezelfde kledingmaat heeft als zij.'

'Denk je dat ze ervan zal schrikken?'

'Dat hangt ervan af. Ben je van plan om in de toekomst met haar vriendjes uit te gaan?'

'Liz!'

Ze zette haar glas neer op de bar, leunde naar voren, en legde een hand op mijn arm. 'Liefje, geen enkele vrouw gaat ooit op dieet voor haar *dochter*. De enige reden waarom vrouwen afvallen, is om een man te naaien of om te zorgen dat een vrouw zich genaaid voelt.'

'Dat is niet waar!'

'Nee? Vraag je dan maar eens af waarom alle alleenstaande vrouwen die je kent mager zijn, en –' Ze zweeg, pakte haar glas en wendde vlug haar blik af.

'En de getrouwde vrouwen niet, hm?'

Ze zuchtte. 'Het spijt me als dat ongevoelig klinkt, lieverd, maar het is een feit dat getrouwde vrouwen aankomen omdat ze zich dat kunnen *permitteren*. Indruk maken op een man is niet iets waar ze zich om hoeven te bekommeren. En als je een getrouwde vrouw ziet die ineens geobsedeerd is door haar gewicht, kan dat drie dingen betekenen: ze bedriegt haar man, ze denkt dat haar man haar misschien bedriegt, of er zit een bruiloft aan te komen en ze wil de nichtjes uit Philadelphia de ogen uitsteken door er fantastisch uit te zien.' Ze keek naar me, trok een wenkbrauw op. 'Gaat er iemand trouwen waar ik niets van weet?'

Probeerde ik *echt* alleen maar indruk te maken op een man? Het is waar dat het huwelijk je lui zou kunnen maken. Maar wie kan er nou voldoen aan de eisen van er altijd fantastisch uitzien als je een carrière hebt, een kind, en laten we wel wezen, een man waarvan je weet dat-ie er elke ochtend zal zijn, als een paar versleten pantoffels die je perfect passen.

Met plotselinge vastberadenheid zette Liz haar glas neer en keerde haar gezicht naar het mijne. 'Ben je bang dat David je bedriegt?'

Ik kon er niets aan doen: ik begon te lachen. 'Nee! *David*? Werkelijk, Liz, dat is krankzinnig. Ik wil al jarenlang een paar pond afvallen. Je hebt me er vaak genoeg over horen praten. Ik begon het gevoel te krijgen dat mijn gewicht een soort gevangenisstraf was. Maar met de zorg voor Chloe, en mijn baan, is het me gewoon nooit gelukt om me lang genoeg ergens aan te houden om enig effect te scoren. Ik hoop dat het dit keer anders zal zijn.'

Ze nam me aandachtig op. 'Waarom dit keer?'

'Ik weet het niet. Misschien komt het doordat David er vorig jaar zo mee bezig was. Misschien komt het doordat Chloe ouder wordt, en ik steeds meer het idee kreeg dat dit wel eens mijn laatste kans zou kunnen zijn.'

'Dat is mijn tekst. Ik ben het meisje in de Laatste Kans Bar.'

'Waar heb je het over? Jij bent broodmager.'

'Ik heb geen keus. Wanneer heb jij voor het laatst "Tafel voor één" hoeven zeggen? Of, wacht, ik weet een leuk spelletje dat we kunnen doen.' Ze liet haar blik deskundig door het restaurant dwalen. 'Snel, hoeveel alleenstaande mannen zijn er in dit vertrek? Homo's, overspelige schoften of getrouwde mannen die alleen eten niet meegerekend.'

Ik keek om me heen. Vlak bij de ingang was een tafel vol zakenmannen, en aan de andere kant van het vertrek zaten twee kerels op barkrukken naar sport te kijken op de tv boven de bar. Ik zag de glinstering van een ring toen een van hen zijn biertje optilde. Twee tafels met mannen die alleen aten, maar hoe kon ik nou weten of die vrijgezel of getrouwd waren? Eén ervan keek naar me op terwijl ik hem bestudeerde, en hij leek zowel mij als zijn kansen te wegen voordat hij glimlachte. 'Die vent,' zei ik tegen Liz.

Ze bekeek hem. 'Getrouwd,' zei ze afwerend. 'Overspelige klootzak. Je zou niet meer zijn dan een nummer op zijn lijst.'

'Hoe zie je dat?'

'Hij neemt een minuut de tijd om te besluiten of je de moeite waard bent. De vraag of hij je *kan* neuken komt voor de vraag of hij je *zou willen* neuken. Alleenstaande mannen hebben keuzes, dus die hebben aan één blik al genoeg. Deze vent wil gedonder, maar niet te veel.' Ze nam een slok van haar drankje. 'Probeer het nog eens.'

'Eén van die kerels aan de tafel bij de deur zit naar ons te kijken.'

Liz keek en zwaaide toen even. 'Dat is mijn effectenmakelaar. Waarschijnlijk komt hij straks naar me toe om me iets te verkopen.'

'De ober. Die bij het aquarium.'

'Homo.'

'En de barman dan?'

Ze keek. 'Hetero, te jong, en technisch gezien vrijgezel. Maar hij heeft een vriendin met wie hij samenwoont in Brooklyn; ze huurt maar heeft een optie om te kopen.'

'Hoe kun je dat in vredesnaam weten?'

Ze glimlachte. 'Dat is Chad. Ik ken elke barman in deze stad. Geloof me, als je aan de bar moeten zitten wachten tot je afspraakje komt opdagen, is het prettig om iemand te hebben om mee te praten.'

'Oké, ik geef het op. Hoeveel?'

Ze schudde triest haar hoofd. 'Zie je, dat is het 'm nou juist. Je kunt het niet opgeven. Tenzij je de rest van je leven alleen wilt doorbrengen. Dus je gaat naar de sportschool en je leert alle barmannen kennen en je probeert geen verwachtingen te koesteren.'

Ik sla een arm om haar schouder. 'Het spijt me heel erg. Je hebt gelijk. Ik zal ophouden over mijn dieet.'

'Ik wil niet dat je er over ophoudt. Maar het is niet je laatste kans. Je bent getrouwd, dus je krijgt een heleboel kansen. Dat is waar het huwelijk om draait.'

Grappig, Liz praat altijd over mijn huwelijk met David alsof het een ballingschap is op een of ander dor strand, vanwaar ik kan kijken naar de schepen die voorbijkomen en op weg zijn naar de liefde. Maar nu deed ze het klinken als de enige veilige haven aan een rotsachtige, door storm gegeselde kust.

'Het leven zit vol tweede kansen,' zei ik tegen haar, en zelfs terwijl ik het zei, schaamde ik me voor de nietszeggendheid van mijn woorden.

'Is dat zo?' Ze glimlachte geforceerd. 'Ik weet niet eens of ik mijn eerste kans al heb gehad.' Toen lachte ze ineens. 'Moet je ons nou horen. We zijn een lekker stel samen.'

Ik schoof mijn bronwater van me af. 'Wat kan mij het ook schelen. Ik neem een martini.'

Liz lachte en riep tegen de barman: 'Chad, maak eens net zo'n lekkere martini voor mijn vriendin als je voor mij hebt gemaakt.' Toen wendde ze zich weer tot mij, hief haar glas en zei: 'Proost. Op tweede kansen. Voor iedereen.'

166

Twee dagen zonder verandering. Het zullen de martini's wel zijn. Voortaan bel ik Liz niet meer terug.

166

Oké, dus ik ben gisteravond niet naar de sportschool geweest. En ik moet ongesteld worden. Maar toch, dit is frustrerend. Ik ben vreselijk braaf geweest sinds de martini's, heb alleen maar hamstersalades gegeten en elke dag acht glazen water gedronken. Ik zou toch *enig* verschil moeten zien.

Al een paar dagen geen e-mail van Michael. Hij heeft me vast afgeschreven.

166

Ik heb honger. Ik ben nog steeds niet ongesteld geworden.
Ik wil dood.

162

Mijn definitie van vreugde: monter over Broadway lopen op een volmaakte namiddag aan het eind van oktober terwijl je met je dochter in Parijs praat via je mobiele telefoon. Het enige wat nog volmaakter zou kunnen zijn, is over de Champs Elysees lopen terwijl je je dochter in New York aan de telefoon hebt. Desalniettemin zijn er herfstdagen waarop het moeilijk is je een volmaaktere plek dan New York voor te stellen, wanneer de hele stad haar longen lijkt te vullen met de frisse lucht en zich bewust lijkt te worden van haar eigen volmaaktheid, zodat de vrouwen mooier lijken en de mannen energieker en doelgerichter. Of is het andersom?

'Liz vertelde dat je flink bent afgevallen,' zegt Chloe. 'Ze belde gisteravond, en zei dat ik je niet meer zou herkennen.'

'Ze overdrijft. Ik ben enkele ponden afgevallen, maar niemand heeft me nog per ongeluk voor een supermodel aangezien.'

'Ze zei dat ze je nooit te pakken krijgt, omdat je altijd in de sportschool bent.'

Om de een of andere reden vind ik dit gênant. 'Dat is gewoon flauwekul. Na mijn werk stap ik nog even op de stairclimber, en daarna ga ik naar huis. Net als iedereen.'

'En 's morgens?'

'Soms ook 's morgens. Als ik mezelf vroeg uit bed kan hijsen. Maar het stelt echt niet zoveel voor.'

'Het klinkt alsof het enorm veel voorstelt. Je kunt trots zijn op jezelf. Ik durf te wedden dat papa het fantastisch vindt.'

Ze heeft gelijk, ik ben trots op mezelf. Ik ben een vaste bezoekster van de sportschool geworden, ik ben er elke ochtend om zes uur en na mijn werk nog een keer. Ik ben nog steeds niet de meest gracieuze gazelle in de kudde, maar ik heb niet meer het gevoel dat iedereen me aanstaart. Ik heb zelfs met de meest gecompliceerde apparaten vrede gesloten, dus de mensen naast me hoeven zich niet langer in de gevarenzone te wanen vanwege mijn onhandig in het rond maaiende armen en benen. Af en toe is het zelfs bijna ontspannend. Mijn gedachten dwalen af. Ik dagdroom, stel me voor hoe het zou voelen om slank en gespierd te zijn en een snoezig zwart jurkje aan – of uit – te trekken.

En ja, ik denk ook aan seks. Niet aan de daad, maar aan de opwinding die ermee gepaard gaat. Binnenkomen bij een feestje, en mannen die zich omdraaien om naar je te kijken. Verlangen zien in de ogen van een man en weten dat hij later die nacht wakker zal worden en aan je zal denken. Michael die op die manier naar me kijkt. Misschien komt het gewoon doordat ik de laatste tijd zoveel aandacht besteed aan mijn lichaam. Ik heb het jarenlang genegeerd, en nu is het hongerig en rusteloos ontwaakt. Tegen de honger kan ik vechten; dat doe ik elke dag. Maar de rusteloosheid is hardnekkiger, als een onderhuidse stroming.

Hij is in New York. Hij is gisteravond met het vliegtuig aangekomen voor vergaderingen over het project dat binnenkort van start moet gaan in Stony Brook, en nog een ander project in de ontwerpfase voor een kantoorgebouw in Midtown. Hij heeft me een mailtje gestuurd om me te laten weten dat hij zou komen, en dat hij zou verblijven in een appartement van zijn firma in de East Sixties. Zou ik het leuk vinden om ergens samen koffie te gaan drinken?

Het klinkt onschuldig genoeg, dus waarom kan ik me er dan niet toe zetten om een mailtje terug te sturen? Is het gewoon ijdelheid? Heimelijk ben ik bang dat hij misschien geschokt zou zijn als hij me nu ziet. *Wat is er met haar gebeurd? Ze heeft zichzelf enorm verwaarloosd.*

Ik weet dat het me onverschillig zou moeten laten. Ik ben gelukkig getrouwd, toch? Bovendien, mensen veranderen – wat verwacht hij nou, na twintig jaar? Toch zou ik er niet tegen kunnen om de afkeer over zijn gezicht te zien schieten zodra ik binnenkom.

Maar als ik niet op zijn mailtje reageer, zal hij gekwetst zijn. En ik ben degene die hém heeft geschreven. Kan ik hem echt afschepen nu hij me wil ontmoeten?

'Mam, ben je er nog?'

Het dringt tot me door dat Chloe een heel verhaal heeft verteld over haar reisje naar Normandië, en dat ik er geen woord van heb gehoord. 'Sorry, liefje. Er kwam een bus langs.'

'Waar ben je?'

'Broadway en 79th.'

'O, god. Zou je bij Zabar naar binnen willen gaan en me een roggebrood sturen met die grote zwarte zaden?'

Uitgesloten. Ik mijd Zabar als de pest; ik zou vier pond aankomen van de geur alleen al. Tegenwoordig steek ik de straat over en loop ik over de oostkant van Broadway, puur om er niet langs te hoeven lopen. 'Wil je echt dat ik je *brood* stuur? Je zit in Parijs. Daar heb je geweldige bakkers op iedere straathoek.'

'Ja, maar daar kun je het echte New Yorkse roggebrood met die grote zwarte zaden niet krijgen. En pindakaas. Ik snak naar pindakaas.'

'Liz zei dat er een Amerikaanse supermarkt is in Parijs waar je dingen als macaroni met kaas kunt krijgen, of instant aardappelpuree. Daar hebben ze waarschijnlijk wel pindakaas.'

'Ja, een paar van mijn huisgenoten zijn er geweest. Je zou versteld staan van wat mensen missen als ze hier zijn. Eén meisje kwam terug met allemaal blikken Campbell's tomatensoep.'

'Hebben ze geen tomatensoep in Parijs?'

'Ze zegt dat het niet hetzelfde is. Het is pittig van smaak, meer zoals gazpacho.'

Zes uur en een oceaan scheiden ons, maar wij kletsen over eten dat haar vriendinnen missen alsof er niets belangrijkers is. Als ik thuis was geweest, had ik aantekeningen kunnen maken om hun een voedselpakket te sturen, gevuld met Oreo's, M&M's en Campbell's tomatensoep. Ik zal proberen om vanavond naar de supermarkt te gaan en een doos samen te stellen.

Eten is belangrijk: David heeft het mis als hij zegt dat het alleen maar brandstof is. Chloe's hunkering naar pindakaas is veel meer dan honger. Het is een veilige vorm van heimwee, een manier om te praten over alle dingen die je mist zonder te moeten toegeven dat je je door het leven in Parijs soms net een klein kind voelt, maar met hetzelfde gemak ook de heldin in een romantische film. Je vrienden vertellen hoe erg je macaroni met kaas mist, is makkelijker dan zeggen dat je je ouders mist, of toegeven dat je soms moet huilen 's nachts, zonder dat je weet waarom. Het is moeilijk om het leven te leven waarvan je hebt gedroomd, en er zijn momenten dat je het liefste naar huis zou willen gaan.

Nog geen twee dagen geleden was Chloe me aan het vertellen hoeveel ze van Parijs hield. Ze was al bezig om een manier te verzinnen om er weer te kunnen gaan wonen na haar afstuderen. 'Ik vind het prima,' had ik tegen haar gezegd. 'Zolang ik maar kan komen logeren.'

Volgende week is het weer iets anders. Ze zal me bellen met het nieuws dat Amerika een imperiale macht is, en dat ik me zou moeten schamen voor het aandeel van de natuurlijke rijkdommen dat ik consumeer.

'Moet je horen,' zeg ik tegen haar terwijl ik 84th Street oversteek, 'ik moet ophangen. Ik ben nu bij de sportschool, en als ik niet opschiet, moet ik twintig minuten wachten op een apparaat.'

'Hollen, meid,' zegt ze, en ze hangt op.

De meeste mensen op de sportschool dragen een iPod, met een minuscuul snoertje van hun broekzak naar hun oren. Hun blik is glazig, ze zijn alleen in de wereld van de random shuffle, de willekeurige afspeelvolgorde, waar geen enkel liedje te vaak wordt gedraaid. Een muziekcriticus heeft me er vorig jaar op een van Davids boekenfeestjes alles over verteld. Ik vertelde dat we er net eentje hadden gekocht voor Chloe, en hij begon heel enthousiast uit te leggen dat de random shuffle bezig was de manier waarop mensen naar muziek luisterden te veranderen. Je kon je iPod volstouwen met honderden liedjes, van Coltrane tot Bach tot Metallica, en elke keer dat je het ding aanzette, kreeg je een andere verzameling muziek – allemaal afgestemd op je eigen smaak, aangezien je die liedjes er zelf op had gezet, maar dan in vreemde en interessante combinaties. Sinatra in het voorprogramma van Mozart, met Hendrix die de toegift speelt.

'In zekere zin is het net als wonen in New York,' zei de muziekcriticus. 'Je moet gewoon een buurt vinden waar je het naar je zin hebt, en daarna hoef je nooit meer bang te zijn dat je je zult vervelen.'

Of vrijgezel zijn in New York. Als je getrouwd bent, is het altijd hetzelfde liedje...

Maar dat is onredelijk. Een huwelijk is meer een conceptalbum, met zijn eigen complexe drama en klankstructuur. Je wordt misschien ziek van 'Doctor Jimmy', maar je kunt je altijd verheugen op 'Love Reign O'er Me.'

Ik ben er nog niet aan toegekomen om een iPod te kopen, dus ik zit opgescheept met mijn gedachten. Het lijkt alsof die de laatste tijd permanent in de shuffle-stand staan, vooral als ik op de loopband sta. Het ene moment kijk ik uit het raam naar de mensen die beneden op straat voorbijlopen, en het volgende moment denk ik aan Michael in zijn appartement in de East Side. Hij werkt waarschijnlijk tot diep in de nacht door aan zijn ontwerpvoorstel, omringd door assistenten die koffie en afhaalmaaltijden voor hem halen.

Wanneer zou hij dan nog tijd hebben om mij te ontmoeten?

161

Hallo Michael,

Het spijt me heel erg, maar ik heb je vorige mailtje nu pas ge-
kregen. Ik ben een paar dagen de stad uit en controleer mijn e-
mail op afstand. Niet te geloven dat jij in New York bent en dat
we elkaar niet zullen zien! Hoe lang blijf je hier... (stop, wis-
sen)...daar?

David zit honkbal te kijken in de slaapkamer en ik zit achter de
computer in zijn werkkamer, daartoe gedreven door schuldgevoelens omdat ik bijna vijf dagen heb laten verstrijken zonder Michaels
laatste mailtje te beantwoorden. Is dit wat overspel is? Liegen tegen
je man, liegen tegen je minnaar? Een uur op de stairclimber zou nog
minder uitputtend zijn.

Wie had kunnen denken dat het makkelijker zou zijn om gewicht
te heffen dan om al deze *gevoelens* te dragen? Davids gevoelens,
Michaels gevoelens, die van mezelf. Geen wonder dat ik afval. Het
is een dagelijkse slijtageslag.

Ik moet iedereen maar gewoon de waarheid vertellen. Ik heb niks
verkeerd gedaan, dus waarom voel ik me dan zo schuldig? Alsof ik
iets probeer goed te praten omdat ik *geen* koffie wil gaan drinken
met een ex-vriendje! Ik ben er gewoon nog niet aan toe. Dat zou ik
toch niet moeten hoeven uitleggen aan iedereen.

Zou je er wel aan toe zijn als je 120 pond woog?

Ja.

En dat is het probleem. Het is ijdelheid, geen degelijk moreel bezwaar, dat me veilig thuis houdt. Ik ben een dikke echtgenote, geen
goede. Dus kruip ik stiekem achter de computer terwijl David hele-

maal opgaat in de National League play-offs, lieg ik tegen Michael, en voel ik me afschuwelijk over de hele toestand.

Moet je voor die projecten nog vaker naar New York? Ik zou je echt heel graag willen zien!

Dat is waar – als ik eraan toe ben om gezien te worden. Het is de beloning die ik mezelf heb beloofd als ik mijn doel bereik. Ieder dieet heeft een duidelijk doel nodig; dat staat in alle boeken. Het mijne is het moment waarop ik het koffiehuis aan de Upper East Side binnenloop en ik hem op me zie zitten wachten. Ik blijf heel even staan bij de deur, en hij kijkt naar me op. Dan glimlacht hij. Hij herkent me. Ik ben het meisje op het strand, het meisje in zijn bed. Heel eventjes, met de zon in mijn rug, ben ik het meisje dat hem heeft achtervolgd in zijn dromen.

En dan ineens ben ik Audrey Hepburn. Grote hoed, piepklein jurkje, stralende glimlach. Oké, ik weet wel dat het een fantasie is. Als we elkaar ooit ontmoeten, regent het waarschijnlijk pijpenstelen en kom ik vast doorweekt en druipend van de regen binnen. Mijn haar zal eruit zien als een natte zwabber, en we hebben allebei hoofdpijn. Ik zal mijn portemonnee laten vallen terwijl ik probeer te betalen voor mijn koffie, en het kleingeld zal alle kanten uit rollen. Aangezien ik van de zenuwen de hele dag niks gegeten zal hebben, zal mijn blik voortdurend naar de vitrine met gebak dwalen terwijl we zitten te praten. Het is overigens niet zo dat we elkaar iets te vertellen zullen hebben. Hij zal stilvallen van de zenuwen, en ik zal erop los ratelen. Na een uur zullen we afscheid nemen en ons naar buiten haasten, de regen in, allebei opgelucht dat we weg kunnen.

Maar ik verstuur het bericht toch, en surf daarna een tijdje rusteloos langs websites over diëten en lichaamsbeweging. Hebben andere vrouwen mijn methode ook geprobeerd? Ik typ 'dieet' en 'ex-vriendje' en er verschijnen een aantal pagina's met websites. *Word je dik na je veertigste? Moet je weer contact zoeken met een ex-vriendje? Is een kop koffie met een ex-vriendje de onplezierige sfeer thuis echt wel waard?* (Au.) En dan een lezerspoll:

Wie is degene tegen wie je het liefste zou willen zeggen "KIJK MIJ NOU" zodra je je streefgewicht hebt bereikt?

Jezelf	57,2%
Echtgenoot	19,8%
Ex-vriendje	17,1%
Ex-schoolrivale	5,8%

Zouden er echt zoveel vrouwen zo zelfbevestigend zijn, of willen ze gewoon niet toegeven dat een doel pas bereikt is als je het in andermans ogen ziet? Ik scroll omlaag door de rest van de poll heen.
Hoe voel je je als je in de spiegel kijkt?

Ik krimp ineen	43,7%
Ik zie wat vetrollen	27,6%
Ik durf niet te kijken	25,5%
Behoorlijk tevreden	3,2%

Oké, misschien zijn ze dan niet allemaal zo zelfbevestigend. Denken ze nou echt dat ze met plezier in de spiegel zullen kijken zodra ze hun doel hebben bereikt, of zullen ze dan nog steeds ineenkrimpen en vetrollen zien?
Hoe kun je jouw relatie met eten het beste omschrijven?

Liefdesverhouding	56,3%
Platonische vriendschap	26,7%
Vijanden	17,0%

Er bestaat iets wat *Het betere-seksdieet* heet. Soja bindt oestrogeenreceptoren, hetgeen de vagina vochtig helpt houden. Chilipepers en gember bevorderen de bloedsomloop en stimuleren de zenuwuiteinden, hetgeen seksueel genot zou kunnen verbeteren. Wie had dat gedacht? Al dat Chinese eten heeft dus wel degelijk iets opgeleverd. (Voornamelijk overgewicht.) *Vanuit het standpunt van een erectie gezien, is alles wat goed is voor je hart ook goed voor je penis,* beweert de dieetdokter in het artikel.

Vanuit het *standpunt* van een erectie gezien? Lieve hemel, waar was hun redacteur?

Vet is goed voor de seks, althans, totdat het in de weg begint te zitten. Vet helpt hormonen produceren. Bij vrouwen met weinig lichaamsvet kan de menstruatie uitblijven, kunnen opwinding en vochtigheid problemen geven, en het kan zelfs gebeuren dat ze niet meer in staat zijn om een orgasme te krijgen. De vloek van het supermodel: massa's minnaars, maar geen opwinding. Alleen de Griekse goden zouden dat bedacht kunnen hebben. Was Venus dan *dik*? Die mogelijkheid was zelfs nooit bij me opgekomen, maar ze is de godin van het tijdige doorsmeren.

In het artikel worden voedingsmiddelen opgesomd die goed zijn voor de seks: oesters (rijk aan zink, goed voor de testosteronproductie), champagne (maar enkel met mate), aardbeien omhuld met chocola (o, de uitgekookte duivels!). En walnoten. Walnoten? Het blijkt dat de Romeinen ze naar pasgetrouwde stellen gooiden als symbool van vruchtbaarheid, in plaats van rijst. Volkoren granen, vooral haver, helpen testosteron produceren.

Ik begin een patroon te bespeuren hier: al deze voedingsmiddelen zijn goed voor *mannen*. Omdat zij alles kunnen eten, de schoften.

Maar uiteindelijk komen ze bij honing, rijk aan het mineraal borium, dat het lichaam helpt oestrogeen te benutten. Eindelijk iets voor ons dames. *Het is niet ondenkbaar*, schrijft de auteur preuts, *dat creatieve geesten ook andere manieren zullen bedenken om de potentieel libidoverhogende kracht van honing uit te buiten.*

Lieve hemel. Ik ben altijd al gek geweest op honing. Het zit 'm in de ultieme druipfactor. Het heeft iets suggestiefs, die gouden vloed. David en ik hebben ooit eens een pornofilm gehuurd in de tijd voordat Chloe geboren was, en daar kwam een scène in voor waarin twee vrouwen elkaar overgoten met honing en het vervolgens aflikten. Destijds dacht ik: hoe krijgen ze de lakens ooit weer schoon? Maar de scène is me altijd bijgebleven en spreekt zeer tot mijn verbeelding. Alles waarbij seks en toetjes gecombineerd worden, is wat mij betreft prima. Dat heb ik ooit een keer tegen David gezegd, en een paar dagen later stelde hij voor om het eens te proberen. Hij ging naar de keuken en kwam terug met een knijpfles honing in de vorm van een beer. De beer had een lachend gezicht en wreef over zijn buik, en ik begon onwillekeurig te lachen. 'Het is alsof we seks hebben met Winnie de Poeh!'

Het hoeft geen betoog dat de honing als idee opwindender bleek te zijn dan in de praktijk. Aan het eind van de avond zaten we op onverwachte en onhandige plaatsen aan elkaar vast gekleefd, en waren de lakens geruïneerd.

Ik ga weer verder met mijn surftocht over het internet, maar ik kan verder niets vinden wat de moeite waard is. *Star zegt dat ze zoveel is afgevallen, en de liefde opnieuw heeft ontdekt met een exvriendje, door middel van een dieet en lichaamsbeweging... Demi en haar 27-jarige vriend, Ashton Kutcher, zijn zwanger, en ze blijft op gewicht dankzij een dieet van... Mijn ex-vriend is de chocola die ik nu niet meer lust...*

Ex-vriendjes zijn verweven in deze diëten als de vage geur van versgebakken brood die je achtervolgt op weg naar kantoor. Hier zit een verhaal in. Hoeveel diëten beginnen er niet in vernedering, na een wrede opmerking tijdens de ruzie die tot de definitieve breuk leidt? Het dieet wordt een wraakfantasie: 'Ik zorg dat ik in topconditie ben, en dan zul je wensen dat je me niet had gedumpt.'

Niets bijster interessants op de fitness-sites. Het zijn voornamelijk tips voor oefeningen en spullen die je kunt kopen, sportbeha's, lycra fitnesskleding. Kennelijk is lichaamsbeweging gewoon een excuus om te winkelen. Hoeveel vrouwen kopen er niet de uitrusting in plaats van deze te gebruiken? Eén site adverteert met een *dansfeest om vet te verbranden* op vier dvd's. Nodig jij je vriendinnen bij je thuis uit om samen vet te verbranden, of is dit iets wat je in je eentje doet, zoals om middernacht Oreo's eten voor de tv?

Gaat het allemaal alleen maar over eenzaamheid? Ik heb ergens gelezen dat mannen over internet surfen voor seks, terwijl vrouwen het doen op zoek naar hoop. Goedkope vakanties, verzamelobjecten, medisch advies van anderen die dezelfde symptomen hebben als jij. Hoe je het ook omschrijft, het gaat over het doorbreken van de eenzaamheid, de zoektocht naar iemand die je vertelt dat het morgen beter zal gaan wanneer je bestelling arriveert of wanneer je naar Bermuda vertrekt of wanneer je wildvreemden vertelt over je pijn.

Het is tijd om de computer uit te zetten – uiteindelijk leidt het ding altijd alleen maar tot wanhoop.

Maar eerst nog even snel de mail controleren. Niet dat ik echt iets verwacht, maar...

FORESMANM. Kennelijk voelt hij zich eenzaam in zijn appartement aan de andere kant van de stad.

Hallo Eva,

Je hoeft je niet te verontschuldigen. Het was kort dag, ik weet het. Bij dergelijke projecten ontstaat er altijd een crisis vlak voordat we het terrein betreden, en die crises zijn het makkelijkst ter plaatse op te lossen. Het voelt een beetje alsof we zelf ook bezig zijn nieuw terrein te betreden – of is dat slechts mijn verbeelding?

Het is altijd spannend als je nieuw terrein betreedt, maar tegelijkertijd ook beangstigend. Het is het moment waarop dingen die enkel in je verbeelding hebben bestaan realiteit worden. Je hebt abstracte beslissingen genomen, maar nu zie je de consequenties van elke beslissing die je genomen hebt.

Is dat een waarschuwing? Hij heeft het over ons; dat is duidelijk. Maar het enige wat we hebben gedaan, is een paar mailtjes uitwisselen. Ik ben niet halsoverkop de deur uit gerend om ergens koffie met hem te gaan drinken; ik ben degene met mijn voet op de rem. Misschien is dat wat hij wil zeggen: dat hij er begrip voor heeft als ik op mijn hoede ben.

Niets wordt ooit gebouwd zoals het is getekend. Je denkt dat het er op een bepaalde manier uit zal zien, maar als je ter plaatse bent, ziet het er allemaal anders uit. Snap je wat ik bedoel?

Heeft hij het nu nog steeds over ons? Van de andere kant van de gang klinkt gejoel van de menigte op de televisie, en David kreunt. Het schijnt dat Boston dit jaar een goede slagploeg heeft. David heeft het me een paar weken geleden geprobeerd uit te leggen, maar ik snapte er niet zoveel van. Ik ben geen sportvrouw. Ik ben een filmvrouw, een uit-eten-met-vrienden-vrouw, een zondagskrant-in-bed-vrouw.

En nu ben ik een heimelijke-e-mail-vrouw. Michael heeft gelijk. Als je ter plaatse bent, ziet het er allemaal anders uit.

Ben je op zakenreis? Ik breng veel tijd door op vliegvelden en in hotels de laatste tijd, en ik ben er nog steeds niet aan gewend. Ik zou mezelf geen huismus willen noemen, maar ik kan er maar niet aan wennen dat er niemand is om mee te praten. Trouwens, de meeste gesprekken die mijn vrouw en ik de laatste tijd hebben, zijn helemaal niet zo aangenaam. Als ik thuis ben, wou ik dat ik weer in een hotelkamer zat, waar er niemand aan mijn hoofd zeurt. Maar als ik op reis ben, begin ik de stilte al vrij snel benauwend te vinden. Zelfs ruzie lijkt dan menselijk contact.

Ik weet niet zo goed wat ik hiervan moet denken. Het is triest om te bedenken dat een huwelijk zo uit elkaar kan vallen – twee mensen die zich ooit zo nauw verbonden hebben gevoeld, die het vermogen verliezen om geduldig te zijn tegenover elkaar. Daarbij vergeleken hebben David en ik een fatsoenlijk huwelijk. We zitten dan misschien even in een dip, zoals dat wordt genoemd, maar het is niet zo dat we wreed zijn tegen elkaar. We zijn geen Ozzie en Harriet, maar we zijn ook geen George en Martha.

Aan de andere kant merk ik dat ik lichte opwinding voel bij de gedachte dat Michaels huwelijk niet perfect is. De elegante echtgenote heeft een humeur. Het is niet al goud wat er blinkt in de Californische zon.

Dit appartement is niet slecht. Het stelt niet zoveel voor: één slaapkamer, vooroorlogs gebouw. Meer uitzicht dan charme. Mijn firma heeft het een paar jaar geleden gekocht, toen ik vaak in New York moest zijn vanwege het Deutsche Bank project waar we mee bezig waren. Ik heb een poosje gespeeld met de gedachte om hierheen te verhuizen. Ik dacht dat het ons goed zou doen om gescheiden te leven. Maar ik kon mijn dochter niet alleen laten, en mijn werk speelde zich grotendeels af aan de West Coast, dus ik ben toch maar gewoon thuis blijven wonen. In woelige tijden denk ik er echter nog steeds over om een poosje hier te gaan zitten. Het appartement kijkt uit op het park, en soms sta ik bij het raam naar de lichtjes te staren, net als Gatsby in zijn landhuis.

Waar in Manhattan woon jij? East Egg of West Egg? Brandt er licht aan het eind van jouw pier?

Michael

Mijn hart begint te bonzen. Hij maakt een grapje, daar ben ik van overtuigd, maar het beeld is krachtig. Welke vrouw wil nou niet dat er een man verlangend naar haar raam staat te staren vanaf de andere kant van een drukke stad? Ik kom in de verleiding om meteen te reageren, maar dan lijkt het misschien alsof ik op een antwoord heb zitten wachten. En nu begint de menigte bij Davids honkbal-wedstrijd opnieuw te joelen, en hij zet vol walging de televisie uit. Zodra hij de gang in komt, sluit ik het e-mailprogramma af en klik een spelletje mijnenvegen aan vlak voordat hij zijn hoofd om de hoek van de deur steekt.

'Ga je mee naar bed?'

'Bijna. Is je wedstrijd afgelopen?'

'Einde van de negende inning. Ik kon het niet meer aanzien.'

Ik druk op een knop en het scherm explodeert. Ik ben vreselijk slecht in dit spelletje. Ik weet waar de mijnen zouden moeten zitten, maar nooit waar ze werkelijk zitten. De boel ontploft altijd in mijn gezicht, en dan voel ik me vreselijk schuldig omdat ik het mannetje met het glimlachende gele gezichtje om zeep heb geholpen, het mannetje dat er zo doodsbang uitziet, elke keer als ik een toets indruk.

'Ga mee naar bed,' zegt David nog een keer, en het dringt tot me door dat hij aan iets anders dan honkbal denkt. Ik sluit het spelletje af, zet met tegenzin de computer uit, en loop achter David aan naar de slaapkamer.

Aan de andere kant van de stad staat Michael uit zijn raam in mijn richting te staren. Onwillekeurig heb ik het gevoel dat ik hem ontrouw ben.

160

'Zo, wat gaan we doen vandaag?' Carlo neemt me op in de spiegel. 'Hetzelfde als anders?'

Hij zucht even, alsof hij de hoop heeft opgegeven dat het antwoord na vier jaar nog ooit zal veranderen. Ik ben een makkelijke klant: ik kom elke zes weken voor een knipbeurt, zonder dat het kapsel wezenlijk verandert, met om de andere keer een klein beetje kleurherstel. Ik glimlach, babbel wat, en geef een flinke fooi als het klaar is. Waarom begroet hij me dan altijd met iets wat klinkt als wanhoop?

'Er is iets anders aan je,' voegt hij eraan toe. 'Ben je afgevallen?'

'Een beetje.' Zijn vraag bezorgt me gek genoeg een ongemakkelijk gevoel. Waarom kan ik niet trots zijn dat ik achttien pond ben kwijtgeraakt? Maar alleen al het feit om dat te moeten erkennen, maakt me ervan bewust hoe ver ik nog te gaan heb. 'Ik probeer wat meer te bewegen.'

'Lichaamsbeweging is goed.' Carlo neemt mijn hoofd tussen zijn handen, draait het naar de ene kant, dan naar de andere kant, alsof hij aan het bekijken is wat de mogelijkheden zijn. 'We zouden het kort kunnen doen, als je eens wat anders wilt.' Hij neemt mijn haar tussen twee vingers, vlak onder mijn oor. 'Wat denk jij?'

Wil ik wel eens wat anders? Ik draag mijn haar al sinds Chloe klein was op dezelfde manier: tot op mijn sleutelbeen, licht gelaagd om de krullen te accentueren, uit mijn gezicht naar achteren gekamd met een scheiding aan de rechterkant. Het is hetzelfde kapsel dat ik elke dag bij een heleboel vrouwen van mijn leeftijd zie, echtgenotes en moeders met baan en huishouden, en zonder tijd of geld om met de mode mee te gaan. Ik heb het zo gedragen zonder me belachelijk te voelen door de eindeloze veranderingen in de kapsel-cultuur in Manhattan heen, van Laurie Anderson stekeltjes tot de coupe tondeuse en het matje. En toch, als ik de laatste tijd in de spiegel kijk, zie ik een bibliothecaresse of een zondagsschooljuf; iemand die op een melkveehouderij woont en haar buren op leeftijd warme maaltijden brengt.

Toen ik jong was, droeg ik mijn haar heel kort. Destijds was ik slank, met grote donkere reeënogen en een zwanenhals. Ik kon mijn haar laten knippen bij de herenkapper: gewoon naar binnen lopen en tegen de man zeggen dat hij het moest knippen zoals hij een jongetje zou knippen voor zijn eerste schooldag. Zo zag ik eruit toen Michael me kende. Als ik inderdaad zoveel zou afvallen, zou ik er dan weer zo uit kunnen zien?

Maar zo ver is het nog lang niet, en de gedachte om mijn haar kort te knippen is ietwat beangstigend. Je hebt heel verfijnde gelaatstrekken nodig om zo'n kapsel te kunnen dragen, en anders zie je er domweg uit als een rund.

Ik zucht. 'Laten we het vandaag maar gewoon een beetje bijknippen. Ik ben nog niet toe aan drastische veranderingen.'

Carlos zucht ook en pakt de schaar. 'Oké. Je weet me te vinden als je voldoende moed hebt verzameld.'

153

'We moeten eens wat nieuwe kleren voor jou gaan kopen.' Liz schudt haar hoofd. 'Je ziet eruit als vijf pond boodschappen in een zak van tien pond.'

We lopen over Fifth, op weg naar de Azteken en Noguchi tentoonstelling in het Guggenheim. Michael is veilig terug in Los Angeles en ik maak van de gelegenheid gebruik om vlug wat cultuur tot me te nemen voordat hij terugkomt. Het loopt allemaal niet zo lekker in LA, volgens zijn e-mails: hij heeft dagelijks ruzie met zijn vrouw, zijn dochter is ineens koppig en haatdragend geworden, en op zijn werk loopt niets op rolletjes. Hij kan niet wachten tot hij weer in New York is, waar alles eenvoudiger is.

Eenvoudiger? Voor hem, misschien. Als hij in de stad is, is Midtown een niemandsland vol mijnenvelden. Ik kan niet alsmaar smoesjes blijven verzinnen, tegen hem zeggen dat ik de stad uit ben of dat ik omkom in het werk. Elke dag op kantoor leef ik in de vrees dat hij misschien ineens voor m'n neus staat. Hij heeft verteld dat hij een nummer van het tijdschrift heeft gekocht bij een kiosk in de buurt van zijn appartement. Ons adres staat met grote letters in het colofon, dus hoe lang zal het duren voordat hij besluit om me een verrassingsbezoekje te brengen?

Ondertussen heeft Liz wel gelijk. Ik heb een nieuwe garderobe nodig. Geen volledige garderobe, gewoon een paar outfits om dit stadium door te komen, waarin al mijn oude kleren als hobbezakken om mijn lijf hangen en de garderobe waar ik van droom – maatje 38, of 36 zelfs – nog steeds op een rek ver weg hangt. Mijn gewicht is veranderd en ik begin spieren te krijgen op onverwachte plaatsen. Als ik een potje moet opendraaien in de keuken, geef ik het niet langer automatisch aan David. Laatst heb ik zonder aarzelen een potje augurken opengewrikt, en hij keek me aan alsof ik ineens was veranderd in een of andere breedgeschouderde boerenmeid die kippen de nek omdraaide om ze panklaar te maken.

'Wat is er?'

Hij schudde enkel zijn hoofd en ging verder met paprika's snijden voor onze salade.

Wat moest ik zeggen? *Sorry, ik zal jou voortaan de potjes laten openmaken?* Ik heb geen tijd om op die manier zijn ego te strelen, vooral niet gezien het aantal augurken dat ik de laatste tijd eet. Augurken zijn mijn nieuwe grote liefde. Weinig calorieën, weinig koolhydraten, veel zout. Wat zou er volmaakter kunnen zijn voor een vrouw die elke dag een uur in de sportschool doorbrengt en acht glazen water drinkt?

De spieren schoppen echter ook de balans van het gewichtsverlies in de war. Spieren wegen meer dan vet, dus als je vet verbrandt en spieren opbouwt, is het moeilijker om te zeggen of je op de goede weg bent om je streefgewicht te bereiken. Ik kijk in de spiegel naar mijn lichaam, en dan zie ik het verschil: mijn dijen en heupen zijn dunner geworden, en in mijn kuiten en buik zijn spieren te zien. Op kantoor kan ik de trap op rennen zonder buiten adem te raken, en 's middags ga ik vaak lopend naar huis, daarbij het legioen van uitgeput ogend kantoorpersoneel ver achter me latend. Ik zou waarschijnlijk zelfs nog sneller kunnen bewegen als ik deze kleren niet had, die inmiddels twee maten te groot zijn en als een zeil achter me opbollen.

Het is moeilijk te geloven dat deze kleren in september nog *strak* zaten. Nu voelt het alsof ik er gewoon uit zou kunnen lopen, net zoals een slang zijn oude huid aflegt. En dat is niet ver van de waarheid: als ik denk aan een nieuwe garderobe, zijn het niet gewoon kleinere versies van wat ik nu draag, maar een compleet nieuwe ik, waarbij de oude ik achterblijft om door de wind te worden meegenomen. Wat zijn kleren nou helemaal, anders dan de huid die we aan de wereld laten zien?

'Misschien een paar dingetjes,' zeg ik tegen Liz. 'Ik heb deze maat maar tijdelijk.'

'Maar je wilt het verschil wel voelen, toch? Iets om je te helpen herinneren waar je naartoe gaat.'

'Ik koop geen Prada,' waarschuw ik.

Liz zucht. 'Laten we dan in ieder geval je palet een beetje opfleuren. Je loopt erbij als een Siciliaanse weduwe.'

'Ze zeggen dat zwart het nieuwe zwart is.'

'Niet als je nog steeds het oude zwart draagt.'

We zijn een vreemde diersoort, met onze dagelijks wisselende kleuren. Donkere tinten voor serieuze zaken, felle tinten voor het paren. De laatste tijd heb ik iets met rood. Ik kom elke ochtend langs een filiaal van Victoria's Secrets, en het is de felrode lingerie in de etalage waar mijn blik door wordt getrokken. Niet dat ik er nu al van durf te dromen dat ik zoiets ooit aan zou kunnen. Het is winkelen met aspiraties: zoeken naar datgene wat je zou kopen op de dag dat je dromen uitkwamen.

Maar voor wie zou ik zoiets dragen? David? Michael? Het lijkt absurd om me voor te stellen dat ik zoiets aan zou trekken, als een kostuum voor een Halloween-feest. Dragen vrouwen werkelijk dat soort dingen? De winkels zitten overal, dus de producten zullen wel verkopen. Ik weet dat sommige vrouwen zweren bij hun beha's, maar laten we wel wezen, dat is niet de reden waarom ze een filiaal hebben in elk winkelcentrum van Amerika. Het dragen van minuscule stukjes zijde en kant is een privégenoegen, net als het rijden in een grote dure auto. Iets wat maakt dat je je heel speciaal voelt onder je kantoorkleren, een geheim om je eraan te herinneren dat de eigen persoonlijkheid is opgebouwd uit geheimen. En dan maakt het niet uit dat ze datzelfde ondeugende geheimpje verkopen aan vrouwen in elke voorstad en stad in heel Amerika. Ieder van hen kan zich bijzonder voelen als ze het aanheeft.

Na het museum gaan we winkelen voor mijn nieuwe middengewicht- garderobe.

'Niet iets al te duurs, oké?' smeek ik Liz in de taxi. 'Ik wil niet investeren in deze maat; ik ben van plan om hem in te ruilen voor een kleinere.'

'Ik heb één woord voor je,' zegt Liz. '*Tweedehands.*'

'Dat meen je niet.'

'Het is het neusje van de zalm op het gebied van mode voor een fractie van de originele prijs.' Ze stuurt de taxichauffeur naar Madison. 'Waar denk je dat de fashionista's van de East Side zich van hun beschamende hobbezakken ontdoen?'

Chanel, Prada, Donna Karan – het is er allemaal, soms zelfs ook daadwerkelijk in mijn maat. Ik koop vijf outfits; drie waar ik nu in pas en nog eens twee waar ik op weg naar beneden in zou moeten kunnen. Samen met de paar kledingstukken van mezelf waar ik nu nog in kan, zou ik zo de herfst zonder schaamte door moeten kunnen komen. Als je bedenkt wat ik de afgelopen jaren naar kantoor heb gedragen, ben ik er behoorlijk op vooruit gegaan.

Als ik thuiskom, ligt David languit op bed te lezen. Hij kijkt naar de tassen en trekt wit weg. 'Ben je met Liz wezen winkelen?'

'Ja.' Ik zet de tassen op het voeteneind van het bed. 'En wacht maar tot je het fantastische Philippe Adec broekpak ziet dat ik heb gevonden.'

Hij kijkt zwijgend toe terwijl ik mijn nieuwe outfits tevoorschijn haal, omhoog houd en vervolgens op het bed leg. Tegen de tijd dat ik bij de Elie Tahari ben, zit hij me aan te kijken alsof ik iemand ben die hij nauwelijks herkent.

Als ik klaar ben, slikt hij moeizaam. 'Hoeveel heeft dit alles eigenlijk gekost?'

'Het is allemaal tweedehands,' zeg ik triomfantelijk. 'We hebben een paar ongelooflijk goede deals gemaakt.'

'O ja? Dus we kunnen Chloe's collegegeld nog wel betalen?'

'Als we niet zoveel eten.' Ik verzamel al mijn tassen. 'Maar dan heb ik weer meer kleren nodig.'

Later komt hij de keuken binnen terwijl ik groente sta te snijden voor een salade. 'De kleren zijn mooi,' zegt hij voorzichtig.

'Dank je.' Ik ga verder met snijden, zonder op te kijken.

'Je bent kwaad omdat ik heb gevraagd hoe duur het was.'

Ik haal mijn schouders op. 'Het is niet zo dat ik je enige aanleiding heb gegeven om te denken dat ik onze bankrekening zou plunderen. Ik heb nieuwe kleren nodig, de oude passen niet meer. Maar jij schijnt nauwelijks gemerkt te hebben hoeveel ik ben afgevallen.'

'Ik heb het wel gemerkt,' zegt hij. 'Je ziet er fantastisch uit.'

'Ik *zal* er fantastisch uitzien als ik klaar ben. Op dit moment zie ik er beter uit. Tot die tijd boek ik elke dag kleine vorderingen. En hoewel ik niet van je verwacht dat je continu aan de zijlijn staat te applaudisseren, zou het wel leuk zijn om te weten dat je niet blind bent voor het hele proces.'

Hij kijkt me over zijn bril heen aan, waardoor zijn gezicht iets verbaasds en uiligs krijgt. Het is de blik waarmee hij altijd naar Chloe keek toen ze nog klein was en ze iets zei waardoor het ineens tot hem doordrong dat ze misschien niet altijd een kind zou blijven. Ik gun hem een ogenblik en wacht af om te zien wat zijn overpeinzing zal opleveren, maar hij zegt alleen: 'Het spijt me. Ik dacht dat je wilde dat ik er niet te veel ophef over zou maken.' Vervolgens loopt hij naar de koelkast en haalt de dressings voor de salade eruit.

Twee dressings. Het is nu al weken aan de gang, en hij heeft niet gemerkt dat ik de mijne niet meer gebruik. Elke avond doe ik een klein theelepeltje olijfolie over mijn salade, en wat gemalen peper. En toch haalt hij, elke keer dat hij de tafel dekt, zijn fles caesar dressing en mijn onaangeraakte fles kruidenvinaigrette tevoorschijn.

'Die gebruik ik niet meer,' zeg ik prikkelbaar.

Opnieuw schenkt hij me die verbaasde blik. 'Wat?'

'De dressing voor de salade. Die gebruik ik al weken niet meer.'

Hij kijkt neer op de fles in zijn hand. 'Oké.' En hij zet hem terug in de koelkast.

148

Hallo Michael...

Omdat ik me verveel en mijn column maar niet van de grond wil komen, heb ik gedaan wat ik tegenwoordig altijd doe om mezelf op te vrolijken: een bericht aan Michael schrijven. We mailen nu dagelijks. Niets belangrijks of diepzinnigs, gewoon hoe de dag verloopt, wat er gebeurt in onze levens. We klinken als een oud getrouwd stel dat zit te praten tijdens het avondeten, alleen is er een flirterige ondertoon om het een beetje spannend te maken. Michael heeft het spelletje al snel opgepikt. Hij kaatst het balletje telkens terug en geeft er zijn eigen interessante draai aan.

Ik heb hem verteld over mijn dieet. Er was moed voor nodig, maar toen hij begon te vragen naar mijn dag, leek het belachelijk om datgene weg te laten waar ik op dit moment het meeste mee bezig ben. Ik heb zorgvuldig alle details vermeden; alleen terloops laten vallen dat ik naar de sportschool ga en minder eet. Oké, misschien heb ik vaag laten doorschemeren dat ik aan het trainen ben voor een marathon – maar dat was in een moment van zwakte toen Ron pizza had laten komen op kantoor en de geur vanuit de vergaderkamer door de gang mijn neusgaten binnendreef.

Hoe het ook zij, tot mijn verbazing interesseert het hem echt, en hij vraagt regelmatig: *Hoe is het met de training?* Hij noemt het 'de training,' hetgeen misschien zou kunnen suggereren dat hij mijn opmerking over het marathongebeuren een tikje al te serieus neemt. Hij is begonnen om over zijn eigen hardlopen te vertellen – twaalf kilometer per dag, voornamelijk langs het strand van Santa Monica – en ik begin me een beetje zorgen te maken dat als ik geen opheldering verschaf op dit punt, ik nog wel eens happend naar adem aan zijn zijde zou kunnen belanden in een poging me door de New York City marathon heen te worstelen. Hij praat erover alsof we verwante geesten zijn (zijn vrouw doet afwerend over zijn hardlopen, als zijnde een symptoom van een midlifecrisis), en ik zou het echt vreselijk vinden om hem teleur te stellen.

Dus heb ik een oude knieblessure verzonnen die een operatie vorig jaar noodzakelijk maakte, en waarvan ik nu probeer te herstellen. Het is verbluffend wat je op internet al niet te weten kunt komen. Ik heb tot in detail uitgeweid over mijn operatie, het revalidatieproces dat volgde, en mijn ontsteltenis over de gewichtstoename waarmee mijn immobiliteit gepaard ging. Maar nu ben ik weer terug in de sportschool, waar ik krachttraining doe voor het herstel van mijn knie, en gaat het gewicht er langzaam weer af.

Het is een beetje beangstigend, zo makkelijk als de leugens komen. Toch heeft deze leugen één echt groot voordeel gehad: ik heb mijn cardiotraining opgevoerd, mijn tempo op de loopband verhoogd naar een dreunend, zwaar sukkeldrafje, en twee ochtenden in de week sla ik de sportschool over en ga ik hardlopen. Het is een beetje gênant, aangezien de vroege-ochtendhardlopers op Central Park Drive het allemaal heel serieus nemen en me links en rechts voorbijschieten terwijl ik voortsjok, meer lopend dan rennend. Ik loop te happen naar adem, en de spieren in mijn benen beginnen al snel te voelen als elastiekjes waar geen rek meer in zit. Maar ik loop stug door, gedreven door de angst om door de mand te vallen en vernederd te worden, en langzaam maar zeker begin ik meer te rennen en minder te lopen. Het is nu best koud 's morgens, en de bomen zijn bijna helemaal kaal. Toch zijn er momenten dat het daadwerkelijk plezierig is, en deze uren in de frisse lucht wekken mijn lichaam weer tot leven.

Ik word echter gekweld door vragen terwijl ik volg in het kielzog van de andere hardlopers: waar ben ik nu eigenlijk naartoe aan het rennen? Geloof ik echt dat Michael en ik samen zullen gaan hardlopen, of wil ik er gewoon met alle geweld voor zorgen dat hij, als hij naar mijn benen kijkt, de kuiten van een hardloopster ziet, en niet de dikke benen die ik de afgelopen jaren in mijn panty heb geperst? Maar hoe aandachtig verwacht ik dat hij mijn benen zal bekijken? Stel ik me een vluchtige blik voor terwijl ik het café binnenkom waar we elkaar zullen ontmoeten voor een kop koffie, of een inspectie van dichtbij terwijl hij langzaam mijn panty uittrekt en zijn hand langs de binnenkant van mijn dij omhoog laat glijden?

Allebei, moet ik tot mijn schaamte bekennen. Ik kan het niet helpen, maar het is een feit dat ik mezelf sinds kort met hem in bed voorstel. Ik merk dat ik me de bewegingen van onze lichamen voorstel, zijn opwinding, mijn overgave. De beelden zijn levendiger dan ik van mezelf gewend ben. Voor mij is een seksuele fantasie meestal zoals in films van voor 1968: alles wordt gesuggereerd door gezichtsuitdrukkingen, of door het plotselinge verstarren van lichamen. Er is hooguit een glimp van een borst of dij, maar de echte actie vindt plaats onder zijden lakens, buiten het zicht van de camera. Ik heb zelfs jarenlang stand-ins gebruikt: het lichaam dat beweegt onder dat laken is niet mijn eigen logge lijf maar een slanker, eleganter model, misschien het lichaam dat ik zo gretig deelde in mijn studententijd en tijdens mijn eerste jaren in New York, of het algemene superlichaam uit films, het universele voorwerp van al onze verlangens.

Wat er dus met name verrassend is aan deze nieuwe fantasieën, is dat er een onvolmaakte ik in voorkomt: het is niet het perfecte lichaam van toen ik twintig was, maar het lichaam dat ik me voorstel te zullen hebben als ik klaar ben met mijn dieet – slanker, maar ouder. Niet het perfecte lichaam van de jeugd, maar eentje waar Michael evengoed van kan genieten, en waar ik van kan genieten dankzij zijn weerspiegelde genot. En daarin zit 'm het probleem: ik denk niet aan het genot uit het verleden, maar ik stel me genot voor waarvan ik hoop dat het nog zal komen. Ik ben de controle kwijt over deze flirt, en nu, als een beest dat is losgebroken uit zijn kooi, heeft het zich tegen me gekeerd en slaat het zijn klauwen diep in me.

Ben ik dan echt zo zwak? Zou ik echt Michaels begeerte nodig hebben om te genieten van een lichaam dat ik met zoveel pijn en moeite in ere aan het herstellen ben? Waarom kan het niet gewoon *van mij* zijn?

Maar als het van mij is, mag ik er dan niet van genieten op elke manier die ik zelf wil? Bovendien, Michael is degene die deze verandering heeft geïnspireerd. David lijkt geen belangstelling te hebben voor mijn dieet, behalve wanneer hij er last van heeft. Als ik op een punt kom waarop een man weer kan genieten van mijn lichaam, vind ik onwillekeurig dat Michael degene is die daar recht op heeft.

Maar mijn gedachten dwalen af. Net als mijn verlangens. Dat gebeurt de laatste tijd steeds vaker, en dat is niet bevorderlijk voor het schrijven van mijn column. Ik moet weer aan de slag!

Hallo Michael...

December 2005

139

Komt Chloe thuis voor de kerst?

Michael en ik zijn inmiddels overgestapt op MSN. Chloe heeft me in november geleerd hoe het moet, me een pagina vol instructies gestuurd over de mail en een tijdstip bepaald waarop we elkaar online konden ontmoeten. Maar we hadden het tijdsverschil verkeerd berekend, en ik zat een uur eerder achter mijn computer dan gepland en typte 'Chloe? Ben je daar?' in een overvolle chatroom. Uiteindelijk schreef een of andere vent met de schuilnaam XTC32 terug: 'Ja, ik ben Chloe. Wat heb je aan?' Ik heb de computer meteen uitgezet.

Uiteindelijk hadden we uitgedokterd hoe het zat met de tijd, maar het heeft nooit echt goed gewerkt. Ik moest me van kantoor naar huis haasten om online te kunnen zijn om 19.00 uur, terwijl zij zich vanuit het Parijse nachtleven naar huis moest haasten om me daar te kunnen ontmoeten om 1.00 uur. Ik had sterk de indruk dat ik een blok aan haar been was, en was opgelucht toen we weer terugschakelden naar e-mailen. Ik kon haar op ieder willekeurig moment snel een kattebelletje schrijven, en zij kon antwoorden wanneer ze niet net een fles goedkope merlot achterover had geslagen met een jongen die Jean-Pierre heette.

Toen ik aan Michael voorstelde om te gaan msn-en, liepen we tegen precies het tegenovergestelde probleem op. Ik kon niet lang genoeg wakker blijven om een gesprek te beginnen om middernacht, en hij kon niet vroeg genoeg thuis zijn in Santa Monica om voor negenen ongestoord achter zijn computer te kunnen kruipen. We probeerden het een paar keer op kantoor: dan ging ik meteen na de lunch online, en hij ontmoette me daar zodra hij op kantoor kwam, maar onze gesprekken waren afwezig, en een van ons moest er altijd haastig vandoor om een of andere crisis op het werk het hoofd te bieden.

Volgens mij is dit een lokale technologie, zeg ik op een avond tegen hem. *Het is fantastisch als je je allebei op hetzelfde punt in je dag bevindt, maar het werkt niet zo goed met drie uur tijdsverschil. E-mail kun je beantwoorden wanneer je even tijd hebt. Je moet alleen wat langer wachten op antwoord.*

Ik wachtte een paar seconden, en toen was zijn antwoord er. *Ik ben eigenlijk een groot fan van uitgestelde bevrediging. Alles is veel leuker als je er de tijd voor neemt.*

Ik glimlachte. *Alles?*

Wacht maar af.

Er liep een rilling over mijn rug. Wat had hij voor me in in gedachten?

Geduld is een indrukwekkende eigenschap in een man, schreef ik.

Ik geniet van het gevoel van verwachting – als je allebei weet dat er iets gaat gebeuren, je weet alleen niet wanneer... En hoe vaak.

O jee. Op dat moment bedacht ik onwillekeurig dat er ook wel iets te zeggen viel voor onmiddellijke bevrediging.

Hoe het ook zij, we kunnen dit de volgende keer dat ik in NYC ben nog wel eens proberen, schreef hij. *Dan bevinden we ons in elk geval in dezelfde tijdzone.*

Wanneer kom je?

Eind januari, waarschijnlijk.

Ik maakte een snelle rekensom. Als ik zo gestaag doorging met afvallen, zou ik tegen die tijd rond de 130 wegen. Zou ik me met dat gewicht aan hem willen vertonen? Waarschijnlijk wel. Maar alleen met kleren aan. Als hij meer wil zien, zal hij nog een poosje genoegen moeten nemen met het plezier van de verwachting.

Afvallen wordt altijd moeilijker na de jaarwisseling, dat staat in alle tijdschriften. Het koude weer maakt dat je lichaam haar vetlagen als een jas om zich heen wil houden. Daarom werkt het goede voornemen met Nieuwjaar om af te vallen ook bijna nooit. In januari en februari word je een zeehond, en lever je geen enkel pondje zonder slag of stoot in.

Maart dan, of begin april. Dat is nog zo ver weg dat ik tegen die tijd getallen zal zien op de weegschaal die ik sinds mijn twintigste niet meer heb gekend. Dan kan hij zijn beloning voor al zijn geduld opeisen.

Misschien kunnen we de computers een keertje laten voor wat ze zijn en elkaar persoonlijk ontmoeten als je de volgende keer in de stad bent, schrijf ik. *Je bent me nog steeds een kop koffie schuldig.*

Ik vind het gewoon leuk om je geduld op de proef te stellen.

Ik kan er niks aan doen: ik vind deze man *leuk*. We weten allebei dat ik degene ben die de ontmoeting steeds probeert te mijden, maar hij draait het om en doet het klinken alsof het aan hem ligt. Veel mannen zouden me ervan beginnen te beschuldigen dat ik spelletjes speel, zonder erover na te denken wat voor angsten er misschien schuil zouden kunnen gaan onder mijn terughoudendheid. Maar Michael neemt me zoals ik ben. Wie weet? Als we elkaar zouden ontmoeten, zou mijn gewicht hem misschien niet eens storen. Niet dat ik het risico zou willen nemen. Bovendien, het zou *mij* wél storen.

Wat ga je doen met de feestdagen?

Weet ik nog niet, schrijft hij. *Misschien ga ik wel naar het strand om de Kerstman te zien aankomen op zijn surfplank. Komt Chloe thuis voor de kerst?*

Nee, ze gaat naar Venetië met de kerst. En dan naar Florence met oud en nieuw.

Klinkt geweldig. Zeg tegen haar dat ze regenlaarzen moet meenemen. Venetië overstroomt vaak met Kerstmis. Je moet over planken lopen om het San Marco plein over te steken.

Daar zullen de gondeliers blij mee zijn. Ben je er vaak geweest?

Vaak genoeg om diverse paren schoenen te ruïneren. Een vriend van me heeft een appartement in de Cannaregio dat ik mag gebruiken, ver weg van alle toeristen. Ik ga er om de zoveel jaar naartoe om de gebouwen te tekenen. Ik heb schetsboeken vol met palazzi in mijn bureau.

Dat klinkt idyllisch. Ik ben er nog nooit geweest.

Misschien neem ik je er wel een keer mee naartoe.

Ik staar naar zijn laatste woorden met een ademloos gevoel. Is dat waar we het hier over hebben? Er samen vandoor gaan naar Venetië, wakker worden in zijn appartement om de zon op te zien komen boven de daken?

Ik realiseer me ineens dat er een paar minuten zijn verstreken. Hij zit te wachten op mijn antwoord.

Dat zou ik wel willen.

Het moet boekdelen spreken – mijn stilte, en dan mijn antwoord. Ik heb het gevoel alsof we een brug zijn overgestoken en nieuw terrein hebben betreden, en ik heb geen plattegrond waarop staat waar deze weg naartoe leidt.

We zijn het erover eens dat we minnaars zullen worden. Ik heb tegen hem gezegd dat ik met hem mee zou gaan naar Venetië als hij het me vroeg, en we weten allebei wat dat betekent.

Het is nu alleen nog een kwestie van tijd.

'Wat is er toch in jou gevaren?' David ligt op zijn rug, happend naar adem.

Niets, nog niet.

En dat is het probleem. Ik word gek van de opgekropte spanning. Niet dat ik dat tegen David kan zeggen, maar ik betwijfel of ik klachten van hem te horen zal krijgen. Hij krijgt momenteel meer seks dan de gemiddelde student. Zijn vrouw is ineens onverzadigbaar geworden; ik kan er maar geen genoeg van krijgen.

'Het is het dieet,' zeg ik tegen hem. 'Al die honger moet er toch ergens uit komen.'

Dat is een leugen, natuurlijk. Het laatste waar je aan denkt als je uitgehongerd bent, is seks. Zelfs als je er daadwerkelijk in slaagt om even niet aan eten te denken, begint je maag te knorren in het heetst van de passie.

Maar ik denk tegenwoordig helemaal niet aan eten. Ik zit in mijn kantoor naar mijn computer te staren, met mijn gedachten in Venetië. Dat appartement in de Cannaregio heeft mijn verbeelding gekidnapt. (Het is een woonwijk van achttiende-eeuwse gebouwen op tien minuten lopen van de Rialto-brug. Ik heb het opgezocht.) Ik stel me voor dat ik espresso zit te drinken in een piepklein koffietentje terwijl Michael gebouwen schetst, en dat ik daarna vis en groente ga kopen op de markt, en met mijn aankopen terugga naar het appartement om een simpele maaltijd te bereiden. Na afloop laten we de vuile borden op tafel staan en voert Michael me mee naar de slaapkamer, zijn ogen oplichtend van verlangen.

Ik ben weer eens te laat met mijn column, en er ligt een enorme stapel persklaarmaakwerk op mijn bureau. Maar het enige waar ik aan kan denken, is seks. Ik ben er door geobsedeerd, als een puber. Op de sportschool drijft het me genadeloos voort, totdat ik loop te draven op de loopband alsof ik achterna word gezeten. Ik voel dat de vrouw op de loopband naast me probeert om mijn tempo te evenaren, maar ik ga veel te snel voor haar. Ze hapt naar adem, grijpt de handgrepen vast om haar evenwicht te bewaren, en gaat dan vlug langzamer lopen. Als ik klaar ben, doe ik sit-ups en buikspieroefeningen op een steil aflopende plank. Ik ben als een bokser die traint voor een titelgevecht, elke spier wordt onder handen genomen tot deze strak is als een vuist. Maar terwijl de bokser de triomf van de overwinning voor zich ziet, kan ik alleen maar denken aan overgave: ik train al mijn spieren strak zodat ze een lust zullen zijn voor Michaels ogen, en dan langzaam kunnen ontspannen onder zijn aanraking. *Nog tien keer opdrukken*, zeg ik tegen mezelf, met opeengeklemde tanden. *Het is een geringe prijs om te betalen.*

Maar David is degene die er de vruchten van plukt. Je zou denken dat ik uitgeput en stijf thuis zou komen na zoveel lichaamsbeweging, maar tot mijn verbazing is het tegenovergestelde het geval. Het is alsof ik, als ik mijn boilers eenmaal heb opgestookt, niet meer kan stoppen totdat ik alle stoom heb afgeblazen. We laten de vuile vaat in de gootsteen staan, de voicemail onbeluisterd. Zelfs als het Chloe is die belt, laten we de telefoon rinkelen en pauzeren alleen even om naar haar stem te luisteren op het antwoordapparaat – is alles goed met haar? – en gaan vervolgens weer verder met neuken op de bank, de keukentafel, de badkamervloer. Ik vind het de laatste tijd prettig om bovenop te zitten en hem te berijden als een amazone die in galop over de hekken springt. Ik gooi mijn hoofd achterover, doe mijn ogen dicht en grom. Sinds wanneer *grom* ik?

David lijkt ervan te genieten. In eerste instantie leek hij de intensiteit van mijn begeerte verontrustend te vinden, vooral toen ik begon te grommen. Maar hij ging erin mee, begon zelfs te genieten van de veranderingen. Dat is wel zo met echtgenoten: je hoeft ze zelden te overtuigen als het om seks gaat. Echtgenoten weten dat ze moeten pakken wat ze pakken kunnen.

Het enige probleem is dat alle passie en intensiteit van mijn kant lijken te komen: hij gaat er eens lekker voor liggen en laat mij het zware werk doen. Ik weet dat ik niet zou mogen klagen. Hele volksstammen vrouwen zouden het geweldig vinden om van tijd tot tijd eens het roer in handen te mogen nemen. Er zijn te veel mannen die de neiging hebben om hun vrouw te verwarren met een auto: je moet er lekker hard in rijden tot je op de plaats van bestemming bent, en hem daarna op de handrem zetten en televisie gaan kijken. David probeert in ieder geval nog tegemoet te komen aan mijn behoeften. Maar wat ik wil, diep van binnen, is dat hij wacht tot ik begin te grommen, om me vervolgens op mijn rug te leggen en mijn onvoorwaardelijke overgave te eisen. Het is niet zo dat ik wil dat een man me met geweld een orgasme afdwingt: ik zou alleen graag wat passie willen zien die de mijne kan evenaren. Het is opwindend om begeerd te worden, om in de ogen van een man te kijken en te zien dat hij je wil hebben, *nu*.

Dat is wat het vuur in mij heeft ontstoken. Michaels e-mails zijn doordrenkt van begeerte, ook al waakt hij ervoor om het vriendschappelijk te houden. Hij vindt me interessant. Mijn baan, mijn dieet, Chloe's dromen – hij is bereid om het allemaal aan te horen, en hij antwoordt met aandacht, alsof de details van mijn leven er echt toe doen. Maar direct onder het oppervlak ligt er een wolfachtige glans in zijn ogen. We zijn nooit expliciet, maar ik kan me de dingen voorstellen die hij met me zou willen doen.

En dat maakt het waarschijnlijk zo opwindend. Seks met Michael vindt alleen in mijn verbeelding plaats, wat betekent dat hij de perfecte minnaar is, klaarstaat met de trage liefkozing die mijn opwinding voedt, of de onverwachte verrassing die me over de rand tilt. Wat maakt je echtgenoot voor kans tegenover een droomminnaar wiens aanraking altijd precies is zoals jij hem hebben wilt en nooit precies zoals je zou *verwachten*? Echtgenoten zijn oude rotten in het hijsen van de zeilen en het op stoom brengen van het schip, zelfs als de wind het laat afweten. Maar de minnaar in je dromen is de piraat die je entert en je opeist als zijn schat.

Later, als het allemaal achter de rug is en David naast me in slaap valt, glip ik het bed uit en ga naar de keuken om de afwas te doen. *Niets van dit alles is echt,* hou ik mezelf schuldbewust voor terwijl ik de grillpan schrob. *Je geniet gewoon van een levendige fantasie. Daar is niks mis mee.*

Maar als de afwas is gedaan, ga ik naar Davids werkkamer en zet de computer aan. Ik kan net zo goed even mijn e-mail controleren...

136

En dan ineens is het allemaal echt, en slaat de schrik me om het hart.

Ik ben weer in New York, schrijft Michael in een mailtje dat op me wacht zodra ik op kantoor kom. *Er was een kleine crisis in het Stony Brook project afgelopen weekend, dus ik ben hierheen gevlogen om deze op te lossen. Maar het ziet ernaar uit dat alles alweer onder controle is, dus het lijkt erop dat ik voor niets helemaal hierheen ben gevlogen.*

Heb je al plannen voor de lunch?

Nou, ik was van plan om een appel en een klein potje magere yoghurt te eten aan mijn bureau, zoals ik altijd doe. Ik weet nog steeds niet zo goed hoe ik lunchen in een restaurant moet aanpakken. Ron wilde vorige week dat we onze ontwerper mee uit eten zouden nemen, dus ik bestelde een caesarsalade met de dressing er los bij, en ben vervolgens het grootste deel van de maaltijd bezig geweest om de croutons te mijden alsof het mini-ijsbergjes waren die mijn dieet tot zinken zouden kunnen brengen als ik er te dichtbij kwam.

Maar hoe kan ik dat doen met Michael? Ik zou me te onbehaaglijk voelen om kieskauwend van een salade eten als de preutse voedselmartelaar die ik ben geworden. Ik zou liever aanvallen op de biefstuk, of mijn lepel uitdagend en onstuimig in een chocoladeorgasme steken, dan dat ik me aan hem laat zien als een devote dieetnon. Ik heb hem verteld dat ik op dieet ben, dus hij weet dat ik niet mijn ideale gewicht heb. En de waarheid is dat ik er in jaren niet zo goed uit heb gezien. Ik ben nog maar twintig pond van mijn doel verwijderd, en alle lichaamsbeweging heeft me spieren gegeven op plaatsen die vroeger aan de genade van de zwaartekracht overgeleverd waren. En het is maar een lunch, nietwaar? Dan gaan we zitten en praten we wat, net zoals we de afgelopen maanden hebben gedaan, alleen zonder de computers tussen ons in.

Van die gedachte raak ik in paniek. We hebben zelfs nog nooit via de telefoon met elkaar gepraat! In zekere zin zijn we wildvreemden voor elkaar. Tuurlijk, er zijn wel dingen waar ik hem naar zou willen vragen – zijn werk, zijn dochter, het huis dat hij aan het bouwen is, zijn vrouw – maar het is makkelijk om persoonlijke vragen te stellen achter een computerscherm wanneer hij vijfduizend kilometer ver weg is. Zal ik echt de moed hebben om hem in de ogen te kijken en naar zijn huwelijk te informeren?

Het is verleidelijk, alleen al om de blik in zijn ogen te zien terwijl hij erover probeert te praten. In een e-mail is het makkelijk om de waarheid af te schermen op een manier die het feit verhult dat je huwelijk niet perfect is, maar alleen omdat het je verveelt dat alles zo *vanzelfsprekend* is geworden. Ik heb het nooit over Davids pluspunten – zijn zorgzaamheid, zijn begrip, het feit dat we bijna nooit ruzie hebben – en ik vraag me onwillekeurig af of Michael niet op dezelfde manier dingen weglaat. Als zijn huwelijk zo beroerd is, waarom heeft hij dan zijn biezen niet gepakt? Zou het kunnen dat hij, net als ik, gewoon geniet van een flirt?

Niet dat ik hem dat ooit zou verwijten, maar het zou interessant zijn om zijn ogen te zien terwijl hij mijn vragen beantwoordt. Zou hij die steelse blik over zich krijgen die zoveel mannen hebben wanneer ze over hun huwelijk praten? Of zou hij proberen het te verbergen door agressief te worden, de vragen naar me terug te kaatsen? Laten we wel wezen, ik weet in feite niet echt iets over deze man. Het zou waarschijnlijk goed voor me zijn om tegenover hem aan een tafel te zitten en over onze levens te praten. Het zou de zaken tussen ons misschien zelfs enigszins bekoelen, en ik zou met een zuiver geweten naar huis kunnen gaan, naar David.

Lunch klinkt goed, typ ik. *Had je al een plek in gedachten?*

Ik zie hem door het raam, zittend aan een tafeltje in de hoek, zijn stoel een klein beetje gedraaid zodat hij naar buiten kan kijken.

Maar op dit moment is hij met de ober in gesprek, dus ik krijg even de kans om hem onopgemerkt te bekijken. Hij is ouder dan op de foto op de website van zijn firma, met een beetje meer grijs in zijn haar. Maar nog altijd knap op die bedachtzame manier die ik me van hem herinner. Zijn gezicht ziet eruit alsof het is gemaakt door een beeldhouwer, en zijn haar ziet er op de een of andere manier netjes en verwaaid uit tegelijk. Hij is knap. Op dat punt heeft mijn geheugen me niet bedrogen.

Ik heb al de hele ochtend een knoop in mijn maag van de zenuwen die alsmaar groter wordt, steeds groter tijdens de wandeling hierheen vanaf kantoor, dezelfde nervositeit die je hebt vlak voor een sollicitatiegesprek en een eerste afspraakje. Het is een gevoel dat ik nooit prettig heb gevonden, hetgeen waarschijnlijk verklaart waarom ik nog steeds getrouwd ben en nog steeds bij *House & Home* werk. Toen ik vrijgezel was, sloeg ik het eerste afspraakje vaak gewoon over en ging meteen naar bed met de jongen die ik net had ontmoet, simpelweg om dit gevoel niet te hoeven hebben.

Het is geen afspraakje, help ik mezelf herinneren. *We zijn gewoon twee oude vrienden die samen gaan lunchen.*

Desalniettemin deins ik achteruit bij het raam en loop ik de straat op om moed te verzamelen, om de sereniteit van de getrouwde vrouw op te roepen.

Ik ben echtgenote en moeder, reciteer ik, me de Madonna's van middeleeuwse schilderijen voor de geest halend, met hun onbewogen glimlach. *Ik heb de controle over mijn leven.*

Ik kan hier niet blijven staan. Michael zal nu wel op zijn horloge zitten te kijken en zich afvragen of ik nog kom. (Hij zou beter moeten weten. Het heeft hem nooit enige moeite gekost om me te laten komen.)

Ik haal diep adem, loop terug naar het restaurant en duw de deur open. Hij herkent me meteen als ik binnenkom. Misschien ben ik toch niet zoveel veranderd als ik dacht. Hij komt glimlachend overeind, terwijl ik door het restaurant heen naar hem toe loop. Hij komt achter de tafel vandaan met zijn armen gespreid – niet *te* wijd, alsof hij volledig lichaamscontact verwacht, maar ontspannen en hartelijk – en ik volg maar al te graag zijn voorbeeld, tot en met de snelle kus op de wang die vroegere intimiteit lijkt te erkennen zonder enige verwachting uit te drukken voor de toekomst.

Hij ruikt lekker. Geen parfum of aftershave, maar gewoon een vage geur die een verre herinnering tot leven wekt van zonlicht en opspattend zeewater en lichamen die samen bewegen in de nacht. Dan pakt hij mijn jas aan terwijl we gelijktijdig zeggen: 'Hoe is het met je?' en allebei lachen omdat het zo onhandig gaat allemaal, en hij drapeert mijn jas over een lege stoel. Het geeft mij even de tijd om te gaan zitten, diep adem te halen en me schrap te zetten voordat ik zijn blik in volle sterkte kan trotseren.

Heel even zeggen we geen van tweeën iets. We kijken elkaar aan, en dan glimlachen we allebei, en hij steekt zijn hand uit over de tafel om in mijn hand te knijpen. 'Het is heerlijk om je te zien, Eva. Je ziet er fantastisch uit.'

En meer is er niet voor nodig. Ik voel dat ik me ontspan, en al mijn onzekerheid ebt weg. 'Je ziet er zelf ook behoorlijk goed uit.'

Zijn hand is warm om de mijne heen, en hij kijkt diep in mijn ogen, en ik heb het gevoel alsof we gewoon weer verder gaan waar we jaren geleden zijn gebleven – een aanraking, een hongerige blik, en mijn hart dat wild tekeergaat.

We bestellen, we kletsen. Hij vraagt naar Chloe, en ik vraag naar zijn dochter, Emma. Het gaat heel goed met haar, vertelt hij. Dan glimlacht hij. 'Emma en Chloe. Onze jonge victorianen.'

'Ik weet het. Haar studentenhuis op Smith zit vol Nora's en Eliza's. Er is zelfs een Tilda bij. Denk je dat we ze voor het leven getekend hebben?'

'Ze zullen het wel overleven. Trouwens, wie denkt er nou ooit na over zijn naam? Het is gewoon een woord dat mensen gebruiken als ze tegen je praten.'

'Heb jij dan geen enkele binding met je naam?'

'Er zijn zoveel Michaels dat het geen enkele betekenis heeft. En jij? Heb jij het gevoel dat je naam jou omschrijft?'

'Eva?' Ik denk even na. 'Ik weet het niet. Misschien. Ik geloof dat je zou kunnen zeggen dat ik makkelijk te verleiden ben.'

Hij glimlacht ondeugend. 'Dat zal ik onthouden.'

Ik bloos, en ineens is daar een gevoel in mijn buik dat ik herken als begeerte. Maar niet de 'Mmm, dat zou fijn zijn'-begeerte die je voelt met je man. Het is anders, meer primair. *Brand het huis plat*, fluistert het tegen je. *Drijf de kudde uiteen. Hij zal op je wachten in het donkere bos.*

Ik raak mijn lunch amper aan, te opgewonden om te eten. Hij lijkt evenmin honger te hebben. We leunen allebei op de tafel, onze borden onaangeroerd, en praten op gedempte toon. We zien er vast uit als een stel spionnen.

'Vertel eens over je huis. Heb je nog kans gezien om eraan te werken?'

Hij lacht. 'Als je eens wist hoe lang ik er al op wacht dat iemand dat vraagt! De meeste mensen beginnen het onderwerp te mijden na een tijdje. Ze willen me niet op mijn praatstoel zetten.'

'Ik ben oprecht geïnteresseerd. Ik hoor je er graag over praten.'

Hij begint te vertellen en schetst het ontwerp op een servetje zodat ik kan zien hoe het huis zich verhoudt tot de omringende heuvels. Met vlagen klinkt hij als een klein jongetje dat een fort aan het bouwen is in het bos. Maar dan wordt zijn stem weer ernstig, en kan ik zien hoe hij eruit moet zien als hij aan het werk is op een bouwlocatie. En voor wat het huis zelf betreft, ik heb nog nooit zoiets gezien: een en al scheve hoeken om het zonlicht op te vangen in de zomer, en regenwater door een reeks goten te leiden, door een zuiveringssysteem naar een reservoir op een laag punt in het midden van het dak. 'Er komt een put, omdat er niet genoeg regen valt om 's zomers te voorzien in de waterbehoefte van het huis,' zegt hij, 'maar op deze manier hergebruiken we zoveel mogelijk water zonder enig substantieel energieverbruik.'

'Dus jullie gaan douchen met regenwater?'

Hij kijkt naar me op en glimlacht. 'Heb je het wel eens geprobeerd? Het is heel zacht water. Het maakt dat je huid aanvoelt als fluweel. We gaan het ook in de hot tub gebruiken.'

We. Bedoelt hij zijn vrouw? Hij blijft maar zeggen dat het hele project haar niet interesseert, maar misschien als het klaar is, en er staat wijn koel in de kelder en er is een hot tub vol regenwater om van te genieten, laat ze zich wel door hem meeslepen voor een weekendje om in de kleine boeddhistische tempel te gaan zitten die

hij aan het ontwerpen is op een hoge rots en de zon te zien ondergaan boven de Stille Oceaan.

Of heeft hij iemand anders in gedachten?

'Chloe is een keer op een alpinistenkamp geweest in Vermont
waar ze douchten met regenwater,' vertel ik. 'Ze vond het heerlijk.'

'Ze heeft smaak. Dus je laat haar bergbeklimmen? Ik ben onder
de indruk.'

'Als Chloe iets in haar hoofd heeft, is ze niet meer te stuiten. Zo
is het altijd al geweest, sinds ze een baby was.'

'Vastberaden, hm? Heeft ze dat van jou?'

Ik kijk hem aan, verrast. 'Ik?' Ineens, zonder enige waarschuwing, vullen mijn ogen zich met tranen. Is dat hoe hij mij ziet? Je
zou mij nooit vastberaden kunnen noemen. Niet in die zin, althans.
Het zijn mijn baan, mijn dochter, mijn man die mij bepalen. Ik
word bepaald door mijn dieet, en door het voedsel waar ik van
droom maar dat ik niet eet. Mijn vet doet mij besluiten. En de apparaten op de sportschool, waar ik vele uren zwetend op doorbreng
om mezelf te ontdoen van het vet, die bepalen mij ook. Dus, ja, je
zou kunnen zeggen dat ik vastberaden ben – maar niet op een manier die ik ooit voor Chloe zou wensen. *Laat haar maar in Parijs
blijven. De Fransen lijken lang niet zo vastberaden als wij. Dat
komt vast door al die wijn.*

Michael zit me inmiddels bezorgd aan te kijken, ziet me moeizaam slikken en de tranen wegknipperen.

'Chloe heeft een heel eigen identiteit,' zeg ik tegen hem, en hij
knikt, waarschijnlijk opgelucht door de gedachte dat het moeder-
liefde was waardoor ik zo volschoot.

Hij glimlacht terwijl ik in mijn ogen veeg. 'Dat is wat kinderen
met ons doen. Het zijn net spiegels waarin we onszelf zien, alleen
wensen we beter voor hen.'

'Zie jij jezelf in Emma?'

Hij aarzelt. 'Ik zie mijn *beste* ik in Emma. Maar dat is niet altijd
de ik die ik in mezelf zie.' Hij kijkt naar me op. 'Snap je wat ik bedoel?'

Ik knik. 'Dat is precies wat ik probeerde te zeggen over Chloe. Ik
wou dat ik haar sterke karakter had.'

Heel even zijn we allebei stil. Dan reikt hij over de tafel heen en geeft een kneepje in mijn hand.

'Wees niet te streng voor jezelf, oké? Je hebt een blessure. Voor je het weet, zul jij weer marathons lopen.'

Ik kijk neer op mijn bord, ineens vervuld van zelfhaat. 'Je zult wel gelijk hebben.'

Een gênant moment. Hij werpt een blik op zijn horloge. 'Hoe laat moet je terug zijn?'

Ik kijk op mijn eigen horloge en realiseer me tot mijn schrik dat we hier al bijna twee uur zitten. 'O, god, ik ben totaal de tijd vergeten! Ik heb een vergadering om half drie.'

'Dan kun je maar beter gaan.' Hij staat op om me te helpen met mijn jas. 'Kunnen we nog een keer iets afspreken?'

'Dat zou ik heel leuk vinden.' Ik voel me ademloos nu, heb haast om weg te komen, maar als ik me naar hem omdraai, is het ineens moeilijk om te gaan. 'Hoe lang ben je nog in de stad?'

'Ik vlieg overmorgen weer terug. Maar eind januari ben ik hier een hele week. Misschien kunnen we dan iets afspreken?'

'Dat lijkt me geweldig.' Zonder dat het mijn bedoeling is, buig ik me naar hem toe en kus hem op de wang. Gewoon een snelle kus, maar ik merk dat het me moeite kost om hem los te laten. Met gesloten ogen adem ik zijn geur in. Zijn armen gaan omhoog en trekken me tegen hem aan, en zo staan we daar even, terwijl de geluiden van het restaurant om ons naar de achtergrond verdwijnen. Dan ben ik weg en loop ik haastig naar kantoor in een waas van verkeer en geluid.

Later pas realiseer ik me dat ik hem heb laten zitten met de rekening. Ik heb bijna niets gegeten, en toch heb ik geen honger. Kan een vrouw overleven, enkel op begeerte? Ik merk dat ik zit te glimlachen, midden in de vergadering. *Je zou een dieetboek moeten schrijven.*

135

Kerstborrels, een groot diner bij Davids ouders in Connecticut, samen met zijn zussen en hun gezinnen, Liz' traditionele bacchanaal voor al haar vrienden en cliënten – ik rol er allemaal kalmpjes doorheen, zonder af te vallen, maar ook zonder aan te komen. Meer moet je ook niet verwachten in dit overdadige seizoen. Het lijkt wel alsof ik de halve dag op de sportschool doorbreng, net als de meeste vrouwen die ik ken. We vragen om vergeving voor onze zonden – de extra portie kalkoen met saus, het flinterdunne reepje pompoentaart – op deze genadeloze apparaten. De weegschaal in de badkamer is onze strenge biechtvader.

'Wat zie jij er goed uit!' roept Davids collega, Edie Boyarski, zodra we op het feestje op zijn kantoor arriveren. Ze heeft me niet meer gezien sinds ik ben begonnen met lijnen, en nu haast ze zich naar me toe om me van dichterbij te bekijken. 'Hoe heb je dat gedaan?'

Ik glimlach enkel. Een dieet en lichaamsbeweging. Echt waar? Dat is alles, geen geheim. Maar toch verdringen de vrouwen zich om me heen. Er *moet* een geheim zijn!

Zodra de drank eenmaal vloeit, merk ik dat Davids collega's ook verlekkerd naar me kijken. Verscheidene van hen komen naar me toe om te vragen hoe ik het voor elkaar heb gekregen, bedekte toespelingen makend dat er bij hun vrouw ook wel een paar pondjes af zouden mogen. Een paar andere zijn eerlijker en geven toe dat ze het vragen voor zichzelf. Eentje, heel dronken, maakt openlijke avances, die ik moeiteloos ontwijk. Verderop in de hoek zie ik David glimlachen, omringd door mannen.

Ik doe het niet slecht. De taarten op dit soort feestelijke bijeenkomsten vormen geen verleiding voor me, en ik neem niet meer dan een flintertje kalkoen, met groenten om ervoor te zorgen dat mijn bord er vol uitziet. Niet dat Liz zich daardoor om de tuin laat leiden. Op haar feestje zie ik haar achterdochtig naar mijn bord kijken. Ze voelt dat er iets gaande is hier, een geheim dat zij niet kent, en dat ervaart ze als een diepe belediging.

'Is dat alles wat je eet?'

'Wat is er mis met worteltjes?'

'Niks. Als je er wat kaas overheen laat smelten, eet ik zo de hele zak leeg.' Ze steekt haar hand uit en pakt er één van mijn bord. 'Heb je mijn mistletoe gezien?'

'Die is moeilijk over het hoofd te zien.' Ze heeft in elke deuropening een paar takjes opgehangen, en aan het hoofdeinde van haar bed een half bos. 'Wil het een beetje lukken?'

Ze zucht. 'Ik heb het grootste deel van de avond in deuropeningen rondgehangen. Ik voel me net een hoer.'

'En, hoe gaan de zaken?'

Ze kijkt me vuil aan. 'Ik heb jou en David er geen gebruik van zien maken. Ik dacht dat de zin van getrouwd zijn juist was dat je iemand hebt om mee te zoenen wanneer je maar wilt.'

Ze pakt nog een wortel, en ik moet de neiging weerstaan om het bord weg te rukken. Zij kan alles eten wat ze wil! Waarom moet ze dan zo nodig van mijn bord stelen? Maar zij zou vermoedelijk hetzelfde kunnen zeggen over mij. Ik heb een echtgenoot, een comfortabel huwelijk; zij is degene die honger lijdt. Dus waarom steel ik dan van andermans bord?

'Ik haat wortels,' zegt ze somber. 'Ze doen me aan konijnen denken.'

'Wat is er mis met konijnen?'

'Ze doen de hele dag niks anders dan eten en neuken. Het is deprimerend.'

Ik kijk neer op mijn wortels. 'Denk je dat er een verband is?'

'Tussen eten en neuken? Absoluut. De enige keer dat ik me niet schuldig voel omdat ik eet, is als ik net klaar ben met neuken.'

'Het zou ook kunnen dat konijnen alsmaar honger hebben, en dat ze veel neuken om er niet aan te hoeven denken.'

Ze kijkt me aan. 'Is dat jouw geheim?'

Ik kan er niets aan doen; ik bloos.

Ze trekt haar wenkbrauwen op. 'Misschien heb je die mistletoe dan toch niet nodig.'

Ik eet nog een wortel en werp een blik op de rij taarten die ze heeft opgesteld op het dressoir. 'Je hebt daar genoeg taart om eenieders vastberadenheid om zeep te helpen.'

'Dat is het plan. Je voert ze, je neukt ze, en daarna verstop je hun kleren zodat ze niet meer weg kunnen.' Ineens wendt ze haar blik af, en ik kan zien dat haar ogen zich vullen met tranen. 'Zal ik je eens iets krankzinnigs vertellen? Als ik tegenwoordig Chinees ga halen bij die tent op de hoek, neem ik twee maaltijden zodat ze niet zullen denken dat ik in mijn eentje eet.'

Ik steek mijn hand uit en leg die op haar arm.

'En als ik pizza bestel, doe ik alsof ik een gesprek voer met mijn vriend zodat de vent die de bestelling opneemt niet denkt dat ik een grote pizza bestel alleen voor mezelf.' Ze kijkt me aan. 'Je weet niet half hoe gelukkig je bent dat je iemand hebt, Eva.'

'Liz, het spijt me zo.'

'Ga je dan nu iets eten?' Ze wuift vaag met haar hand naar de tafel. 'Er is meer dan genoeg...'

'Nou, dat was gezellig,' zegt David als we naar huis gaan. 'Liz heeft zichzelf echt overtroffen dit jaar.'

Ik zeg niets, geërgerd door zijn sarcastische toon, maar heimelijk dankbaar dat ik aan het feestgedruis ben ontsnapt zonder taart op mijn geweten of mijn heupen te hebben. Ik heb genoeg van al die feestjes. Ik kan niet wachten om deze oase achter me te laten en mijn lange, barre tocht door de woestijn te vervolgen.

's Nachts droom ik van veranderende getallen. Ik sta in een lift en heb op de verkeerde knop gedrukt, zodat ik naar boven ga in plaats van naar beneden. Het enige wat ik kan doen, is daar hulpeloos blijven staan en toekijken hoe de getallen steeds hoger worden. Maar dan dringt het tot me door dat als ik alle knoppen tegelijk indruk en mijn gewicht in de strijd gooi tegen de op volle toeren draaiende machinerie, ik het klimmen van de lift kan vertragen.

Langzaam maar zeker komt hij tot stilstand, kreunend, en begint dan langzaam naar beneden te gaan. Mijn hart gaat wild tekeer terwijl de getallen boven de deur beginnen te zakken. Ik heb hem verslagen! Ik heb dit voor elkaar gekregen! Maar dan begint de lift steeds sneller te gaan, en ik realiseer me dat dit geen langzame, beheerste afdaling is, maar een vrije val, en ik zit gevangen in een lift die ter aarde gaat storten. Ik word zwetend wakker, vlak voordat hij te pletter slaat.

'Gaat het?' vraagt David slaperig, en ik besef dat ik abrupt wakker ben geschrokken, alsof ik bijna uit bed was gevallen. De wekker op mijn nachtkastje geeft 3.20 uur aan.

'Ja hoor. Gewoon een vervelende droom.'

'Die heb je de laatste tijd heel vaak.' Hij draait zich om, trekt de dekens op tot over zijn schouders en valt weer in slaap.

Is dat zo? Het is niet zo dat ik me er iets van kan herinneren. Dat maakt deze nou juist zo ongewoon. Ik stap uit bed, ga naar de keuken, drink langzaam een glas water, uitkijkend over de donkere stad.

Je hebt gewetenswroeging.

Dat is wat een psychiater tegen me zou zeggen. Dat, of ik ben heimelijk bang voor wat er zal gebeuren als ik mijn doel bereik. Hoe kun je iets zo graag willen en dan merken dat je bang bent om het te krijgen, juist wanneer het binnen handbereik ligt? Het lijkt een wrede grap, alsof we genetisch gezien gemaakt zijn om ons ellendig te voelen. Welk evolutionair hoger doel zou onze ellende kunnen dienen?

Stomme vraag, eigenlijk. We zijn dieren, gebouwd om te begeren. Honger en seks, dat is wat ons op de been houdt. Geluk zit niet ingebakken in het ontwerp, behalve als tijdelijke beloning. Een goede maaltijd, een lekkere wip, een moment met je kind wanneer het allemaal de moeite waard lijkt. Begeerte is een gewoonte geworden, sterker dan uitputting of honger. Het duwt mij m'n bed uit, de bittere januari-ochtend in, zodat ik lang voor het eerste ochtendgloren in de koude, grijze lucht op de sportschool ben.

Wat zo leuk is aan de sportschool, is dat je daar de getallen *omhoog* kunt laten gaan. Minuten op de loopband, snelheid op de stairclimber, en gewicht op de Nautilus. Meer gewicht aan het apparaat betekent minder gewicht aan mij, mijn lichaam verandert sneller dan de getallen op mijn weegschaal. Ik heb duidelijk afgetekende biceps, en ik kan buikspieren tevoorschijn zien komen onder het resterende vet. Mijn benen, na al het hard- en traplopen, zien eruit alsof ik klaar ben om de Mount Everest te beklimmen in een sexy korte broek. Ik sta elke ochtend even voor de passpiegel in de gewichtenzaal om deze veranderingen te aanschouwen. Ik ben nog steeds niet zo dun als ik graag zou willen, maar alles begint er in ieder geval strak uit te zien.

Spiegels op sportscholen zijn geen instrumenten van ijdelheid of zelfhaat, zoals die in onze badkamer; het zijn realiteitscontroles. Je werkt je flink in het zweet en je spieren voelen alsof ze uit steen gehouwen zijn, dus je bestudeert jezelf met bijna technische zelfkritiek terwijl je op adem staat te komen. De spiegel op de sportschool laat je zien dat wat je voelt niet meer dan een illusie is: je spieren mogen dan wel aanvoelen alsof ze uit graniet gehouwen zijn, maar je ziet er nog steeds uit als het Grobbekuiken. Toch kan ik in deze spiegel zien wat ik heb bereikt. Elke dag bekijk ik mezelf, eerst naar de ene kant gedraaid, en dan naar de andere kant om een volledig beeld te krijgen. En stukje bij beetje zie ik achter me steeds meer van de gewichtenzaal tevoorschijn komen, als een eiland dat langzaam in zicht komt na een lange reis.

Ik zou hetzelfde kunnen zeggen over Michael: ik voel me sterk nu, maar dat is niet altijd het geval geweest. Er zijn vier dagen verstreken sinds onze lunch zonder één woord. *Oké*, dacht ik wanhopig toen ik mijn e-mail controleerde op de vierde dag en er niks was. *Hij heeft je eens bekeken, en hij heeft geen belangstelling meer.*

Ik probeer er niet aan te denken, maar ik merk dat ik de rest van de ochtend om de paar minuten mijn mail controleer, en met het uur gedeprimeerder raak. Uiteindelijk kan ik er niet meer tegen. Wat heb ik te verliezen als ik hem zou schrijven? Hij heeft me waarschijnlijk toch al gedumpt, en dan weet ik het tenminste.

Hallo Michael,
Het was enig om je te zien. Ik hoop dat de reis terug naar L.A. niet te vermoeiend was.

Voor het geval hij, laten we zeggen, te moe was om me een mailtje te sturen. Het is attent om iemand een excuus aan te reiken, maar ik zou teleurgesteld zijn als hij slap genoeg was om het te gebruiken.

We hebben het razend druk met het feestdagennummer – genoeg kerstvertier om elke vrouw depressief te maken. Als je ooit in de verleiding komt om een nummer te kopen, zou ik een mild kalmeringsmiddel willen aanraden om alle suiker te neutraliseren.

Eigenlijk valt het dit jaar nog wel mee. Als ik niet op zoek was geweest naar een manier om de toon luchtig te houden, zou ik er nooit over begonnen zijn. Ron is ingetogener geweest dan anders, alleen een paar foto's van gezinnen rond een open haard, zuurstokjes en kousen aan de schoorsteenmantel, en een niet te rechtvaardigen krans aan de voordeur van het huis dat we op de cover gebruiken. Wat kan het schelen dat we de foto al in maart hebben genomen, tijdens de laatste fatsoenlijke sneeuwval in Connecticut. Onze artdirector vond het een kerstsfeer ademen, dus ze is naar een hobbywinkel gereden in een winkelcentrum in Waterbury, heeft een plastic krans gekocht en die aan de deur gehangen. De foto hangt al zeven maanden op het prikbord in haar kantoor, totdat Ron is gezwicht en haar toestemming heeft gegeven om de foto te gebruiken als cover voor het decembernummer. Het ergste is dat we al in september aan Kerstmis moeten gaan denken, dus tegen de tijd dat de rest van de wereld in de stemming komt voor de feestdagen, ben ik al zover dat ik een bijl wil grijpen om een paar elfjes uit te schakelen.

Onzeker als ik me voel, kan ik niets anders verzinnen wat niet onnozel zal klinken. Dat is het probleem als iemand ineens niets meer van zich laat horen: praten over koetjes en kalfjes lijkt dan plotseling nietszeggend, en je gaat koortsachtig op zoek naar een goede reden om te schrijven.

Ik heb de fout gemaakt om tegen mijn uitgever te zeggen dat ik met jou had geluncht. Hij vroeg me of ik wilde proberen of ik een interview met je kon krijgen, de volgende keer dat je weer in de stad bent.

In werkelijkheid heeft Ron het al in geen weken meer over het interview gehad. Maar ik ben wanhopig, en praten over zaken maakt dat ik me minder kwetsbaar voel voor persoonlijke afwijzing.

Sorry dat ik erover begin, en voel je niet bezwaard om nee te zeggen. Ik weet hoe je over interviews denkt. Maar ik heb hem beloofd dat ik het zou vragen, dus dat heb ik bij deze gedaan.
Ik heb echt genoten van ons gesprek tijdens de lunch en zou veel liever dat nog een keer doen. Zie je in januari?

Te wanhopig? Het is nog een beetje vroeg om aanhankelijk over te komen. Maar ik ben nooit echt geloofwaardig geweest in de rol van keiharde tante, dus ik beperk me tot het veranderen van het vraagteken in een punt.

Zie je in januari.

Veel beter. Zelfverzekerder, met geveinsde gelijkwaardigheid. Alsof we *allebei* van plan zijn om elkaar in januari weer te ontmoeten; het is niet alleen zíjn beslissing.

Ik verstuur het bericht en doe vervolgens mijn best om er de rest van de dag niet meer aan te denken. Vergaderingen, persklaarmaken, de wanhopige zoektocht naar een onderwerp voor mijn column – het leven gaat door en heeft zo zijn eigen manieren om ons af te leiden. 's Avonds ga ik naar de sportschool. Er is een man die sinds kort oogcontact met me maakt in de gewichtenzaal, glimlachend op die 'gedeelde smart is halve smart' manier terwijl we ieder ons programma afwerken. Als ik terug zou glimlachen, zou hij een gesprek aanknopen en zouden we sportschoolmaatjes worden. Hij heeft een trouwring om, maar dat hoeft niet veel te betekenen. Hij ziet er niet slecht uit en hij is hier duidelijk al een tijdje mee bezig, want hij tilt aanzienlijke gewichten en hij ziet er goed gespierd uit. Maar hij is niet een van de bodybuilders, gewoon iemand die hier na zijn werk even komt. Een advocaat, vermoed ik. Ik ben enigszins op mijn hoede, maar het is leuk om te denken dat hij me misschien wel aantrekkelijk vindt. De vaste gebruikers van de gewichtenzaal hebben me op mijn slechtst gezien, mijn zelfvertrouwen zien toenemen en mijn omvang zien afnemen. Zijn glimlach komt me voor als een erkenning hiervan, alsof ze me beginnen te accepteren als een van hen.

David moet constant overwerken, maar ik vind het wel prettig om het appartement 's avonds voor mezelf te hebben. Ik maak een salade voor het avondeten, en ga vervolgens lezen of e-mailen met Chloe totdat ik in slaap val. David komt meestal rond een uur of tien binnensluipen, en dan hoor ik hem rondscharrelen in de keuken voordat hij naar bed gaat.

'Zware dag?'

'Vooral lang.' Hij rekt zich uit, kreunt een beetje. 'Ik vertel het je morgen wel.'

Niet dat hij dat ooit doet. De ochtenden zijn gehaast. David slaapt tot zeven uur, maar ik sta al om half zes op en wil zo snel mogelijk naar de sportschool. Als ik thuiskom, komen we elkaar wel eens tegen in de badkamer, waar ik een snelle douche neem en me aankleed om naar mijn werk te gaan, maar er is dan geen tijd om te praten. Het is een complex ballet tussen wastafel, douche en passpiegel terwijl we ons in gereedheid brengen voor de dag die komen gaat.

Voor mij is kleding altijd de grote vraag: wat is er schoon? Wat past nog? Kan ik deze hobbezak met goed fatsoen nog één keer aan totdat ik hem naar de stomerij kan brengen? Mijn maat is constant aan verandering onderhevig, wat natuurlijk geweldig is, maar ik wou dat mijn kleren tegelijk met mijn lichaam zouden krimpen.

De volgende ochtend, wanneer ik mijn e-mail controleer, is daar Michaels antwoord:

Hallo Eva,

Sorry, sorry, sorry. Ik had iets van me moeten laten horen, maar toen ik terugkwam, bleek er overal om me heen chaos te zijn uitgebroken – een crisis op kantoor, een gekkenhuis thuis. Een tijd lang wilde ik niets liever dan rechtsomkeert maken en terugrijden naar het vliegveld om het eerstvolgende vliegtuig naar New York te nemen. Maar ik vermoed dat uitgestelde genoegens de beste genoegens zijn, dus ik zal me tevreden moeten stellen met de gedachte om je in januari weer te zien.

Dus je uitgever wil een interview? Zeg maar tegen hem dat ik het wel wil doen, maar alleen als hij jou hierheen laat vliegen. Dan kunnen we naar het huis rijden en zal ik je een rondleiding geven. Lijkt dat je wat?

Michael

Ik voel mijn hart wild tekeergaan, alsof ik net een half uur op de StairMaster heb gestaan. Heeft iemand ooit de aerobische waarde van opwinding wetenschappelijk onderzocht? Misschien is dat de remedie voor Amerika's obesitas-epidemie. We moeten elkaar gewoon collectief gaan opwinden, dan blijven we allemaal slank. Dat zou verklaren hoe Franse vrouwen het voor elkaar krijgen.

Ik sta op en loop de gang door naar Rons kantoor, waar hij foto's op een groot prikbord aan de muur aan het nieten is zodat hij er vanaf de andere kant van de kamer naar kan kijken. Ik heb hem ooit een keer gevraagd waarom hij dat deed. Kijken mensen niet naar foto's van een afstand van ongeveer veertig centimeter? Dat is de gemiddelde afstand tot hun ogen waarop lezers een tijdschrift houden. Ik kon wel begrijpen waarom hij zich ervan zou willen verzekeren dat de omslag er van een afstand goed uitziet, want je wilt zeker weten dat deze in het oog springt als mensen langs de krantenkiosk lopen. Maar hij doet het ook met alle interieurfoto's.

'Heb je ooit een echtpaar tijdschriften zien lezen in hun woonkamer?' Hij pakte een oud nummer, sloeg het open bij een fotoreportage van het optrekje in New England van een jonge filmster, hield deze in de lucht voor me op. 'Schat, wat vind je van deze bank?' Hij smeet het tijdschrift op zijn bureau. 'Mijn ex-vrouw deed dat constant. Ik zit in de kamer ernaast, dat is zeg maar van hier naar Staten Island, en zij wil mijn mening over meubilair. Hoe het ook zij, als het er goed uitziet van een afstand, is de kans aanwezig dat het er van dichtbij ook goed uitziet.'

Eerlijk gezegd is dat naar mijn idee zelden het geval. Dingen die er goed uitzien van een afstand, kunnen lelijk tegenvallen als je ze van dichtbij ziet. Vrouwen weten dit van het winkelen, en van mannen. Maar ik wil Rons zeepbel niet uit elkaar laten spatten, vooral niet omdat ik hem om geld kom vragen.

'Wil je dat interview met Foresman nog steeds?'

Hij kijkt naar me, trekt zijn wenkbrauwen op. 'Heeft hij toegezegd dat hij het wil doen?'

'Ik zou ernaartoe moeten vliegen, maar hij heeft aangeboden om me een rondleiding te geven in het huis dat hij aan het bouwen is.'

'Mag je een fotograaf meenemen?'

Ik aarzel. 'Dat zal ik hem moeten vragen. Hij is erg op zijn privacy gesteld. Maar hij weet wat voor soort tijdschrift we zijn, dus ik vermoed dat hij wel zal begrijpen dat we foto's willen bij het interview.'

'Als je een fotograaf mee mag nemen, dan kun je een vlucht gaan boeken. We scharrelen wel wat archieffoto's op van zijn andere projecten.'

Ik loop terug naar mijn kantoor met een vreemd hol gevoel in mijn maag. Het is opwinding, maar op dit moment voelt het gek genoeg precies zoals het verlangen naar een versgebakken bosbessenmuffin, doormidden gesneden met boter die smelt op beide helften.

Hallo Michael,

Tijd voor een realiteitscontrole. Meen je dat over het interview? Zo ja, dan is mijn uitgever bereid om me morgen op het vliegtuig te zetten.

Eva

Eerlijk gezegd, nu ik erover nadenk, waarom zo'n haast? Ron zal het niet in ons feestdagennummer willen zetten, en we hebben nog een paar weken tot de deadline voor het januarinummer. Ik zal een vlucht moeten boeken, een hotelkamer moeten vinden, een auto moeten huren en wat fatsoenlijke kleren moeten kopen die me daadwerkelijk passen. God, wanneer heb ik voor het laatst nieuw ondergoed gekocht?

Bij die gedachte blijf ik steken. Denk ik werkelijk aan het kopen van nieuw *ondergoed?* Lunchen is één ding, en zelfs erkennen dat er sprake is van wederzijdse aantrekkingskracht zou geen kwaad kunnen als we er nooit iets mee deden. Maar als ik sexy ondergoed ga kopen, kan dat alleen maar zijn omdat ik verwacht dat hij het zal zien.

Ik zit aan mijn bureau en denk: *Dus dat is het dan. Je gaat met hem naar bed.* En ik voel me onwillekeurig merkwaardig opgelucht dat het besluit is genomen. Mijn lichaam en geest lijken alvast vooruit gesneld te zijn zonder mij.

Is dit niet de reden waarom ik twee keer per dag mijn lichaam zo afbeul op de sportschool? Dus ga nou maar die zijdeachtige niemendalletjes kopen die onmisbaar zijn in Californië. Verstop ze in een hoekje van je koffer, waar je geweten ze niet kan zien. Tegen de tijd dat je ze aantrekt en voor de spiegel gaat staan in je hotelkamer, je de opwinding in Michaels ogen voorstellend wanneer later op de avond je kleren op de grond vallen en ze onthuld worden, zal je opwinding je geweten wel de mond snoeren. En als die zijdeachtige niemendalletjes gereduceerd zijn tot minuscule hoopjes stof en kant op de grond naast het bed, zal het te laat zijn voor iets anders dan overgave.

Het antwoord komt binnen een paar minuten.

Hallo Eva,
    Ik ken hier een architectuurfotografe waar ik graag mee werk. Kan ik haar de foto's laten maken?
    Boek maar een vlucht. Ik kan niet wachten om je te zien.
    Michael

Maar ik zou het liefste eerst nog wat afvallen voordat ik in het vliegtuig stap. Ben ik obsessief? Michael leek het wel aangenaam te vinden wat hij zag, zozeer dat hij dolgraag meer wil zien.

Ineens dringt het tot me door met onwezenlijke helderheid: *Niet gaan. Nog niet. Laat hem naar jou toe komen.*

Of ga in januari – en ga niet met hem naar bed. Doe het interview, maak de foto's, maar als hij romantisch gaat doen, zeg je tegen hem dat je het heel rustig aan wilt doen. Vervolgens ga je naar huis en maak je je dieet af. Bewaar de zijdeachtige niemendalletjes maar voor het moment waarop je ze zelfverzekerd kunt kopen en ze met plezier kunt dragen. Kijk immers maar hoe ver je met flirten alleen al bent gekomen! Je voelt je gelukkig en vol energie. Je hebt je aan je dieet gehouden, en de uren op de sportschool gaan haast ongemerkt voorbij. Waarom zou je het dan allemaal willen verpesten door met de man naar bed te gaan?

Hallo Michael,
   Puur praktisch gezien, zal het na de feestdagen moeten worden. Het is hier een gekkenhuis. Allemaal wijzigingen op het laatste moment...

Net als mijn gedachten – maar ik heb het gevoel alsof er een enorme last van mijn schouders is gevallen.

135

De winter daalt op me neer, koud als verloren hoop. Vijf dagen zonder dat ik een pond ben kwijtgeraakt. Ik sport me te pletter, leg genoeg verwoede zelfverloochening aan de dag om voor het martelaarschap in aanmerking te komen, en toch zit er geen enkele beweging in de weegschaal. Alles wat ik op die feestjes heb gegeten, plakt aan mijn lijf als deeg aan een spatel.

Maar ik heb veel minder lichaamsvet dan vorig jaar, dus ik loop constant te rillen. Ik ga naar bed met twee paar wollen sokken aan, een joggingbroek, en een oude sweater van Cornell die ik heb gekocht voor Chloe toen ze zich aan het oriënteren was op verschillende universiteiten. Ik wou dat ik in winterslaap kon gaan: in bed kruipen voor de komende drie maanden en teren op mijn opgeslagen lichaamsvet terwijl ik me door de wintermaanden heen slaap. Wakker worden in april, mager en uitgehongerd, klaar om weer een nieuwe laag lichaamsvet op te bouwen voor de volgende winter. Het is een geweldig systeem, als je erover nadenkt. Geen Stair-Master of loopband, geen wrede zelfverloochening. Je valt af terwijl je slaapt. En als je wakker wordt, mag je pannenkoeken eten.

Het is bitter koud buiten, en grijs. Ik ga naar mijn werk en naar de sportschool. Zittend achter mijn bureau fantaseer ik over het zonlicht in Los Angeles. Ik durf te wedden dat er daar niemand is die aan een winterslaap denkt. Maar ik kan er toch niet naartoe? Ik ben een vet kerstvarken.

Jammeren helpt niet. Hup, naar de sportschool.

134

Langzame, pijnlijke vorderingen. Januari is nog steeds bijtend koud. En ondertussen eet ik als een konijn. Op de sportschool, waar het overvol was in die eerste week na de feestdagen, is het langzaam maar zeker weer rustiger geworden. Vorige week moest ik om zes uur 's morgens wachten op een apparaat, terwijl de kerstrolmopsen aan het zwoegen waren om hun gewetenswroeging eraf te sporten. Maar de goede voornemens ebben snel weg, en alleen de harde kern van fanatiekelingen blijft over.

Vreemd om mezelf tot dat gezelschap te rekenen. Maar ik merk dat ik om me heen kijk, knikkend naar de andere vaste sportschool-gangers met dat zelfvoldane gezicht waarop te lezen staat: 'We zijn weer onder elkaar.' En zij knikken terug. De hele uitwisseling vindt plaats zonder dat er een woord gesproken wordt, maar het is iedereen duidelijk wat er wordt gecommuniceerd: wederzijdse aanvaarding, respect zelfs. Je lichaam is dan misschien niet perfect, en je kunt nog steeds geen atleet genoemd worden, maar je hebt er heel wat tijd in gestoken. Je bent zuiver in je obsessie, gedisciplineerd en je ontzegt jezelf van alles. Je hebt een stalen wil, en je spant je spieren tegen de verleidingen van slaap en voedsel en hersenloze televisie, als een guerrillastrijder die gehurkt in de jungle naar de brandende steden zit te kijken.

Althans, zo voelt het. Maar het zou fijn zijn als de weegschaal in beweging kwam.

132

'Ik heb vannacht gedroomd dat je met een andere man in bed lag.'

Ik kijk verrast naar David op. Het is de timing die me verbaast, meer dan iets anders. We liggen in bed, zijn handen glijden in het donker over mijn lichaam, als om te wennen aan de nieuwe vorm en hoe die aanvoelt.

Ik voel mijn lichaam verstarren in de stilte die volgt. Hij wacht tot ik iets zeg. Dus ik vraag: 'En hoe vond je dat?'

'Opwindend.'

Oké, dat is niet wat ik had verwacht. Is dit een valstrik? Zijn manier om me aan de tand te voelen (terwijl hij de rest van mijn lichaam bevoelt) over of ik een verhouding heb? Is dit een ongeruste reactie op het feit dat ik zoveel ben afgevallen? Of is dit werkelijk een fantasie die hem bezighoudt?

Ik heb wel eens gelezen dat sommige mannen het fijn vinden om te denken aan hun vrouw met een andere man, maar David heeft het daar nooit eerder over gehad. Is dit iets nieuws? Zoals hij me aanraakt, lijkt het alsof mijn lichaam onbekend aanvoelt voor hem. Misschien is het onbekende opwindend voor hem, net als in bed liggen met een vreemde. Dus hij bevestigt dit door zich mij voor te stellen met een andere man, wiens genot over dit nieuwe lichaam een afspiegeling is van het zijne.

'Vertel,' fluister ik.

En dat doet hij, in detail. De man is een wildvreemde, iemand die ik heb ontmoet in een vliegtuig. Drankjes, een hotelkamer. Ik ben een stoute meid. Maar uiteindelijk loont het allemaal wel de moeite.

Het is opwindend om te luisteren naar zijn gefluister. Ik kan de opwinding ook horen in zijn stem, en voelen in zijn dringende aanraking. Onwillekeurig reageer ik erop. Maar de heftigheid van mijn reactie overrompelt me. Het is alsof iets wat ik heb opgekropt in mijn binnenste nu ineens allemaal naar buiten komt, een bekentenis die hij uit me heeft getrokken.

Als het achter de rug is, liggen we daar in het donker, zonder iets te zeggen. Ik voel me gegeneerd, een beetje boos zelfs. David staat op, gaat naar de badkamer. Als hij terugkomt, reikt hij me mijn flanellen nachthemd aan vanaf de grond.

'Gaat het?'

Ik knik. Ik ben dankbaar voor het nachthemd. Mijn schouders zijn koud.

David glijdt onder de dekens. 'Behoorlijk heftig.'

'Heb je dat echt gedroomd,' vraag ik hem, 'of heb je het gewoon verzonnen?'

'Ik heb het echt gedroomd, maar vorige week al.'

'En sindsdien heb je er constant aan lopen denken?'

Hij haalt zijn schouders op. 'Ik loop er niet over te piekeren, als je dat bedoelt. Maar het is me wel bijgebleven. Ik dacht dat je het misschien opwindend zou vinden.'

Ik kijk naar hem, op mijn hoede. 'Nou, ik geloof dat je daar gelijk in had.'

Hij draait zich op zijn zij en trekt de dekens over zijn schouder. 'Slaap lekker.'

En dat is dan dat. Binnen een paar minuten ligt hij vredig te slapen. Heb ik er te veel achter gezocht? Zou het gewoon een droom geweest kunnen zijn? Gewetenswroeging maakt overal een beschuldiging van. Toch heb ik niets anders gedaan dan flirten en fantaseren. Is dat in feite wel echter dan een droom?

Dus waarom kan ik dan niet slapen?

'Je zou een dieetboek moeten schrijven.' Liz bekijkt me met opgetrokken wenkbrauwen, met dezelfde blik waarmee ze een kamer waarvan ze de inrichting moest beoordelen rond zou kijken. 'Je bent een bron van inspiratie voor ons allemaal.'

Ik werp haar een scherpe blik toe, en ze glimlacht poeslief. We zitten bij elkaar met een groepje werkende vrouwen die eens in de maand bijeenkomen voor de thee in het Palm Court om te netwerken en te roddelen. Liz noemt hen 'de Voddenbalen' omdat zoveel van hen in de mode-industrie werken, en ze staat erop dat ik met haar mee ga. 'Het is bevorderlijk voor je carrière, liefje. Je moet af en toe eens dat kantoor uit, anders zit je daar eeuwig opgesloten.'

Ik heb nooit ook maar enig profijt gehad van de groep. Ik noem ze de Modekrengen wanneer ik het gebeuren aan David beschrijf. (Of aan Michael tegenwoordig.) De kleding van elke vrouw wordt kritisch bestudeerd als ze binnenkomt, de tekortkomingen snel in kaart gebracht. Vooral die van mij lijken sarcastisch gefluister te ontketenen, elke keer dat ik achter Liz aan de tearoom binnenloop.

Maar vandaag boog Sharona Hallonnan, die zichzelf heeft gebombardeerd tot de woordvoerster van de fashionista's, zich naar me toe nadat we waren gaan zitten en zei liefjes: 'We hadden het er net over dat je zoveel bent afgevallen. Je *moet* ons je geheim vertellen.'

Niet dat iemand van hen dat nodig heeft. Luciferhoutjes, stuk voor stuk. Als ze lopen, hoor je een geluid als van ijsblokjes die rinkelen in een glas. Liz zegt dat het hun botten zijn die tegen elkaar aan stoten.

Ik glimlach. 'Het is gewoon opletten wat ik eet en veel lichaamsbeweging. Geen schokkende geheimen.'

Vanuit mijn ooghoek zie ik dat Liz haar lippen tuit, alsof ze zich vandaag niet om de tuin laat leiden door valse bescheidenheid. Dan is ze op haar gevaarlijkst, en jawel hoor, ze slaat me om de oren met de suggestie dat ik een dieetboek zou moeten schrijven. Het is duidelijk dat ze argwanend is over de reden waarom ik ineens heb besloten om zoveel af te vallen. Het onderwerp laat haar al wekenlang niet meer los, alsof er een luchtje aan zit dat haar niet bevalt.

'Echt, het is helemaal geen gek idee,' zegt ze nu tegen me. 'Je man geeft immers dieetboeken uit. Het is alsof je een openbaar podium hebt, en er is altijd publiek. Wil je niet overwegen om het geheim van je succes te delen?'

Liz heeft van haar leven nog nooit een dieetboek gekocht. Ze leeft van het donker en de zielen van ex-vriendjes. Het is een volmaakt caloriearm dieet.

Wat zou ze zeggen als ze de waarheid kende? Het is niet zo dat ze ooit een hoge pet op heeft gehad van David – en van het huwelijk trouwens ook niet. Toch heeft ze ergens iets van een ware gelovige over zich, alsof ze onder al dat cynisme wel eens een Verdediger des Geloofs zou kunnen blijken te zijn. Het is niet het idee van het huwelijk waar ze moeite mee heeft, het is het idee van *andermans* huwelijk. Maar ze zal nooit ophouden met geloven, zolang als ze alleen leeft.

Ik glimlach bescheiden naar de Modekrengen en verzeker hun dat het werkelijk niets voorstelt. Vervolgens doe ik er het zwijgen toe terwijl het gesprek op hun gebruikelijke onderwerpen komt: de meest recente couture-ramp van een beroemdheid, vriendinnen die zich duidelijk hebben laten verbouwen, en waarom mannen zich bedreigd voelen door intelligente, succesvolle vrouwen.

Het is nog te vroeg voor mij om de overwinning uit te roepen. Ik ben al een heel eind gekomen, maar ik heb de laatste tien pond nog voor de boeg. Bovendien, wat voor soort dieetboek zou ik kunnen schrijven? Eentje voor getrouwde vrouwen dat opent met *Neem om te beginnen een minnaar*? Ik glimlach. Zelfs David zou inzien dat dat verkoopt.

'Wat zit je te glimlachen?' Liz buigt zich naar me toe, fluisterend. 'Je ziet eruit als de Cheshire kat.'

Ik schud mijn hoofd: mijn geheimpje. Maar het is grappig om te bedenken wat ik mijn lezers zou leren. Geen 'glycemische indexen' of 'koolhydratenbestrijders', ik zou ze vertellen hoe ze hun oude ik moesten terugvinden die verstopt zit onder de jaren van opeengehoopte vermoeidheid. Je bent niet alleen echtgenote en moeder, zou ik hun helpen herinneren; je bent een vrouw met dromen en verlangens. Dat is misschien niet eenvoudig, vooral wanneer die dromen en verlangens in strijd zijn met de behoeften van het gezin, maar als je ze verloochent, veranderen ze in een gewicht rond je hart.

Naast een motivatie moet een dieetboek recepten bevatten, en maaltijdsuggesties voor elke dag. Je moet het ze op een presenteerblaadje aanbieden, zodat ze zelfs op hun slechtste dagen, als ze aan niets anders kunnen denken dan chocoladetruffeltaart, een handzame plattegrond hebben om hen te helpen op het rechte pad te blijven. Alleen zou mijn plattegrond hen juist op het slechte pad brengen.

Dag een

Ontbijt
200 gram magere yoghurt
½ banaan
1 bovenmaatse meeneembeker zwarte koffie (met een scheut espresso om je te helpen vergeten dat je aan de lijn doet)

Halverwege-de-ochtend tussendoortje
1 appel of 1 rode paprika, in stukjes

Lunch
Gegrilde kippenborst
Salade, met 1 theelepel magere balsamico vinaigrette
1 bovenmaatse meeneembeker zwarte koffie (met een scheut espresso om je te helpen de neiging te weerstaan om de donut uit je collega's handen te rukken)

Halverwege-de-middag tussendoortje
Sla die maar over. Neem nog meer koffie en stuur een e-mail naar je minnaar. Denk schunnige gedachten.

Diner
1 portie gewetenswroeging, genuttigd in onderdanige houding. Vraag je echtgenoot naar zijn dag.
Gegrilde vis, geen boter of olie
Gestoomde groene groenten (zoveel als je wilt!)

Dessert
3 pruimen (Geloof me. Je zult ze nodig hebben. En heb ik de acht glazen water al genoemd?)

Dag twee

Ontbijt
200 gram magere yoghurt
½ banaan
1 bovenmaatse meeneembeker zwarte koffie bladibladibla
1 Prozac

Halverwege-de-ochtend tussendoortje
Bleekselderijstengels (zoveel als je wilt!), die jij, lezer van dit boek, in de magere reet van de auteur zult willen steken

Lunch
150 gram tonijn in water, zonder mayo
Salade, met 1 theelepel magere balsamico vinaigrette
En schiet verdomme eens op met die klotekoffie!

Halverwege-de-middag tussendoortje
Laat dat mailtje aan je minnaar maar zitten. Je hebt te veel honger om aan seks te denken. Drink vier glazen water achter elkaar. Doe alsof het wodka is.

Diner
Een heel pak rauwe champignons, die je stond te snijden voor in de salade
Heeft je dochter nog steeds een zak Mars-repen verstopt in haar bureau? (Weg. Shit.)
1 magere hamburger gemaakt van gemalen kalkoenborst, zonder broodje
Gestoomde groenten (zoveel als je maar wilt!)

Dessert
6 pruimen (nu meer dan ooit)

Dag drie

Ontbijt

Je maakt een grapje, nietwaar? Moet ik het voor je spellen? En waarom helpen die klotepruimen eigenlijk niet?

Halverwege-de-ochtend tussendoortje

Je snapt het al: je hebt geen leven. Alleen het dieet. Elke dag dezelfde rituelen van zelfverloochening.

Aan de lijn doen is als een strenge godsdienst, hetgeen waarschijnlijk de reden is waarom Weight Watchers zo populair is: zonder gemeenschap ben je gewoon een kluizenaar die visioenen heeft van chocolade-ijsjes in de woestijn. Maar als je een groep mensen hebt die je deugdzaamheid deelt, lijkt het te brengen offer een stuk makkelijker. Ze geven je bevestiging; ze delen je pijn. En ze helpen je het credo onthouden: *Genieten is slecht. Honger is goed.*

En heb ik de lichaamsbeweging al genoemd? Twee keer per dag, veertig minuten per keer. Dat betekent om vijf uur opstaan om naar de sportschool te gaan voordat je naar je werk gaat, en 's avonds op weg naar huis nog een keer, hetgeen betekent dat je pas om acht uur aan tafel gaat. Daarna rol je je bed in, uitgeput, omdat je de volgende ochtend weer om vijf uur op moet staan.

Het goede nieuws is dat het makkelijker wordt als je eenmaal de eerste vijf dagen hebt doorstaan. Er zijn dagen bij dat je zweeft op een wolk van onwetendheid, als een mysticus. Je kunt echt visioenen krijgen van de honger. Meestal zijn het visioenen van pizza, maar om de zoveel tijd komt er een moment dat de wereld scherper lijkt, alsof iedere persoon en ieder voorwerp verlicht wordt door een of andere hemelse gloed. En je zin in seks keert terug. Althans, bij mij wel, maar dat heb ik aan Michael te danken. Zou ik die eerste week echt overleefd hebben zonder zijn e-mails?

Daarom vereist mijn dieet een minnaar: om je aandacht af te leiden van de honger en je op je doel gefocust te houden: zonder schaamte naakt zijn. Misschien zou het Weight Watchers model goed kunnen werken met dit dieet: combineer het met een vrijgezellengroep, zodat iedereen een flirtpartner toegewezen kan krijgen. Je zou nooit bang hoeven zijn dat mensen smokkelen met hun dieet, omdat iedereen daarmee zijn eega zou bedriegen. Sterker nog, dat zou onze slogan kunnen zijn: *Bedrieglijk makkelijk afvallen!* Je zou ze echter wel uit elkaar moeten houden, totdat beide partners hun streefgewicht hadden bereikt. Ik denk aan filialen in verre steden, allemaal met contact via e-mail. Je zou chatrooms kunnen opzetten voor beginners, waar ze een geschikte flirtpartner zouden kunnen vinden. Of, beter nog, getrainde flirts *inhuren* die zich voordoen als mensen die aan de lijn doen in verre steden! Eén man met een vlotte romantische babbel zou dertig vrouwen kunnen helpen om af te vallen.

Wat nog meer? Recepten. Ieder dieetboek bevat recepten. Dat zou een uitdaging zijn: het is moeilijk om een kippenborst sexy te maken. Magere versies van verleidelijke gerechten, misschien? Of de maaltijden gewoon een sexy naam geven:

Intieme kip
    150 gram Callebaut pure chocolade, in stukjes gebroken
    60 ml magere melk of water
    2 eetlepels suiker
    1 eetlepel chilipoeder
    1 theelepel gemalen komijn
    2 kippenborstfilets zonder vel
    1 eetlepel gehakte koriander
    sla, ter garnering

Smelt de stukjes chocola en melk of water op laag vuur in een kleine steelpan met dikke bodem. Blijf roeren tot de chocola begint te smelten. Voeg suiker, chilipoeder en komijn toe voor passie. Blijf langzaam roeren totdat alle ingrediënten zijn opgenomen. (Indien nodig kan extra vocht worden toegevoegd.) Zet apart. Staar er verlangend naar terwijl je de kippenborstfilet grilt, droog, en strooi er vervolgens gehakte koriander over om de illusie van smaak te geven. Serveer op een bedje van sla.

En als dessert? Hier is iets nodig wat vreselijk sexy is om de een-voud van de kippenborst te compenseren.

Wellustige peren
   7 peren
   3 eetlepels honing
   1 theelepel verse gemberwortel, geraspt
   250 ml rode wijn
   sla, ter garnering

Verwarm de oven voor op 180° C.

Schil 6 van de peren. Zet ze met de steel naar boven in een ovenschaal. Meng de honing met de gemberwortel. Schenk over de peren. Giet de helft van de wijn over de peren. Dek af met folie en bak 45 minuten of tot de peren zacht zijn. Regel-matig bestrijken met de resterende wijn. Verwijder folie en laat peren afkoelen in de schaal.

Serveer aan echtgenoot op een bedje van sla met over elke peer wat sap uit de ovenschaal geschonken. Snijd de zevende peer en eet er vier dunne partjes van terwijl je je probeert voor te stellen hoe lekker ze zouden smaken met honing, gember en wijn.

Feestje? Behoefte aan een snel, exotisch en sexy voorafje dat je dieet niet ondermijnt? Probeer:

Pikante oesters
   2 eetlepels ongezouten boter
   8 champignons, in plakjes
   2 teentjes knoflook, gehakt
   16 oesters
   100 ml droge witte wijn
   1 theelepel komijn
   ½ theelepel zoutarme sojasaus
   sla, ter garnering

Smelt de boter op middelhoog vuur in een koekenpan, bak de champignons met de knoflook 2 tot 3 minuten. Voeg de oesters toe en bak 3 minuten. Voeg de wijn, komijn en sojasaus toe en laat 1 minuut sudderen.

Serveer op een bedje van sla.

Hoeveel calorieën zitten er eigenlijk in een oester? Niet dat het er iets toe doet: jij gaat alleen de sla eten.

Als je een goede vismarkt in de buurt hebt, zijn de mogelijkheden eindeloos. Dan kun je je sla eten, gedrenkt in het sap van tilapia, zeeduivel of dichtgeschroeide sint-jakobsschelpen. Geen vismarkt in de buurt? Je kunt altijd zalm krijgen op de visafdeling van je plaatselijke supermarkt (uit een kweekvijver, met toevoeging van kleurstoffen). Dan kun je je verheugen op Gegrilde zalm met gember, Gepocheerde zalm met munt, Sesamzalm met wasabi, Zalm Stroganoff, Zalmstrudel.

Als je niet kunt eten, kun je nog wel koken. En dromen. Zorg dat het recept sexy genoeg klinkt, en misschien kom je dan niet in de verleiding om midden in de nacht stiekem naar McDonald's te gaan. En uiteindelijk, als je je aan het dieet houdt, ben *jij* misschien wel het hoofdgerecht.

Geserveerd op een bedje van sla.

Met voldoende motivatie om te sporten zouden mijn lezers afvallen, zelfs met zo nu en dan een oester. Maar dan is het nog een kunst om het eraf te houden. Ik probeer maar niet te denken aan de statistieken die beweren dat bij de meeste succesvolle lijners al het gewicht er binnen een jaar weer aan zit, dat diëten niet werken. Je moet je leven veranderen. Je kunt niet gewoon stoppen met eten, en zelfs als je dat wel zou kunnen, zou het lichaam zich aanpassen, langzamer gaan metaboliseren, zich vastklampend aan het vet als een failliete man die zijn laatste paar munten telt.

Ik heb besloten dat het de lichaamsbeweging is waardoor je lichaam verandert. Mensen worden niet te dik omdat ze eten, ze worden te dik omdat ze de verkeerde dingen eten – gigantische hoeveelheden vet en suiker, het eindeloze Happy Meal van de Amerikaanse overvloed – en er vervolgens niet in slagen om het weer te verbranden. We zijn gebouwd om te overleven, zelfs wanneer voedsel schaars is, en vet is het spaarplan van het lichaam.

De truc is dus niet om jezelf uit te hongeren, of een of andere magische combinatie van voedingsmiddelen te vinden. Het is het vinden van de juiste balans tussen voedsel en zweet. Marathonlopers eten gigantische borden pasta voor een wedstrijd omdat ze de brandstof nodig hebben. Daarom kijken fanatieke hardlopers ook altijd zo zelfvoldaan op feestjes. Ze kunnen alles eten wat ze willen, terwijl wij gewone stervelingen knabbelen aan rauwe wortel en bleekselderij. Ze vinden elkaar bij het buffet op feestjes, waar ze hun borden vol laden en zich de collectieve jaloezie laten welgevallen terwijl ze praten over afstand, tijden en hun eindeloze blessures. Iedereen haat hen.

Maar dat is omdat ze het geheim hebben ontdekt: als je het eet, moet je het ook weer verbranden. Het probleem is motivatie. Hardlopen is zwaar, en de bank is zacht. Wie beschikt er over de zelfdiscipline om twee keer per dag naar de sportschool te gaan?

Begeerte is wat me in beweging heeft gekregen, begeerte die brandt als koorts in mijn bloed. Het is de gedachte aan Michaels blik die over mijn lichaam glijdt. Ik ben als een vrouw die bezeten is door vrolijke duiveltjes, en ik barst van de energie. Het komt zelden voor dat ik mezelf moet vermannen om te gaan sporten.

Toch zou ik je zelfs niet kunnen vertellen of het echt is wat er gaande is tussen Michael en mij. Soms voelt het als liefde. En de volgende dag weet ik zo goed als zeker dat het niets zal worden. Maar misschien is dat wat er voor nodig is: geen zelfdiscipline, maar zelfbedrog. Een luchtspiegeling die we kunnen najagen in de woestijn.

De Modekrengen zitten nog steeds druk te kletsen, en ik werp een blik op mijn horloge, zoekend naar een manier om weg te kunnen. Verscheidene van deze vrouwen zijn klanten van Liz, en zij ziet deze maandelijkse theekransjes als een manier om klanten te werven door de gescheiden vrouwen aan te moedigen om aan hun getrouwde vriendinnen te vertellen dat ze zoveel *plezier* hebben nu ze alleen zijn, naar alle feestjes en openingen gaan, hun appartement opnieuw inrichten, en gewoon *onwijs veel lol* hebben. Ze sleept mij mee als dekmantel, zodat we eruit zien als een stel werkende vrouwen die een middagje gaan netwerken, in plaats van de relatiegieren die we in werkelijkheid zijn.

'Heb je Helen Delkowitz gezien,' zal ze na afloop in de taxi zeggen. 'Ze heeft die "ik verzuip" blik die ze allemaal krijgen vlak voordat ze besluiten de papieren in te dienen. Volgend jaar rond deze tijd ben ik haar huis onder handen aan het nemen.'

En meestal heeft ze gelijk. Ze heeft een scherp oog voor huwelijksproblemen; ze kan een bomvolle kamer rondkijken op een feest en de echtscheidingen van het volgende seizoen eruit pikken, zoals een uil die vanuit de top van een boom een muis kan ontwaren.

Begin ik eruit te zien zoals deze vrouwen? Ze zijn allemaal dun en hoekig, zonder het zachte middel dat geluk ons geeft. Maar het zijn hun gezichten die me angst aanjagen: hard en glanzend, met genadeloze ogen. Er ligt woede verscholen achter die volmaakte glimlachende maskers. En eenzaamheid. Ze hebben het ideale gewicht bereikt, de perfecte kleren gedragen, de perfecte meubels gekocht voor hun perfecte appartement, en toch voelen ze dat het allemaal tussen hun vingers door glipt terwijl hun echtgenoten hen verlaten voor jongere vrouwen en ze moeten toezien hoe kun kinderen veranderen in keiharde, verwende Upper East Side feestbeesten. Dit was niet wat ze zich twintig jaar geleden hadden voorgesteld, toen ze nog jonge vrouwen waren die zich te goed deden aan de stad alsof het een banket was. Maar toen waren ze verliefd geworden, en waren alle dromen veranderd in feiten. Daar begint de desillusie. Dromen liggen altijd voor je; ze drijven je voort. Feiten zijn de vuurbasis in de jungle die je moet verdedigen tegen ouderdom en tijd en teleurstelling. En ondertussen blijven er continu sexy jonge meiden de stad binnenstromen, met hongerige ogen. Als je niet uitkijkt, jatten ze je baan, je man, je zorgvuldig opgebouwde leven. Ze willen jou *zijn*, zonder zich te realiseren dat de droom een valstrik is, en dat het slechts een kwestie van tijd is voordat hun gezichten net zo hard en leeg worden als het jouwe.

De vrouwen zitten al bijna anderhalf uur te kakelen. Het zal nu toch wel snel afgelopen zijn, en dan haasten ze zich allemaal naar hun fitnessclub om de sandwiches eraf te sporten. Liz zal me uitnodigen om nog ergens wat te gaan drinken en vervolgens de hele middag nog een keer door te nemen, waarbij ze gehakt van deze vrouwen zal maken. Maar ik heb onwillekeurig met hen te doen vandaag, nu ik hen zie als gevangenen van hun jeugdige dromen.

'Mannen willen allemaal denken dat zij de held van het verhaal zijn,' beweert één vrouw op boze toon. 'En ze vinden het doodeng om te denken dat het verhaal misschien helemaal niet over hen gaat.'

Er wordt instemmend gemompeld. Deze vrouwen schrijven al hun hele leven hun eigen script. Waarom konden hun mannen dat nou niet respecteren? Toch zijn ze allemaal getrouwd met investeringsbankiers of advocaten, hartchirurgen of mediamagnaten. Heimelijk willen ze dat een man een lange schaduw voor zich uit werpt, zodat zij erin kunnen uitrusten wanneer het hun uitkomt. Vervolgens gaan ze klagen wanneer hun mannen liegen of vreemdgaan of simpelweg niet luisteren. En nu de meesten van hen weer vrijgezel zijn, zie ik niet één van hen uitgaan met onderwijzers of dichters. Ze hebben graag een alfaman, omdat hun geleerd is om dat te bewonderen.

Ik buig me naar Liz toe en fluister: 'Ik ga ervandoor.'

Ze kijkt me aan, alsof ik heb beloofd om haar rugdekking te geven en de messen getrokken zullen worden zodra ik mijn hielen licht. Maar Liz kan haar eigen boontjes wel doppen. Ik heb gezien hoe zij een mes hanteert: snel en dodelijk. Ik heb medelijden met het arme Modekreng dat het tegen haar opneemt.

Ik pak mijn jas en glip achter onze tafel vandaan. 'Dag, dames,' roep ik, met alle valse opgewektheid die ik kan verzamelen. 'Fijne feestdagen!'

Terwijl zij nog zitten te sputteren dat het heus nog niet zo laat kan zijn, storm ik naar de deur.

'Eva!' roept Liz.

Ze is haar spullen bij elkaar aan het graaien: een slecht teken. Als zij een potentiële klant laat zitten, dan betekent dat dat ze iets in haar schild voert. Bij Liz is dat meestal een ondervraging.

Ik kom in de verleiding om naar een taxi toe te rennen, maar ze loopt nu al in mijn richting. Ik wacht bij de deur.

Liz steekt haar arm door de mijne. 'Laten we ergens iets gaan drinken.'

'Cranberrysap met mineraalwater,' zeg ik tegen de ober. Liz rolt met haar ogen naar me, maar ik ben niet van plan om mijn gewicht ergens door omhoog te laten jagen nu ik zo dichtbij ben. Liz neemt een martini.

'Luister,' zegt ze als de ober weggaat, 'er is geen enkele manier om dit te zeggen zonder dat het belachelijk klinkt, dus ik zal het maar gewoon zeggen. David heeft me gevraagd om met je te praten. Hij maakt zich zorgen over jullie huwelijk.'

'Wacht. David is naar *jou* toe gekomen om over ons huwelijk te praten?'

Ze knikt plechtig, maar ik kan zien dat ze hiervan zit te genieten.

'Waarom kon hij er niet gewoon met mij over praten?'

'Ik vermoed dat dat deel uitmaakt van het probleem. Hij heeft het gevoel dat jullie de laatste tijd niet genoeg praten.'

Er trekt een golf van ergernis door me heen. 'Ik waardeer het dat je wilt helpen, maar hij zou beter moeten weten dan achter mijn rug met jou te praten. Als hij me iets te zeggen heeft, moet hij dat tegen *mij* doen.'

'Dat heb ik ook tegen hem gezegd.' Ze legt een hand op mijn arm. 'Luister, ik geloof niet dat hij de hoop had dat ik me ermee zou gaan bemoeien. Hij wilde alleen weten of ik hem kon helpen begrijpen wat er op dit moment in jouw leven speelt.' Ze kijkt me aandachtig aan. 'Is er iets wat ik moet weten?'

Nu ben ik boos. 'Liz, als ik vond dat er iets was wat je moest weten, zou ik het je wel vertellen. Er zijn aspecten aan mijn leven waar ik al jaren ontevreden over ben, en die probeer ik nu te veranderen. Als David daar moeite mee heeft – of als *jij* daar moeite mee hebt – dan spijt me dat. Maar dit is belangrijk voor mij, en ik ga me door niemand laten dwarsbomen.'

Ze staart me aan, verrast. Maar precies op dat moment arriveert de ober met onze drankjes, dus er valt even een pijnlijke stilte terwijl hij twee servetjes neerlegt, onze glazen neerzet, en vraagt of we verder nog iets willen.

'Het is prima zo,' snauwt Liz, op de ongeduldige toon die ze gebruikt voor alle aspirant-acteurs. 'Laat ons maar gewoon met rust.' Ze wacht tot hij weg is, en wendt zich dan tot mij. 'Denk je echt dat ik je wil tegenwerken? Ik maak me *zorgen* om je!'

'Waarom? Wat doe ik waar jij je zorgen over zou kunnen maken? Afvallen? Sporten?' Ik schud mijn hoofd. 'Als je dik bent, vertelt iedereen je maar al te graag dat je moet afvallen. Maar als je daar daadwerkelijk mee begint, wil iedereen dat je gaat eten. Ze willen niet dat je verandert, ze willen dat je blijft zoals je was. Het is alsof mensen zich bedreigd voelen door het idee dat ik mijn leven onder controle krijg.'

'Is je leven onder controle? Dat wist ik niet zeker, zie je, want je man zegt tegen je beste vriendin dat *hij* denkt dat het huwelijk in gevaar is.'

'Heeft hij dat echt gezegd?'

Ze knikt. 'En hij moet zich wel heel erge zorgen maken als hij het tegen *mij* zegt.'

Ze heeft gelijk. Als David met haar praat, is het ernstig. Ik ben eraan gewend geraakt dat ze beleefd zijn tegen elkaar als ze een gesprek niet kunnen vermijden, om vervolgens allebei hun afkeer uit te spreken zodra ze alleen zijn met mij. Ik ben het gemeenschappelijke element, het enige contactpunt. Ik kan me niet voorstellen dat ze eens even lekker gaan zitten met zijn tweetjes voor een goed gesprek.

'En, ga je me nog vertellen wat hij heeft gezegd?'

Liz probeert somber te kijken, maar ik kan de voldoening in haar ogen zien. 'Hij heeft het gevoel dat je niet communiceert. Dat je zo wordt opgeslokt door het lijnen en sporten dat jullie tweetjes niet meer echt praten. Hij zegt dat het is alsof jullie vreemden zijn geworden die een bed delen.'

'En dat is mijn schuld.'

'Nou, ik vond het inderdaad een beetje eenzijdig klinken.'

'Heb je dat ook tegen hem gezegd?'

Ze glimlacht. 'Ik heb tegen hem gezegd dat hij niet zo moet mekkeren en je moet meenemen naar Parijs om Chloe op te zoeken.'

'Dat zou een idee kunnen zijn.' Maar ik ben te boos om enig plezier te ontlenen aan de gedachte. Wat *dacht* hij wel niet, om met Liz over ons huwelijk te praten? Dat is mijn taak!

'Ik vind het niet te geloven dat hij dat allemaal tegen jou heeft gezegd. Hij doet het klinken alsof we een of ander afschuwelijk victoriaans echtpaar zijn dat elkaar op de trap tegenkomt. We hebben gisteravond nog gevrijd!'

Ze wuift het beeld weg. 'Alsjeblieft, dat hoef ik allemaal niet te weten. Hoe dan ook, hij is dinsdag bij me geweest. Ik heb tegen hem gezegd dat hij met jou moest praten over zijn gevoelens. Wat er daarna is gebeurd, daar weet ik niks van.'

Dus dat is wat Davids droom was? Zijn manier om *over zijn gevoelens te praten?*

'Ik heb het helemaal gehad met mannen.'

Liz kijkt me aan, trekt haar wenkbrauwen op. 'O ja? Probeer je me iets te vertellen?'

'Ik kom niet uit de kast, als je dat soms bedoelt. Ik ben het gewoon zat om altijd maar consideratie te hebben met het tere mannelijke ego.'

Liz glimlacht. 'Ik grijp ze gewoon bij hun ballen. Dat lijkt altijd te werken.'

'En kijk eens hoe goed jij het voor elkaar hebt.'

Ik heb er spijt van zodra de woorden mijn mond hebben verlaten. Ze staart me een hele tijd aan, tilt dan langzaam haar glas op en kijkt over de rand heen de kamer in.

'Het spijt me,' zeg ik. 'Dat was gemeen.'

'Nee, lieverd. Dat was *vals.*' Ze richt haar ogen op me met een ijzig doordringende blik. Dan ineens glimlacht ze ondeugend. 'Misschien is er toch nog hoop voor je.'

129

Overal in de stad luiden kerkklokken; mensenmenigtes dansen in de straten, en vaders tillen hun kleine kinderen hoog op om een glimp op te vangen van het langverwachte wonder. Het is de World Series, de Final Four en de Super Bowl, allemaal in één

David komt de badkamer binnen, gealarmeerd door mijn kreet. 'Wat is er aan de hand?'

Ik kan enkel mijn hoofd schudden, met tranen in mijn ogen.

David kijkt neer op de weegschaal waar ik op sta. 'Aha.' Dan draait hij zich om en loopt de badkamer uit.

Hoe lang is het geleden? Nou, voordat Chloe geboren werd. Ik ben wat aangekomen toen we net begonnen met proberen om zwanger te raken, omdat ik had gelezen dat conceptie moeilijk kan zijn als je weinig lichaamsvet hebt. Dus de laatste keer dat ik minder dan 130 pond woog, zat *Reagan* in het Witte Huis. En laten we wel wezen, ik heb het niet over de glazig kijkende Reagan van de afgelopen jaren. We hebben het hier over de houthakkende, jeep rijdende, cowboy Ron, die met zijn beste acteursstem roept: '*Meneer Gorbatsjov, haal deze muur neer!*'

Ik weeg 129 pond! Ik stap drie keer op de weegschaal, puur om het zeker te weten. De getallen liegen niet.

Ik ben nog niet klaar, hoor. Ik ben nog steeds tien pond van mijn doel verwijderd, en iedereen weet dat de laatste tien pond het moeilijkst zijn. Alsof je de laatste restjes vet die aan de binnenkant van je huid kleven probeert weg te pellen, laagje voor pijnlijk laagje. Dus ga ik met hernieuwde vastberadenheid naar de sportschool: ik ben een krijger, een vrijheidsstrijder, klaar om een moker te pakken voor het laatste obstakel tussen mij en maatje 36.

Wat in de ochtend zo gedenkwaardig lijkt, ebt weg naarmate de dag vordert: het werk stapelt zich op, lastminutevergaderingen, et cetera, et cetera. Het is grappig, zo denk ik onwillekeurig, dat je het gevoel krijgt dat je een enorme prestatie hebt neergezet als je aan het lijnen bent, terwijl je in feite helemaal niets doet. Oké, ik train als een bezetene, maar ik ben niet aan het afstuderen, een droombaan in de wacht aan het slepen, me omhoog aan het werken in de wereld. Het is het tegenovergestelde van presteren, als je erover nadenkt. Negatieve aspiratie, het verlangen om *minder* te worden dan je bent.

Toch ben ik vreselijk trots op mezelf. En ik weet dat ik van het getal dat er vandaag zo geweldig uitziet over een paar maanden in zak en as zal zitten als ik het weer zie op de weg terug naar boven, dus ik breng die avond tien minuten langer door op de stairclimber om die angstaanjagende gedachte te verdrijven.

David is er niet vanavond, hij is uit eten met een agent. We mijden elkaar sinds mijn gesprek met Liz. Als David dacht dat hij door met haar te praten ons huwelijk weer op de rails zou krijgen, heeft hij zich lelijk vergist. In plaats daarvan hobbelen we voort en doen we allebei alsof we niet in de gaten hebben dat er iets goed fout zit. Ik merk dat hij van tijd tot tijd verwachtingsvol naar me kijkt, alsof hij zit te wachten tot ik iets zeg. Ik laat hem wachten. Als hij wil praten, dan weet hij me te vinden.

Trouwens, we hebben het allebei druk. We komen laat thuis, dus het draait er meestal op uit dat we apart eten. Degene die als eerste thuiskomt, maakt iets te eten en zet een bord voor de ander in de koelkast. We zijn altijd beleefd tegen elkaar, spreken onze dankbaarheid uit voor het attente gebaar, en merken op dat het eten buitengewoon lekker smaakt. Toch is het een opluchting om te weten dat hij vanavond niet thuis op me zit te wachten.

Op weg naar huis vanuit de sportschool stop ik bij de Koreaanse supermarkt voor nog meer groente voor in de salade. Het oudere echtpaar dat de winkel runt, lijkt hun dagen te slijten met bakkeleien in het Koreaans, maar het is onmogelijk om je een van hen zonder de ander voor te stellen. Is dat wat ieder huwelijk uiteindelijk wordt? Een langlopende komedie van ergernis?

Ik leg mijn zakjes sla op de toonbank, en de oude man kijkt me achterdochtig aan. 'Jij niet genoeg eten,' zegt hij, met twee vingers naar me priemend. 'Jij te mager!'

De vrouw trekt een chagrijnig gezicht en stort een hele vloed Koreaanse woorden over haar man uit. Zegt ze tegen hem dat hij zich met zijn eigen zaken moet bemoeien, of beschuldigt ze hem van flirten met de klanten? Ze staan allebei te schreeuwen terwijl ik wacht tot ze mijn aankoop op de kassa aanslaan.

Afgaand op haar toon, vermoed ik dat ze tegen hem zegt dat hij niet goed wijs is met zijn *te mager*. *Komt ze hier niet elke avond sla kopen?* Wat wil hij nou eigenlijk, probeert hij soms *al* hun klanten weg te jagen met zijn *te mager?*

Ineens staakt ze haar bezigheden, beent naar de toonbank en duwt hem opzij om mijn sla op de kassa aan te slaan. Hij is nu degene die staat te schreeuwen, zwaaiend met zijn handen, maar ze negeert hem, grist het geld uit mijn hand, laat het in de la van de kassa vallen en schuift het wisselgeld dan terug over de glazen toonbank. Vervolgens sist ze iets tegen hem, en ineens staan ze allebei naar me te glimlachen terwijl hij een plastic tasje van een rol onder de toonbank scheurt, mijn zak sla erin laat vallen, en het me toesteekt.

'Heel goed,' zegt ze, licht met haar hoofd knikkend. 'Mager heel goed.'

En ik besef dat wat ik zojuist heb gehoord niet meer was dan een verschil van mening. Wat de ene man 'te mager' vindt, is voor zijn vrouw 'precies goed'. Misschien doet ze zelf ook wel aan de lijn, en komt ze thuis met zakjes sla en stoomgroenten totdat hij bijna in staat is om een moord te doen voor kip uit de oven. Zij hongert zichzelf uit, en hij klaagt. Wat is er anders nog om over te praten na al die jaren?

Ik eet mijn salade en kijk een oude film: *Holiday*, met Katharine Hepburn en Cary Grant. Ik val erin tegen het einde, als het tot hem door begint te dringen dat hij niet van haar conservatieve zus houdt, maar juist van Katharine, de vrije geest die niet van hem verwacht dat hij zijn dagen slijt op een kantoor, zoals andere mannen. Hij is te rechtschapen om het toe te geven, uiteraard. Hij wil het huwelijk gewoon doorgang laten vinden, maar de zus wil er niets van weten, wil niet met hem naar Europa vertrekken om een droom na te jagen. Ze wil een hardwerkende bankier, zoals haar vader, een man die een groot huis voor haar koopt waar ze elkaar nooit zien, behalve om op zondag naar de kerk te gaan. Maar hij klampt zich vast aan zijn droom, en uiteindelijk is het Katharine die met hem op de boot stapt, een stel vrije geesten wier huwelijk nooit zal afglijden in stilte en salades.

Tegen het einde van de film ben ik in tranen. Wat gebeurt er met die droom van anders zijn? Geen enkel echtpaar denkt ooit dat ze de weg kwijt zullen raken en zullen eindigen als al die andere stellen, die rekeningen betalende machines van zichzelf maken en nooit meer over hun dromen reppen. Maar hoe gebeurt dat dan? Is dat gewoon waar de tijd ons brengt?

Ik was mijn bord af, loop Davids werkkamer binnen en zet de computer aan. Uitdaging: kan ik Michael een bericht schrijven zonder (a)triest te doen over het mislukken van onze dromen, of (b)vrolijk te doen over mijn gewicht? Kan ik voor één keer een verstandige, zorgzame (zij het ietwat flirterige) vrouw zijn, en naar zijn leven informeren in plaats van alsmaar door te ratelen over het mijne?

Hallo Michael,

Oké, wat nu? Terwijl we kletsen over ons leven, onze baan en onze kinderen, vermijden we het onderwerp waar het werkelijk om draait: het nieuwe jaar is al bijna drie weken oud, en ik heb nog steeds mijn vlucht naar L.A. niet geboekt. Hij zal wel denken dat ik niet goed bij mijn hoofd ben. Al die opwinding over dat interview en de fotograaf, en vervolgens deins ik achteruit als een opgejaagde kat.

Waarom zou ik niet gaan? Michael ziet het wel zitten, Ron heeft zijn toestemming gegeven, en mijn gewicht is weer terug in het Reagan tijdperk. Het enige wat ik hoef te doen, is de vlucht boeken.

Ik surf naar een website en breng een paar minuten door met het vergelijken van prijzen van vluchten, hotels, huurauto's. Ron betaalt, dus ik hoef geen nachtvlucht te nemen of in de rij te gaan staan voor een stoel bij een goedkope maatschappij. Desalniettemin ga ik zes uur vliegen voor een tweedaags bezoek. Niet veel tijd om van de zon te genieten – of een of andere fantasie van een romance met Michael te verwezenlijken, vooral niet als ik toch al uitgeput ben van de reis.

En Michael komt aan het eind van de maand naar New York. Waarom niet wachten en hem eerst op mijn eigen terrein ontmoeten?

Ik ben bang, dat geef ik toe. Niet zozeer over wat er zou kunnen gebeuren, maar over het verliezen van mijn motivatie om mijn leven te veranderen. Als ik een verhouding begin met Michael, dan *wordt* hij mijn leven, of in ieder geval een deel ervan. Dan is hij niet langer de fantasie die me voortdrijft. Het zweet is echt, en de honger. Maar het is de fantasie die me erdoorheen sleept. Als ik naar L.A. vlieg, is dat dan echt, of is het een fantasie?

Hallo Michael,

De cursor knippert verwachtingsvol naar me. Zal er een dag komen waarop ik hem niks te zeggen heb? Op dit moment heb ik het tegenovergestelde probleem: te veel te zeggen, en geen woorden om het te zeggen. Of liever gezegd, de angst dat ik de verkeerde woorden zal gebruiken, dat ik de gedachte niet goed overbreng en dat hij het verkeerd zal begrijpen. Wat ik voel, is gecompliceerder dan angst of verlangen. Het is allebei, en geen van beide. Ik wil blijven afvallen, naar de sportschool blijven gaan. Ik wil deze vrouw zijn, dun en gezond, die leeft naar haar dromen in plaats van zich door het leven te laten overweldigen. Ik ben bang om mijn scherpte te verliezen, om weer te vervallen in mijn oude ik, dik en gelukkig. Dus hoewel ik Michael graag wil zien, is dat niet de *hele* waarheid.

Hallo Michael,
Ik ben bang dat ik niet helemaal eerlijk tegen je ben geweest...

Op dat moment hoor ik Davids sleutel in het slot. Ik sluit vlug mijn e-mail af en klik een computerspelletje aan. En zo treft hij me aan, de eenzame echtgenote die patience zit te spelen.

128

En dan ineens is Michael weer in New York. Ik wist dat hij zou komen, uiteraard, en het werd een soort mijlpaal in de verte om mijn vorderingen aan af te meten. *Tegen eind januari zal ik er klaar voor zijn om naakt voor hem te staan, onbeschaamd.* Maar nu het zover is, realiseer ik me dat die opwindende gedachte niet echt een handeling was die ik ooit zou uitvoeren, maar een doel. Schaamteloosheid is symbool geworden voor vrijheid van gêne over mijn lichaam naarmate het in omvang is toegenomen in de loop der jaren.

Wil ik echt met hem naar bed? Nee. Oké, ja. Maar ik ben als de man die het hele jaar lang een vakantie aan het plannen is, zichzelf al ziet rijden in een sportwagen langs een kustweg, maar als het zomer wordt, blijkt de sportwagen overbodig: het is de *vrijheid* waar hij naar heeft verlangd, de wind in zijn haar, zonlicht glinsterend op de oceaan, een gevoel van snelheid terwijl hij over de bochtige snelweg raast.

We zoeken manieren om onszelf wijs te maken dat we ons eindeloze, pijnlijke, saaie werk verdragen, terwijl het in werkelijkheid het werk is waar het om draait. Dun *zijn* is niet zo belangrijk als dun *worden:* het is de dagelijkse discipline van naar de sportschool gaan en gezond eten waardoor mijn leven nu verandert, niet een of andere blik van verlangen in Michaels ogen als mijn kleren op de grond vallen.

Dus waarom vind ik die gedachte dan zo opwindend? Ik kan er niks aan doen dat ik me er een voorstelling van probeer te maken nu ik weet dat hij hier is. We hebben vorige week bijna dagelijks met elkaar gemaild, en op vrijdag voegde hij één klein regeltje toe aan zijn mailtje dat een golf van angst en opwinding door me heen joeg.

Je weet dat ik er maandag weer ben, toch?

We hadden in algemene termen over zijn komst gesproken, maar ineens leek het zo echt, zo onomstotelijk, zo... nou ja, *goed uitgekiend.*

David is de hele week de stad uit, op een boekenbeurs in Miami. Hij gaat er ieder jaar naartoe, en het drong ineens tot me door dat ik hem op zondagavond naar het vliegveld zou moeten brengen rond dezelfde tijd dat Michael zou arriveren uit L.A. Als een scène uit een Franse slaapkamerklucht: de echtgenoot vertrekt via de ene gate terwijl de minnaar arriveert bij de andere gate. Ik zou Michael kunnen vragen hoe laat hij aankwam, aanbieden om hem op te halen en hem naar de stad te rijden. Maar dan begin ik me de gêne voor te stellen als zijn vlucht te vroeg zou arriveren, of als Davids vlucht vertraging zou hebben bij het vertrek, en het zweet breekt me uit op mijn rug. Bij nader inzien zou het misschien beter zijn om David een taxi te laten nemen, en helemaal bij het vliegveld uit de buurt te blijven.

Dus op zondagochtend, terwijl David zijn koffer inpakte, klaagde ik over een maag die van streek was. Ik voelde me een beetje belachelijk, als een kind dat onder een schooldag uit probeert te komen, maar uiteindelijk begreep hij de boodschap en zei dat het niet nodig was dat ik hem naar het vliegveld zou brengen; hij kon net zo goed een taxi nemen.

'Vind je dat niet erg?' Ik verdween in de badkamer en riep: 'Dat lijkt me misschien wel het beste.'

Ik vermoed dat hij opgelucht was; we hadden allebei tegen de rit opgezien. Wat zouden we tegen elkaar zeggen? *Goede reis. Geniet van het warme weer, en probeer niet te hard te werken.* (Dat is een lachertje. Ik ken dat soort beurzen – ze lijken vooral te bestaan uit overvloedige maaltijden, ergens wat gaan drinken, en kletsen met oude vrienden tussen de stands.)

Het ironische is dat ik last kreeg van mijn buik zodra hij vertrokken was. Zenuwen, waarschijnlijk. Wat zou ik gedaan hebben als dit me had overvallen op weg naar het vliegveld? Of erger nog, op de *terugweg*, met Michael die naast me zat? Wat als ik nu eens een buikgriep onder de leden had, waardoor ik gevloerd zou zijn gedurende de tijd dat Michael in de stad was? Ik moest bijna hardop lachen. Dat zou echt iets voor mij zijn. Op vrijdag zou ik me waarschijnlijk weer beter voelen, precies op tijd om David op te halen van het vliegveld.

Maar ik was zondagavond al beter, en toen ik vanochtend op kantoor kwam, wachtte er een e-mail van Michael:

Hoi Eva,
  Ik ben weer in de stad en verblijf in het appartement. Bestaat er een kans dat we iets kunnen afspreken? Overdag heb ik het razend druk, maar vanavond heb ik vrij.

Dus we hebben het hier over drankjes of een diner. Of allebei. Geen veilige ontsnapping mogelijk naar onze kantoren na afloop, en geen man die thuis op me wacht. Nu is het menens. Ik heb geen smoesjes meer.

Ik haal diep adem. *Wat dacht je van uit eten? Ik weet een geweldig Spaans restaurant in de Village. In Charles Street, vlak bij Seventh. 20.00 uur?*

De Village is neutraal terrein, en zo ver mogelijk bij zijn of mijn bed vandaan. Dan slaat de paniek toe: wat moet ik *aan*? Al mijn kleren zijn weer te groot. De dingen die ik met Liz heb gekocht, zijn prima voor naar mijn werk, maar dit is anders. Ik zal er in de lunchpauze op uit moeten gaan om iets te kopen.

Zijn antwoord is er binnen tien minuten: *Klinkt geweldig. Dit is mijn mobiele nummer voor het geval er iets tussenkomt.*

Ik aarzel voordat ik antwoord. Is het slim om hem *mijn* mobiele nummer te geven? Riskeer ik een telefoontje op een onhandig moment, zodat ik met mijn rug naar David toe moet gaan staan terwijl ik zo snel mogelijk probeer op te hangen zonder iets te onthullen? Hij zou meteen weten dat ik iets voor hem verborgen hield. Zeker omdat hij toch al zo achterdochtig was.

Maar het is natuurlijk wel zo verstandig. Misschien is Michael wel wat later. Bovendien is het maandag, dus het restaurant is misschien niet eens open. Als hij mijn mobiele nummer heeft, kunnen we de plannen snel wijzigen zodat niemand op straat hoeft staan te wachten.

Dank je, schrijf ik. *Dit is mijn nummer. Ik ben vanmiddag niet op kantoor, maar ik heb mijn gsm bij me.*

Ik handel een paar dringende zaken op mijn bureau af en loop dan door de gang naar Rons kantoor, waar ik een bedrukt gezicht trek voordat ik op zijn deur klop.

'Ja?'

Ik doe de deur open, maar hij is aan de telefoon. Hij legt zijn hand over de hoorn, kijkt naar me op. 'Wat is er?'

'Ik voel me niet zo lekker,' zeg ik, mijn best doend om zielig te kijken. 'Een of ander maagvirusje. Als je het niet erg vindt, ga ik naar huis.'

Hij wuift met een hand in mijn richting, ongeduldig. 'Tuurlijk, prima. Tot morgen.' Dan gaat hij weer verder met zijn gesprek.

Weer iets erbij op mijn groeiende lijst van dingen om me schuldig over te voelen. Dat is het probleem met overspel: je begint je te voelen als een spin in een zijden web van leugens. Eén verkeerde stap, en de hele zaak zou onder je in elkaar kunnen storten.

Geen tijd om daarover na te denken, echter – er moet gewinkeld worden. Een kort zwart Reem Acra jurkje met een bijpassend jasje lonkt naar me vanaf het rek. Het heeft schattige kraaltjes aan de voorkant, en het zit precies strak genoeg om te pronken met mijn nieuwe vormen. Vervolgens koop ik schoenen waarin mijn kersvers gespierde kuiten goed uitkomen. En tot slot, in een laatste duik in de wateren van mijn onuitgesproken bedoelingen, een zwartkanten, Frans uitgesneden onderbroek en bijpassende beha, de meest sexy dingetjes die ik ooit heb gekocht. Ik neem mijn aankopen mee naar huis en probeer niet te denken aan hoeveel ik zojuist heb uitgegeven, en pas ze voor de passpiegel op onze badkamerdeur.

Het is een eigenaardige gewaarwording, alsof ik een vreemde aan het bespioneren ben. Ze is dapperder dan ik, klaar om de femme fatale te spelen in haar sexy zwarte ondergoed. Mijn lichaam voelt nog steeds niet helemaal eigen; of het is niet het comfortabele confectielichaam waar ik de afgelopen jaren aan gewend was geraakt. Het is slanker, gespierder, een staaltje vakmanschap.

En ik realiseer me, terwijl ik het nauwsluitende zwarte jurkje openrits en het op de grond laat vallen, wat dit lichaam precies is: het is een geschenk dat ik heb gemaakt, in vele maanden hard werken, als cadeautje voor Michael.

Het is dit moment van mijn kleren uittrekken dat me zowel angst heeft aangejaagd als heeft opgewonden, het inbeelden van de opwinding in zijn ogen windt me meer op dan alles wat er daarna zou kunnen volgen wanneer hij me meevoert naar zijn bed.

Het is half zes, dus ik ga snel douchen en laat vervolgens een boodschap achter voor David bij zijn hotel in Miami. 'Hé, met mij. Ik wilde alleen even horen hoe het op de beurs is. Ik ben nog een paar uur thuis, en daarna ga ik ergens een hapje eten met Liz. Misschien gaan we daarna wel naar de film, dus ik heb mijn telefoon uit. Enfin, als ik je vanavond niet meer spreek, dan bel ik je morgenochtend wel.'

Leugens, leugens. Het is angstaanjagend hoe goed ik hierin begin te worden.

Maar misschien eindigt vanavond wel in volmaakte onschuld. We eten wat, gaan misschien nog ergens wat drinken, dan een vlugge omhelzing, een kus op de wang, en dan neem ik een taxi naar huis. Een leuke avond, en voor niemand een centje pijn.

Condooms, denk ik, in een plotselinge aanval van paniek. *Ik had nog condooms willen kopen.*

Per slot van rekening heeft een vrouw die uitgaat in een nauwsluitend jurkje en sexy ondergoed bescherming nodig. Ik schiet een spijkerbroek en een trui aan om even naar Rite-Aid te lopen, waar twee jonge mannen dezelfde aankoop aan het doen zijn. Zes uur is het condoomuurtje, wanneer de hoopvollen langs de drogist wippen voordat ze uitgaan.

Ik blijf een eindje verderop staan dralen, wachtend tot ze hun keuze hebben gemaakt, en dan sluip ik het gangpad in, waar ik word geconfronteerd met de verbluffende verscheidenheid aan mogelijkheden. Latex, uiteraard, maar welk merk? Ze hebben allemaal een foto van een glimlachend jong stel op de doos. Kennelijk is er geen merk voor overspeligen van middelbare leeftijd. Met glijmiddel? Waarschijnlijk niet nodig, maar waarom risico's nemen? Extra gevoeligheid? Klinkt goed. Geribbeld? (Hmm.) En ze hebben ze tegenwoordig in *maten*. Hoe moet ik dat nou weten? Het is twintig jaar geleden. Maar dan dringt het tot me door: als je als vrouw condooms gaat kopen, koop dan altijd Large. Het is een uiting van vertrouwen.

Ik neem de doos mee naar de toonbank met het etiket tegen mijn been gedrukt. De kassière scant de doos ongeïnteresseerd, laat hem in een plastic tasje vallen en vertelt me met verveelde stem wat het totaalbedrag is. Ik betaal en haast me de winkel uit met de tas in mijn jaszak gepropt.

Het is pas half zeven, denk ik wanneer ik terugkom in het appartement. *Je hebt zijn mobiele nummer. Je zou nog steeds kunnen bellen om af te zeggen.*

Zeg tegen hem dat je ziek bent, en dan blijf je lekker thuis om een oude film te kijken. Popcorn te eten. Het klinkt ineens aanlokkelijk; veilig en vertrouwd. David zal waarschijnlijk bellen zodra hij uitgedineerd is. Dan zouden we een poosje praten, en hij zou me vertellen hoe barstensdruk en belachelijk de beurs dit jaar is geworden, net zoals hij ieder jaar doet. Vervolgens zou ik vroeg naar bed gaan en masturberen, denkend aan Michael. Morgen zou ik de jurk terug kunnen brengen naar de winkel, ongedragen. Maar ik zou het ondergoed houden als verrassing voor David als hij thuiskwam. Misschien zou het helpen om ons huwelijk weer wat nieuw leven in te blazen.

Maar zelfs terwijl ik het denk, gaat mijn hand naar het nauwsluitende zwarte jurkje. *Ik ga alleen mee uit eten. Dat is alles; verder zal er niets gebeuren.*

Toch stop ik de condooms in mijn tasje, voor het geval dat.

'Je ziet er oogverblindend uit.'

Michael staat al te wachten in het kleine entreegedeelte van het restaurant als ik aankom. Hij helpt me uit mijn jas en neemt dan even de tijd om mijn jurk te bewonderen. Ik heb nog nooit zoiets moois gedragen – of zoiets *duurs* – en ik had me zorgen gemaakt dat het een beetje *te* was. Zou hij denken dat ik zo'n *Sex and the City* vrouw was die meer uitgeeft aan schoenen dan de meeste andere mensen aan hun hypotheek? Maar uit de manier waarop zijn blik over mijn lichaam dwaalt, blijkt duidelijk dat hij de jurk mooi vindt. Hij is architect, een man met een sterke visuele verbeelding. En heel even kun je zien dat hij die gebruikt.

Dan pakt de gastvrouw mijn jas van hem aan, en Michael raakt zachtjes mijn schouder aan. 'Het is zo fijn om je te zien. Ik heb me hier echt op verheugd.'

'Ik ook.'

Hij buigt zich naar me toe om me op mijn wang te kussen, en ik doe hetzelfde, alleen kiezen we allebei dezelfde kant, zodat we eindigen met de neuzen tegen elkaar. We barsten allebei in lachen uit, en ik zeg: 'Nou, dat was elegant.'

Hij glimlacht. 'Laten we het nog een keer proberen. Zonder al die ingewikkelde omwegen.'

En hij kust me. Op de lippen dit keer. Hij blijft precies lang genoeg talmen om me te laten weten dat het hem menens is, en dan trekt hij zich terug, en onze blikken ontmoeten elkaar.

'Dat is beter.'

Nou en of. Geen twijfel mogelijk. Een verrukkelijke kus, die ik helemaal tot in mijn zwartkanten niemendalletje voel. Wat me verbaast, is hoe natuurlijk het voelt, als iets onvermijdelijks wat nu achter ons ligt. Ik voel me merkwaardig opgelucht. Nu weten we allebei wat vanavond de bedoeling is.

De gastvrouw verschijnt weer; onze tafel is klaar. We volgen haar door het bomvolle restaurant, en iedereen kijkt naar ons op als we voorbijkomen. Ligt het aan mij, of lijken ze allemaal te *weten* dat ik uit ben met een man die niet mijn echtgenoot is? Ze hebben me hem zien zoenen in de entree. God, wat als er hier iemand is die ik ken? Het is niet eens bij me opgekomen, zo ver de stad in, maar Manhattan verandert altijd in een klein dorp op het moment dat je hoopt anoniem te zijn. Wip even naar de markt voor melk met ongewassen haar, en je komt drie ex-vriendjes tegen, de kattige receptioniste van kantoor, en de onberispelijk geklede directeur van een flitsend mediabedrijf met wie je onlangs een sollicitatiegesprek hebt gehad. Kus een man in een restaurant en je kunt ervan uitgaan dat de helft van je mans vrienden ineens blijkt te snakken naar paella in de Village, precies op tijd om jou te zien proeven van de verboden vrucht.

Ik ben paranoïde, ik weet het. Dat is de prijs die je betaalt voor het overspelig zijn. Er is hier niemand die we kennen, en zelfs als dat wel zo was, is het nog niet zo dat hij zijn tong achter in mijn keel had zitten. Hij is een ex-vriendje, nou en – welke vrouw heeft dat nou niet een keer gedaan?

Voor mij is paella een godenspijs die elke nacht wordt geserveerd in de hemel. (Niet dat ik daar ooit zal komen, als ik zo doorga.) Ik heb in geen maanden zoiets machtigs durven eten, en ik zal er dagen voor nodig hebben op de sportschool om het er weer af te krijgen. Maar vanavond gooi ik alle voorzichtigheid overboord. Michael blijkt er ook dol op te zijn; hij heeft verhalen over verrukkelijke paella's, gegeten in Barcelona, Mallorca, en piepkleine kustplaatsjes in Portugal waar de wijn wordt geschonken uit aardewerken kruiken zonder etiket, de druiven geplet in grote stenen kuipen op de binnenplaats achter het restaurant. Dus we bestellen paella voor twee en een fles Pagos Viejos.

'Het betekent "oude schulden",' vertelt Michael terwijl de ober mijn glas vult. 'Het wordt gemaakt in een kleine wijngaard in Rioja. Ik ben er twee jaar geleden geweest, en toen heeft een vriend me meegenomen naar een klein stadje dat Logarna heet, en waar ze dit maken.' Hij heft zijn glas, doorloopt het hele ritueel van de wijn laten rondzwieren en vervolgens zijn ogen dichtdoen en zijn neus in het glas steken. Is hij een wijnsnob? Dat zou irritant kunnen zijn. Maar dan doet hij zijn ogen open, ziet me kijken, en glimlacht. 'Ik ruik nooit wat al die wijntypes zeggen dat je zou moeten ruiken. Jij wel? Mijn vriend deed zo'n heel ritueel van ruiken en omschrijven. Eerst in het Engels, en toen in het Spaans, tegen de eigenaar van de wijngaard. Dan duurt het twintig minuten voordat je de wijn ooit in je mond krijgt.'

'Wat heeft hij erover gezegd?'

'Hij had het over zwarte en blauwe vruchten, espresso en bloemige elementen. Toen hij over grafietpotloodschaafsels begon, moest ik wel lachen.'

Ik steek mijn neus in het glas, doe mijn ogen dicht en snuif. Het ruikt naar wijn. 'Ik heb ergens gelezen dat de reuk een overblijfsel is uit de tijd dat we op handen en voeten liepen. Onze neus is klein geworden nadat we rechtop zijn gaan lopen, omdat geur alleen belangrijk is als je neus dicht bij de grond blijft. Toen ik een keer in het park zat, nadat ik dat had gelezen, begon ik naar de honden te kijken. Ze rennen allemaal in het rond, hun baasje meesleurend aan de riem, om geursporen te volgen van steen naar boom. Denk je eens in hoe anders de wereld zou lijken als je dat allemaal kon ruiken. Alsof er nog een heel ander verhaal is waar wij geen idee van hebben.'

'Denk je dat we het helemaal kwijt zijn? Ik weet niet hoe het met jou zit, maar mijn herinneringen zijn sterk verbonden met geuren. Zoals het leer van een honkbalhandschoen. Of versgemaaid gras.'

Ik glimlach. 'Voor mij is het zonnebrandolie. Ik ben gewoon weer een klein kind als ik dat voor het eerst ruik in de zomer.'

'Ik raak altijd opgewonden door de geur van patchoeli, omdat alle sexy meiden dat gebruikten toen ik op de middelbare school zat.' Hij kijkt me aan over zijn wijnglas heen. 'En jij ruikt ook lekker. Heel erg. Wat heb je op?'

O jee. Ik ben fris gewassen, maar ik heb geen parfum opgedaan. 'Niets. Het is puur natuur.'

Hij kijkt in mijn ogen, en ik voel zijn blik dwars door me heen gaan als een elektrische schok. Dit zou wel eens menens kunnen worden.

We drinken onze wijn. Michael vertelt nog meer over zijn reis naar Spanje, en het is niet moeilijk om me voor te stellen dat we op de patio van een café zitten in een klein plattelandsdorpje terwijl de middag langzaam koeler wordt. Of de zonovergoten uren na de lunch doorbrengen onder een plafondventilator in een hotelkamer, de lakens aan de kant gegooid om de bries over onze naakte lichamen te laten waaien terwijl we nieuwe manieren ontdekken om ons in het zweet te werken.

De wijn is heerlijk, en voor ik er erg in heb, is mijn glas leeg. Michael vult het weer, en er is versgebakken brood om in olijfolie te dopen. Als onze paella arriveert, is zelfs Michael onder de indruk. Ik ben in de hemel. Ik heb in geen zes maanden zulk eten geproefd. We nemen nog meer wijn bij de paella, en tegen de tijd dat de ober onze borden komt afruimen, is de fles leeg. De ongebruikelijke genoegens van de wijn en de rijke maaltijd geven me het gevoel dat mijn hele lichaam tintelt.

Michael pakt de rekening zodra de ober deze op tafel legt. 'Laat mij maar. Ik trakteer.'

'Geen schijn van kans,' zeg ik resoluut, en ik probeer hem de rekening te ontfutselen. 'Je hebt mijn lunch de vorige keer ook al betaald.'

Hij laat niet los en kijkt me glimlachend aan. 'Kosten van de zaak, en ik heb een heel royaal budget.' Hij maakt voorzichtig mijn hand los van de rekening en vlecht vervolgens zijn vingers door de mijne, een intiem gebaar dat me een heel warm gevoel geeft van binnen. 'Maar als je trots je niet toestaat om mijn generositeit te aanvaarden,' zegt hij, 'dan zal ik je wel een aangename manier laten verzinnen om me terug te betalen.'

Ik kan er meteen al een paar verzinnen. En te oordelen naar de blik die hij me schenkt, is het duidelijk dat die gedachten op mijn gezicht te lezen staan. Hij kijkt zoekend om zich heen naar de ober met een nieuwe intensiteit.

Als we opstaan van de tafel pakt Michael mijn arm, en we lopen naar de garderobe voor onze jassen.

Op straat word ik met verrassende kracht getroffen door de koude lucht. Ik begin te rillen, en Michael slaat een arm om mijn schouders heen terwijl hij een taxi aanhoudt. Hij installeert me achterin, leunt naar voren om de chauffeur het adres te geven, en gaat dan achterover geleund naast me zitten. We kijken elkaar een ogenblik aan zonder iets te zeggen, en dan ineens zijn we aan het zoenen, intens, hartstochtelijk, terwijl de taxi zich een weg zoekt door de stad, op weg naar de Upper East Side.

131

Ik schaam me diep.

Vier dagen zonder naar de sportschool te gaan of op een weeg-schaal te staan. En wat ik allemaal niet heb gegeten! Maar aan de andere kant kan seks een uitstekende vorm van lichaamsbeweging zijn – en ik voel me alsof ik de afgelopen vier dagen in training ben geweest voor de Olympische Spelen.

Twintig jaar lang heb ik niemand anders dan David aangeraakt, en heeft niemand anders dan David mij aangeraakt. Het is vreemd en opwindend om dit nieuwe paar handen over mijn lichaam te voelen glijden. De smaken en geuren zijn ook anders – als een ban-ket in een exotisch land, waar ieder gerecht je bekend voorkomt, maar de kruiden vreemd en verrassend zijn.

Michaels lichaam was zowel nieuw als merkwaardig vertrouwd, en mijn eigen lichaam voelde precies hetzelfde. Ik hoorde mijn eigen kreten als van op een afstand, als wakker worden in een hotel en horen hoe een vrouw zich overgeeft aan haar genot in de kamer er-naast. Was *ik* dat?

Ja, ik was aangeschoten die eerste nacht. Vol wijn, machtig voed-sel, en de opwinding van zoenen met deze man die ik amper kende op de achterbank van een taxi die over Madison voortsnelde terwijl alle lichten voor ons op groen gingen. Ik had mijn ogen dicht, en ik verdronk in de hitte van zijn lichaam. Maar toen we Thirty-fourth overstaken, trok hij zich terug met een bezorgde blik in zijn ogen.

'Moet je naar huis? Ik zou hem ook naar Broadway kunnen sturen.'

'David is er niet.'

En meer werd er niet gezegd. We kusten nog wat, en de stad flitste voorbij. Toen we bij zijn appartementengebouw kwamen, betaalde hij de taxichauffeur en voerde me mee naar binnen. In de lift stonden we zij aan zij, onze handen raakten elkaar terwijl we naar de verspringende verdiepingnummers stonden te kijken, als twee kinderen die voor het kantoortje van de directeur staan te wachten. Ik fantaseerde altijd over vrijen in een lift, zoals mensen in films doen, totdat ik hoorde dat er in de meeste liften in New York camera's verstopt zitten in het plafond. Het laatste wat ik wil, is dat een of andere beveiligingsbeambte me ziet met mijn rok opgehesen en mijn slipje rond mijn enkels. Voor hetzelfde geld belandt het misschien wel op het internet.

Toen we de achtste verdieping bereikten, voerde Michael me snel mee door de gang naar zijn deur. Hij stond te hannesen met de sleutels, zijn handen trillend van opwinding. *Hij is net zo opgewonden als jij,* dacht ik met verbazing. Dat maakte mijn eigen opwinding des te groter. Het was moeilijk om de neiging te weerstaan om de sleutels uit zijn hand te grissen, hem aan de kant te duwen en de deur zelf open te maken.

Binnen drukte hij me tegen de muur om me heftig te zoenen. Hij had de sleutels nog steeds in zijn hand, en ik voelde ze in mijn arm prikken, maar het kon me niets schelen. Hoe lang was het geleden dat iemand me zo hartstochtelijk begeerde?

Hij begon me uit te kleden, zijn gretigheid was opwindend. Zijn vingers vonden de knopen en ritsen en haakjes, maakten ze los, en mijn kleren vielen op de grond, zodat mijn sexy zwarte niemendalletjes zichtbaar werden. Hij glimlachte. 'Heel leuk,' mompelde hij. Toen bukte hij zich, tilde me op, en ik moest onwillekeurig lachen toen hij me naar de slaapkamer droeg.

'Vertil je niet,' zei ik, maar vond het geweldig opwindend. Nog maar een paar maanden geleden zou hij op de afdeling spoedeisende hulp zijn beland als hij had geprobeerd me op te tillen; nu voelde ik me licht in zijn armen.

Hij legde me neer op het bed, boven me uit torenend terwijl hij zijn kleren uittrok. Ik keek naar hem in het glinsterende licht van de skyline van de stad. Het was gaan sneeuwen. Het voelde alsof de tijd stilstond en we een wereld hadden gevonden waarin alles mogelijk was. We zouden een week lang in bed kunnen blijven om te kijken naar de vallende sneeuw. We zouden er samen vandoor kunnen gaan naar een of ander warm oord, waar de palmbomen zich bogen over een maanbeschenen oceaan.

En toen kwam hij naast me liggen, naakt, en kusten we elkaar. Zijn handen gleden over mijn lichaam, en algauw waren mijn sexy zwarte niemendalletjes verdwenen en had ik geen interesse meer voor de sneeuw of de glinsterende stad of wat dan ook, behalve het gevoel van onze lichamen die samen bewogen in het donker. Ik was weer jong. Niet ver weg zong een oceaan zijn stille lied.

De volgende ochtend meldde ik me ziek vanuit Michaels appartement. Mijn hoofd voelde als de bodem van een vuilstortkoker, en ergens onder alle opwinding klopte mijn hart onregelmatig. Ik had mijn huwelijksgeloften gebroken. Wat had me bezield?

Michael was ook stilletjes. Had hij dezelfde gedachten? Of kwam het gewoon door de wijn? Hij zette koffie en ging vervolgens douchen terwijl de koffie doorliep. Ik kleedde me aan en ging naar de keuken. Niets in de koelkast, behalve een pak melk en een potje yoghurt; waarschijnlijk at hij altijd buiten de deur. Toen de koffie klaar was, schonk ik een kop voor mezelf in. Michael was inmiddels uit de douche en scharrelde rond in de slaapkamer.

'Zal ik je koffie komen brengen?' riep ik.

'Ik kom er zo aan.'

Ik stond aan het aanrecht mijn koffie te drinken en na te denken over wat er was gebeurd. De seks was heerlijk geweest. Teder en speels in eerste instantie, maar steeds verder toenemend in intensiteit. Mijn reactie had zelfs mij verbaasd. 'God, je buren zullen me wel haten,' had ik gefluisterd na één buitengewoon gênant crescendo.

'Er zijn geen buren. De meeste appartementen op deze verdieping zijn van bedrijven en zakenkantoren van buiten de stad voor hun werknemers om te gebruiken wanneer ze in de stad zijn. Ik hoor bijna nooit iemand hiernaast.'

Godzijdank. Het was al gênant genoeg dat Michael me had gehoord. Maar hij leek ervan te genieten. Hij glimlachte elke keer, kuste me innig en ging vervolgens aan het werk om me een nieuw liedje te leren.

Dit ging uren zo door. Telkens als ik dacht dat de zaken misschien wel zo'n beetje op hun eind liepen, vond hij weer een nieuw standje en begonnen we het genot tussen ons weer op te bouwen als een of andere glanzende toren die oprees tot hij de wolken doorboorde. Ik klampte me er zo lang mogelijk aan vast, maar ik viel elke keer, het uitschreeuwend terwijl ik van die hoogte naar beneden tuimelde om met een klap weer in mezelf terecht te komen, ademloos en hijgend.

'Nu niet meer,' zei ik uiteindelijk tegen hem. 'Jij bent aan de beurt.'

'Maar ik heb het enorm naar mijn zin.'

'Nou, het wordt tijd dat je mij ook eens een pleziertje gunt.'

Ik draaide hem op zijn rug en nam hem in mijn mond, experimenterend tot ik het ritme had gevonden dat hem deed kreunen. Het was anders dan Davids ritme, en ik voelde me als een ontdekkingsreiziger die een nieuw land aan het verkennen was.

Na afloop sliep ik naakt in zijn armen. Diepe, droomloze, uitgeputte slaap. En toen ik wakker werd, was het met een gevoel van verbazing dat er een dag kon volgen op een dergelijke nacht.

Michael kwam de keuken binnen terwijl ik een tweede kop koffie stond in te schenken. Hij kwam achter me staan, sloeg zijn armen om me heen, en kuste me zacht in mijn nek. 'Moe?'

'Wat denk je?' Mijn lichaam voelde alsof ik zojuist vijftien kilometer had gerend, met een ruiter op mijn rug die me maar bleef aansporen om de hekken in galop te nemen. Maar er was ook een tintelende warmte die zich verspreidde van tussen mijn benen toen hij mijn nek kuste. Ik zette mijn koffiekopje neer op het aanrecht, draaide me naar hem om, en merkte dat hij opgewonden was.

'Kom mee terug in bed,' fluisterde hij in mijn oor.

'Moet je niet naar je werk?'

'Mijn eerste vergadering begint om tien uur. We hebben nog wel even tijd.'

Hij voerde me mee terug naar de slaapkamer, waar hij mijn jurk en mijn niemendalletjes uittrok en nog een keer met me vrijde. Het was anders dit keer, minder loom, dringender, maar het resultaat was hetzelfde. We kwamen tegelijk klaar en bleven uitgeput in elkaars armen liggen.

'Ik moet opstaan,' zei hij na een poosje, zonder al te veel overtuiging.

'Dan zul je opnieuw moeten douchen.'

'Het is dat, of een nieuwe doos condooms.'

Ik zei maar niet dat ik mijn eigen voorraad had. Ik was een beetje bang dat hij zou zeggen dat ik ze moest gaan pakken.

Hij ging vlug nog een keer douchen en bood toen aan om me op een ontbijt te trakteren in een koffietent vlak bij zijn appartementengebouw. Het idee om daar te zitten in mijn nauwsluitende zwarte jurkje als de gevallen vrouw die ik was, leek meer dan ik aankon, dus we gingen op de stoep uit elkaar en stapten ieder in een eigen taxi. Thuis had ik een bericht van Liz op het antwoordapparaat. 'Hé, liefje. David is de stad uit, toch? Ben je buiten aan het spelen? Ik ben beschikbaar als je zin hebt om ergens te gaan eten. Bel me even.'

Ik drukte op Wissen. Het andere bericht was van David, die meldde dat hij net terug was van het diner en mijn bericht had gekregen, maar hij ging nu nog naar een club met een stel mensen van marketing en zou waarschijnlijk heel laat terugkomen, dus hij zou me 's morgens wel op kantoor proberen te bereiken. Zijn stem had een vreemde klank. Was hij van streek omdat hij me niet thuis trof toen hij belde? Of was het gewoon de wijn die hij had gedronken bij het diner, en voelde ik me schuldig?

Het was nog te vroeg om hem terug te bellen, dus ik kleedde me uit en kroop in bed om te slapen.

Ik werd wakker van een rinkelende telefoon. Ik stak mijn hand uit naar het toestel op mijn nachtkastje, nog steeds half slapend, gedesoriënteerd nu ik wakker werd in het late namiddaglicht. 'Hallo?'

Maar er was niemand aan de lijn, en ik hoorde de telefoon nog steeds overgaan. Toen pas drong het tot me door dat het mijn mobieltje was. Mijn tasje lag op het voeteneind van het bed, waar ik het had laten vallen toen ik binnenkwam. *God, ik hoop dat het David niet is,* dacht ik. Ik grabbelde naar het toestel, maar dat hield natuurlijk op met rinkelen zodra ik het had gevonden. Toen moest ik wachten totdat het bericht in mijn voicemail verscheen.

'Hoi, met Michael. Ik vroeg me alleen af hoe het met je was. Enige kans dat ik je vanavond zou kunnen zien? Bel me even op mijn gsm. Ik denk de hele dag aan je.'

Die laatste woorden deden iets in mijn binnenste smelten. God, zou het echt kunnen dat ik weer opgewonden begon te raken, na al die seks? Maar alleen al de gedachte dat hij tijdens zijn vergaderingen zat te denken aan wat we gisternacht hadden gedaan, fantaserend over alle dingen die hij de volgende keer met me zou doen, deed de sappen vloeien. Ik groef in mijn tasje op zoek naar zijn mobiele nummer.

'Michael Foresman.'

'Hé,' zei ik. 'Ik heb je bericht gekregen.'

'Hé. Alles goed?'

'Ja hoor. Ik heb het grootste deel van de dag geslapen.'

'Mooi zo. Dan heb je vanavond een heleboel energie.'

'Wat had je in gedachten?'

'Als ik het je zou vertellen, zou het geen verrassing meer zijn. Kan ik je zien?'

Ik overwoog om te doen alsof ik mijn reserves had. Maar laten we wel wezen, die had ik niet. 'Waar wil je afspreken?'

'Ik ben hier rond half vijf klaar. Kun je naar mijn appartement toe komen?'

Ik lachte. 'Je windt er geen doekjes om.'

'Nee hoor. Ik kom direct ter zake.'

'Gaan we uit? Ik wil even weten wat ik aan moet trekken.'

'Zo min mogelijk.' En hij hing op.

Ik bleef even liggen, de telefoon rustend op mijn buik terwijl ik me probeerde voor te stellen wat hij in gedachten zou kunnen hebben. Maar dat leidde veel te veel af, en ik moest me klaar gaan maken als ik er over een uur wilde zijn.

Ik ging onder de douche en probeerde vervolgens te bedenken wat ik aan zou trekken. *Zo min mogelijk.* Hij had makkelijk praten. Hij had geen complete garderobe in drie verschillende maten in zijn kast hangen, waarvan de meeste te groot waren. Ik heb een

paar kantooroutfits die nog steeds goed passen, en wat vrijetijds-
kleding voor in het weekend die ik vorige maand heb gekocht
– voornamelijk spijkerbroeken en truien – maar niets wat geschikt
lijkt voor de gelegenheid.

Ik stond in mijn inloopkast, een grote handdoek om me heen ge-
wikkeld, en staarde wanhopig naar de rij hangers. Zou ik gewoon
in die handdoek kunnen gaan? Dat zou hij vast heel spannend vinden. Maar ik grijnsde bij de gedachte dat ik een taxi zou moeten
nemen. En wat voor schoenen draag je bij een handdoek?

Ik liep naar Chloe's kamer om in haar kast te kijken. Zij heeft
massa's leuke kleren, waarvan ze de meeste niet meer draagt. Mode
verandert met de snelheid van het licht op haar leeftijd, en iets wat
ze vorige zomer nonstop heeft gedragen, zou haar nu als passé
voorkomen. En als ze ze niet had meegenomen naar Frankrijk, hoe
groot was dan de kans dat ze ze ooit nog zou dragen? Ze zouden al
een jaar uit de mode zijn tegen de tijd dat zij weer thuiskwam.

Maar ik zou er belachelijk uit hebben gezien in de meeste van
haar kleren. Alles had een lage taille en een hoog middenrif, en de
rokjes waren minuscuul. Dan zou ik een van die vrouwen zijn geweest die eruit proberen te zien alsof ze nog steeds negentien zijn –
schaap verkleed als lam. Ik stond net op het punt om het op te geven
toen mijn blik viel op iets achter in haar kast: een roodzijden Chinese jurk die David voor haar had meegenomen uit San Francisco.
Hij was haar maat vergeten, dus hij had hem een maat te groot gekocht. Ik zou er nu misschien bijna in kunnen. Ik hield de jurk voor
me en keek in de spiegel. Het kwam akelig dicht in de buurt.

Ik liet hem van de hanger glijden, maakte de rits los, liet vervolgens mijn handdoek vallen en stapte voorzichtig in de jurk. Hij zat
strak, maar niet obsceen strak, en de rits ging helemaal tot boven
aan toe dicht. Ik bekeek mezelf in de spiegel: rode zijde en gevaarlijke rondingen. De jurk was kort en viel tot halverwege mijn dij.
Het was lang geleden dat ik met mijn benen had willen pronken,
maar ze zagen er niet slecht uit. *Cheongsam*, zo noemen ze deze
stijl: korte mouwen met een hoge opstaande kraag en een vage af-
druk van een Chinees teken in de stof.

Dat baart me altijd een beetje zorgen. Toen Chloe in groep zes zat, waren er T-shirts in de mode die je alleen bij één bepaalde winkel in Chinatown kon kopen, met een groot Chinees teken geappliqueerd op de voorkant. Ze smeekte me of ik er met haar naartoe wilde gaan om er eentje te kopen, en uiteindelijk zwichtte ik. Een week later liepen we over Broadway en hield een Chinese vrouw haar staande en zei: 'Weet je wel wat er op je T-shirt staat?'

'Wat dan?'

'Het is een scheldwoord dat vrij vertaald zoiets betekent als "dom blank meisje".'

Meteen daarna heeft Chloe het shirt aan een meisje op school gegeven dat haar het jaar daarvoor heel gemeen had behandeld. Kennis is macht.

Ik had geen flauw idee wat dit symbool betekende. Het kon de prijs van de jurk wel zijn. Of de maat. Desalniettemin stond de jurk me goed, en het was al laat.

Ik had David nog steeds niet gebeld. Ik had er tegenop gezien, maar toen ik hem belde op zijn gsm, sprong die tot mijn opluchting op zijn voicemail.

'Hoi, met mij,' zei ik zo opgewekt mogelijk. 'Je zit zeker in een vergadering. Ik dacht, laat ik je even proberen te bellen nu ik de kans heb. Ron heeft me gevraagd om uit eten te gaan met een paar van de adverteerders vanavond, dus ik heb mijn telefoon straks uit staan. Ik denk dat hij hoopt dat ze niet naar oplagecijfers zullen vragen als ik erbij ben. Nou ja, ik hoop dat alles goed gaat, en ik probeer je morgenochtend nog wel even te bellen. Dag.'

Walgend van mezelf hing ik op. Maar ik moest opschieten, anders zou ik te laat komen. Ik vond een paar schoenen dat goed stond bij de jurk, griste mijn jas van de stoel in de woonkamer en ging naar beneden om een taxi te nemen.

Aangezien Michael tegen me had gezegd dat ik zo min mogelijk moest aantrekken, had ik geen ondergoed aangetrokken.

Er wachtte hem een aangename verrassing.

De volgende dag ging ik weer naar kantoor. Dat betekende wel dat ik twee keer een taxi moest betalen, aangezien ik me naar huis moest haasten om me om te kleden, en toen een tweede taxi moest nemen om op tijd op kantoor te komen. Ron wierp één blik op me en zei: 'Weet je zeker dat jij hier nu moet zijn? Je ziet eruit alsof je geradbraakt bent.'

Ik bloosde. 'Ik denk dat het wel zal gaan. Er ligt allerlei achterstallig werk. Als ik me straks weer niet lekker voel, neem ik het wel mee naar huis.'

Hij knikte. 'Luister eens, hoe staat het ervoor met Foresman? Denk je dat hij met je wil praten? Ik moet weten of we ruimte moeten reserveren in het volgende nummer.'

Ik moet nog dieper hebben gebloosd, want hij keek me bezorgd aan. 'Wil je niet even gaan zitten?'

Ik schudde mijn hoofd. 'Ik moet hem gewoon even vastpinnen. Ik zal er vandaag meteen werk van maken.'

Ik liep terug naar mijn kantoor. Ik had het grootste deel van de nacht geprobeerd om hem vast te pinnen, met gebruikmaking van mijn beste worstelmanoeuvres. Maar aangezien hij sterker was, eindigde ik altijd plat op mijn rug met mijn benen in de lucht.

Michael had enorm van zijn verrassing genoten, zoals ik wel had verwacht. En later, nadat we Chinees hadden laten bezorgen en het zo uit de bakjes in bed hadden opgegeten, had hij er nog een beetje meer van genoten.

'Slik je soms iets?' vroeg ik hem op een gegeven moment, verbaasd om te merken dat hij zo snel na onze vorige worstelpartij alweer klaar was voor de volgende ronde.

'Wat? Viagra bedoel je?'

'Is dat een foute vraag om te stellen? Ik ben gewoon verbaasd door je... *enthousiasme*.'

Hij lachte. 'Is dat een klacht?'

'God, nee. Maar misschien heb ik niet genoeg sexy jurkjes.'

'Net zoals je niet genoeg ondergoed hebt?' Hij streek met een vinger over mijn buik. 'Daar heb ik geen problemen mee. Al zou de conciërge er misschien raar van opkijken.'

'Dan moet je hem maar een royale fooi geven.'

'Je kunt dragen wat je wilt,' zei hij. 'Het zijn niet de kleren waar ik opgewonden van raak. En bovendien, ik ga ze je toch alleen maar uittrekken.'

Precies wat een vrouw graag wil horen. Dus ik liet hem mijn waardering blijken, en daar werd ik prompt voor beloond.

Op kantoor beluisterde ik mijn voicemail – twee berichten van een geïrriteerd klinkende Liz – en groef vervolgens mijn bureaukalender op van onder een stapel papieren, klikte naar een reiswebsite op mijn computer, en belde Michael op zijn gsm. 'Met Eva,' zei ik toen hij opnam. 'Kan ik volgende week naar L.A. komen om je huis te bekijken?'

'Ik zal mijn assistente bellen om te vragen of dat in mijn schema past. Kan ik je over een paar minuten terugbellen?'

Een assistente die zijn schema bijhoudt. Het zou me niet hebben moeten verbazen; hij is een drukbezet man. Maar het is makkelijk om iemands rol in de wereld uit het oog te verliezen als je het grootste deel van je tijd met hem in bed doorbrengt. Ik keek om me heen in mijn piepkleine, volgestouwde kantoor, en heel even was het alsof de wereld om me heen op me af kwam, als iets wat ik uit het oog was verloren in mijn begeerte.

Toen ging mijn telefoon. Het was Michael. 'Volgende week ziet er prima uit. Heb je zin om op vrijdag te komen zodat we het hele weekend in het huis kunnen doorbrengen?'

'Zal je vrouw daar geen vragen over stellen?'

Er viel een stilte, en toen zei hij zacht: 'Wil je het daar echt over hebben?'

Hij had me nooit naar mijn huwelijk gevraagd, en ineens was ik daar dankbaar voor. Hij had mijn privacy gerespecteerd en me geaccepteerd op mijn eigen voorwaarden. Moest ik niet hetzelfde doen?

'Sorry. Ik bedoelde dat niet op de manier zoals het moet hebben geklonken. Ik wilde je gewoon niet in de problemen brengen.'

'Dat waardeer ik. Maar geloof me, er zullen geen problemen zijn. Ze heeft totaal geen belangstelling voor het huis. Ik zal tegen haar zeggen dat je er een verhaal over gaat schrijven, en dat is dan dat. We zullen het huis het hele weekend voor onszelf hebben. Er is een kuuroord in de vallei onder het huis waar Clark Gable en Lana Turner altijd naartoe gingen. Ik zal zien of ik een kamer voor ons kan boeken. Je kunt er een steenmassage krijgen om de pijn te verzachten nadat ik je een rondleiding heb gegeven over mijn terrein.'

'Klinkt verrukkelijk. Kunnen we jouw fotografe ook een paar uur laten komen?'

'Ik zal het haar vragen. Ze heeft het behoorlijk druk, maar meestal maakt ze wel tijd voor mij.'

'Hmm. Dat verbaast me niks.'

Hij lachte. 'Maak je geen zorgen. Het is puur zakelijk. Zeg, gaan we elkaar zien vanavond? Het is mijn laatste nacht in de stad.'

'Heb je je buik nog niet vol van me?'

'Hoort dat niet mijn vraag te zijn?'

'Ik denk dat er misschien nog wel ruimte is voor een beetje meer.'

'Mooi zo, want ik heb grote plannen.'

'O ja? Wat dan?'

'Laten we maar zeggen dat we ons nog steeds diep zullen schamen tegen de tijd dat we tachtig zijn.'

'O jee.'

'Het is maar dat je 't weet. Zes uur?'

'Ik kan niet wachten.'

Wat zou hij in gedachten kunnen hebben? Mijn fantasie begon onmiddellijk mogelijkheden aan te dragen, de ene nog spannender dan de andere. Het was een sluw spelletje dat hij met me speelde. Fantasie is het halve werk bij seks, en de mijne maakte nu overuren, zodat ik bijna buiten adem raakte van opwinding. Tegen de tijd dat ik hem zag, zou ik overal voor in zijn.

En dat ik me diep voor mezelf zou schamen als ik tachtig was, dat leek onvermijdelijk. Hoe zou ik me nou *niet* kunnen schamen? Ik was bezig David te bedriegen en mijn huwelijk en gezin op het spel te zetten. En het was niet zo dat ik slechts één keer een misstap had begaan – ik gaf me al een hele week lang over aan mijn meest primaire behoeften.

Maar ik was bereid om met mijn schaamte te leven. Ik had die nacht niet bij Michael vandaan kunnen blijven, al had ik het geprobeerd. We hadden drie dagen lang een onuitsprekelijke hoeveelheid seks gehad, en ik was nog lang niet verzadigd. Alleen al de gedachte dat ik hem weer zou zien, joeg een golf van opwinding door me heen, zodat het nog een hele uitdaging werd om de stapel werk op mijn bureau af te maken.

David belde me 's middags, en we voerden voor de vorm een gesprek, maar het was duidelijk dat hij haast had om op te hangen. 'Het is hier een gekkenhuis,' zei hij tegen me. 'Diners, cocktailparty's, verkoopsessies, ik heb geen seconde rust.'

'Dat is geweldig,' zei ik, en probeerde het schuldgevoel uit mijn stem te weren. 'Het is hier ook een gekkenhuis.'

Hij moest er snel vandoor naar een receptie voor een stel regionale boekkopers, maar zei dat hij me nog veel meer te vertellen had als hij thuiskwam.

'Dat zal me een ruig stel zijn, die regionale boekkopers.'

'Je hebt geen idee.'

'Nou, veel plezier,' zei ik. 'Ik zie je morgen.'

Wat een raar gesprek, dacht ik toen ik ophing. Alsof je je ouders belt vanaf de universiteit. Je weet dat je moet bellen om ze te laten weten dat alles goed met je is, maar het enige waar je aan kunt denken, is hoe je zo snel mogelijk op kunt hangen zonder onbeschoft te zijn, omdat je niet weet hoe je moet omgaan met het feit dat je bent veranderd.

Was er iets veranderd? Oké, ik had mijn huwelijksgeloften verbroken. Ze aan gruzelementen geslagen, om eerlijk te zijn. En vervolgens met een hamer de overblijfselen bewerkt tot een fijn poeder dat door de wind werd meegenomen. Maar ik was niet van plan om er met Michael vandoor te gaan. Hij had zijn leven en ik het mijne, en waarschijnlijk zouden we gewoon op die manier doorgaan, manieren vindend om er tussenuit te knijpen en elkaar af en toe te ontmoeten.

Michael zou terugvliegen naar L.A., David zou terugkomen uit Miami, en alles zou weer worden zoals het was voor deze rare week vol passie. David zou ongetwijfeld met me willen vrijen, denkend aan al die meiden op South Beach met hun perfecte lichaam en minuscule bikini terwijl we een plichtmatig nummertje deden. Maar wie was ik om te klagen? Ik zou aan Michael denken, of aan het interessante verschil tussen deze twee mannen die zo totaal niet op elkaar leken en toch de aanspraak op mijn hart deelden.

Ik schoof wat paperassen heen en weer, beantwoordde de meest dringende e-mails, en probeerde eruit te zien alsof ik met mijn gedachten bij mijn werk was. Een paar minuten voor vijf kneep ik er tussenuit om nog even te gaan douchen voordat ik Michael zou ontmoeten. Ik had geen flauw idee wat hij voor me in petto had, maar wat het ook was, ik zou van elke seconde genieten. Ik stond onder de douche toen ik mijn gsm hoorde overgaan.

'Shit!' Ik zette de kraan uit, greep een handdoek en haastte me naar de slaapkamer, een spoor van natte voetafdrukken makend. Wat als het Michael was om ons afspraakje af te zeggen?

'Mooie vriendin ben jij,' zei Liz. 'Ik heb overal berichten voor je achtergelaten, maar terwijl je man de stad uit is, heb je het te druk met de sloerie uithangen om me terug te bellen.'

'Liz –'

'Het feit dat je de kans krijgt om een paar dagen het feestbeest uit te hangen, betekent nog niet dat je je beste vriendin zomaar kunt dumpen!'

'Het spijt me dat ik je niet heb gebeld, maar ik –'

'En mij houd je niet voor de gek met die onschuldige stem, juffie. Ik *weet* dat je de stad in bent geweest, ik kan het ruiken, zelfs door de telefoon. Ik zit hier thuis als de arme stiefzuster te wachten op een telefoontje, en jij bent aan het feesten met Puff Daddy!'

'Wat?' Ik lachte.

'Je hebt me wel gehoord, jij vuile slet! Waar is het feest? Ik *eis* dat je het me vertelt!'

'Ik wou dat er eentje was, liefje. Werkelijk waar. Maar er is een beroemde architect in de stad, en Ron aast al maanden op een interview. Ik ben er al de hele week mee bezig.'

'Dat is het meest zielige verhaal dat ik ooit heb gehoord. Kun je werkelijk niets beters verzinnen dan dat? Je man is de stad uit, en jij verwacht dat ik geloof dat je de hele week over architectuur hebt gepraat? Ik vind het een belediging dat je denkt dat ik me door zo'n suffe smoes zou laten overtuigen.'

'Liz, ik kom net onder de douche vandaan en ik sta hier alles onder te druppen.'

'Ik geloof maar al te graag dat je staat te druppen. Is hij knap, die architect?'

Ik aarzelde. 'Jawel. Maar hij heeft een elegante vrouw in L.A.'

'En jij staat hier te druppen.'

'Liz, ik bel je morgen, en dan zal ik je er alles over vertellen. Maar ik moet me nu gaan klaarmaken voor iets waar ik vanavond naartoe moet.'

'Dus je hebt *iets*. Is het een groot iets?'

'*Dag*, Liz.' Ik hing op en trok vlug een van de weinige kantooroutfits aan die nog pasten. Michael zou toch in de veronderstelling verkeren dat ik van mijn werk kwam.

Het geld dat ik de afgelopen drie dagen aan taxi's had uitgegeven... Taxi's, kleren, condooms – ik was een heel stoute meid geweest.

Toch neem ik de volgende ochtend weer een taxi en haast me naar huis om mijn geteisterde lichaam te douchen en schone kleren aan te trekken voordat ik naar mijn werk ga.

Eerlijk gezegd ben ik opgelucht dat het allemaal achter de rug is, dat Michael vandaag vertrekt. Te veel seks, te veel zwaar eten, te veel nachten met te weinig slaap – ik had dit niet veel langer vol kunnen houden. Hoewel ik behoorlijk wat lichaamsbeweging heb gehad, is het niet hetzelfde als naar de sportschool gaan. Er was heel veel moed voor nodig om vanochtend op de weegschaal te gaan staan, maar het had geen zin om me voor de waarheid te verstoppen. Drie pond aangekomen: een tegenslag maar geen ramp.

Alles doet me pijn, en ik heb het gevoel dat ik uit elkaar ben getrokken. In feite is dat niet ver bezijden de waarheid. Ik heb het grootste deel van de avond geblinddoekt doorgebracht, mijn handen en voeten vastgebonden aan de bedstijlen. Michael blijkt een ondeugende inborst te hebben, en ik blijk van bondage-spelletjes te houden. Wie had dat gedacht?

Ik kleed me aan en ga naar kantoor, net zoals ik altijd doe. Gek genoeg voel ik me kalmer nu, alsof er een zware storm is overgetrokken die de lucht heeft schoongeveegd. Het is grappig, maar ik verheug me er zelfs op om David te zien vanavond. Ik geniet altijd van de eerste paar dagen nadat hij terug is van een reis. Hij is moe, maar hij zit ook vol energie doordat hij eruit is geweest, andere mensen heeft gezien, weer weet wat het is om alleen te zijn in de wereld.

Vóór een reis wordt hij prikkelbaar en ongeduldig: zijn dagelijkse leven hangt hem de keel uit, en ik ook, dus de gedachte om een tijdje op zichzelf te zijn klinkt opwindend. Hij kan niet wachten om weg te gaan. Tegen de tijd dat hij thuiskomt, is hij tot bezinning gekomen en weet hij weer hoe het is om voortdurend te moeten praten met mensen die je eigenlijk niet kent en algauw irritant begint te vinden. David heeft in feite een hekel aan dit soort beurzen, maar ieder jaar herinnert hij zich dat pas weer nadat hij er een dag of twee is geweest. Hij vindt hotels deprimerend, en zelfs de feestjes beginnen op een slecht eerste afspraakje te lijken, vermenigvuldigd met een paar honderd dronken onbekenden.

Daarom is hij altijd blij om me te zien als hij uit het vliegtuig stapt, en is hij de hele weg naar Manhattan aan het vertellen hoe belachelijk de beurs was en wat een opluchting het is om thuis te zijn. Misschien is dat wat ieder huwelijk nodig heeft: een periodieke herinnering dat je dit leven niet voor niets hebt gekozen. Als je al een tijd getrouwd bent, is het makkelijk om jezelf ervan te overtuigen dat de wereld vol zit met aantrekkelijke onbekenden en wilde feesten. Maar als je er een paar dagen in rondloopt, realiseer je je dat het niet meer is dan de glinstering van water in een dor woestijnlandschap. Je besluit dat het beter is om dicht bij de bron te blijven, waar je je emmer kunt laten vallen en altijd een plons hoort.

Dus hij zal me zijn verhalen vertellen, en ik zal lachen omdat hij het allemaal zo belachelijk doet klinken. Als we thuiskomen, ga ik iets te eten voor ons klaarmaken terwijl hij zijn koffer uitpakt, en dan gaan we vroeg naar bed, genietend van het gevoel om tegen elkaar aan te kruipen in ons eigen bed. Een mens kan maar een beperkte hoeveelheid opwinding aan, en ik verheug me op een beetje rust.

Zo stel ik het me althans voor. In werkelijkheid heeft Davids vlucht vertraging, en komt hij met een pesthumeur uit het vliegtuig. Ik zie hem de aankomsthal binnenlopen in een menigte van andere uitgeverstypes, die er allemaal uitgeteld en prikkelbaar uitzien. Sommige jaren zijn het net kinderen die terugkomen van kamp, lachend en kletsend als ze uit het vliegtuig stappen, alsof de vlucht terug naar New York één groot feest was. Dit jaar zien ze eruit als een groep forensen aan het eind van een slechte dag, elk van hen zwijgend zijn eigen last van woede dragend.

Ineens word ik bevangen door paniek. *Weet hij het?* Heeft iemand me met Michael gezien en hem gebeld? Een belachelijke angst, ik weet het; het is gewoon mijn eigen schuldgevoel dat nu naar boven komt. Maar heel even moet ik vechten tegen de impuls om me om te draaien en weg te rennen.

Ik glimlach en zwaai, als een goed echtgenote die haar man verwelkomt bij zijn terugkeer van een reis. Ik heb braaf achter mijn weefgetouw gezeten, zegt mijn opgewekte glimlach, wevend en ontrafelend, mijn hart trouw tot het laatst.

Hij ziet me en knikt nors. Het hart zinkt me in de schoenen.

'Hé.' We wisselen een plichtmatige kus uit, en hij zet vermoeid zijn attachékoffer neer. 'Je ziet eruit alsof je een zware reis achter de rug hebt.'

'Vraag maar niets,' zegt hij. 'Het is nuttig om er af en toe aan herinnerd te worden hoe weinig je voor iemand betekent.'

Ik trek mijn wenkbrauwen op. 'Hoe bedoel je?'

'Gewoon een heerlijke vlucht.' Hij werpt een boze blik de aankomsthal in. 'Alsof je in een veewagen zit.'

'Nou, je bent nu weer thuis.' Ik pak zijn koffertje, steek mijn arm door de zijne. 'Van nu af aan wordt het beter.'

En dat is werkelijk ook mijn bedoeling. Ik zal een liefhebbende, geduldige, begripvolle echtgenote zijn, toegewijd aan zijn behoeften. Ineens lijkt het allemaal mogelijk. Waarom kan ik niet de ideale vrouw zijn voor David en er toch nog af en toe tussenuit knijpen om Michael te ontmoeten? Alleen al de wetenschap dat er een minnaar op me wacht, zal me minder ongeduldig en kortaangebonden maken tegen David, en het schuldgevoel na een paar dagen met Michael zal een toegewijde levensgezellin van me maken als ik weer thuis ben. Het zou een perfect systeem kunnen zijn, mits ik het kan volhouden.

We nemen de roltrap naar beneden naar de bagage-afhaalruimte, en gaan vervolgens staan wachten bij de kofferband met de rest van de passagiers van zijn vlucht. David wisselt een knikje met verscheidene mensen die hij kent, maar niemand lijkt happig om een gesprek te beginnen. *Ze hebben allemaal een pesthumeur*, realiseer ik me opgelucht. *Het heeft niets met jou te maken.*

Dan zie ik een bekend gezicht aan het andere uiteinde van de kofferband. 'Is dat niet een van jouw auteurs?'

David kijkt. 'Waar?'

'Aan de overkant, daar.' Ik wijs naar een aantrekkelijke vrouw van ongeveer mijn leeftijd, die heel dicht bij de plek staat waar de koffers tevoorschijn komen, starend naar de transportband alsof ze haar koffer met pure wilskracht wil dwingen om te verschijnen. 'Is dat niet Maribel Steinberg?'

David verstijft enigszins. 'Christus, ik wist niet dat ze op dezelfde vlucht zat als ik.' Hij duwt mijn hand omlaag. 'Niet wijzen, oké? Ik wil haar nu niet zien.'

'Was zij ook op de beurs?'

'Ja. We hebben haar wat optredens laten doen om het boek te promoten. Het ging niet helemaal gesmeerd, en ik zou de hele zaak het liefst vergeten.'

'Wat is er dan gebeurd?'

Hij schudt zijn hoofd. 'Ik vertel het je later wel, oké? Op dit moment wil ik hier alleen maar zo snel mogelijk weg.'

Ik kijk naar haar. Ze ziet er uitgeput en gedeprimeerd uit. Als een vrouw die naar huis gaat naar een leeg appartement aan het eind van een lange dag, waar ze haar katten eten zal geven en in bed zal kruipen om televisie te kijken. Ik kan me niet voorstellen dat het moeilijk zou zijn om een dieetboek te promoten. Zorg gewoon dat je er bent, wees slank, en beloof dat je boek het eenvoudig zal maken voor iedereen om zijn of haar streefgewicht te bereiken. Was ze gespot op een feestje terwijl ze zich vol stond te vreten? Was de Vet Bevrijdings Brigade opgedoken tijdens haar signeersessie, gooiend met aardappelsalade? Of was ze gewoon in tranen uitgebarsten zonder enige waarschuwing, niet in staat om de druk om slank te zijn nog één minuut langer te verdragen?

Ze kijkt naar me op en wendt dan vlug haar blik af. Even later krijgt ze haar koffer in het oog op de band, grist hem eraf en stormt ervandoor op haar dodelijke hakken, de koffer achter haar aan rollend als een gehoorzame hond.

'Dat moet me het verhaal wel zijn. Ze ging ervandoor alsof de duivel haar op de hielen zat.'

'Daar is mijn koffer.' David grijpt zijn koffer zodra deze voorbij-komt, en we lopen naar buiten, naar de parkeerplaats voor kort parkeren. 'Hoe was het hier?'

Ik haal mijn schouders op. 'Niks bijzonders. Liz is kwaad op me omdat ik de week niet feestend met haar heb doorgebracht. O, en Ron wil dat ik volgende week naar Californië ga om een of andere architect te interviewen.'

'Hoe lang blijf je weg?'

'Een paar dagen. Ik vlieg erheen, neem het interview af, en laat een lokale fotograaf een paar foto's schieten van een of ander huis dat hij aan het bouwen is. Zoals het er nu naar uitziet, zal het van vrijdag tot maandag worden. Dat zijn de enige dagen dat hij zijn andere projecten even alleen kan laten.'

David rilt als we de kou in stappen. 'Ik ben blij dat jij dan de kans krijgt om wat zon te pakken. Ik voelde me voortdurend schuldig in Miami bij de gedachte dat jij hier zat te vernikkelen van de kou.'

'Ik heb manieren gevonden om warm te blijven.'

Hij kijkt naar me. 'Je hebt toch niet dag en nacht op de sport-school doorgebracht, hè?'

Ik lach. 'Nee, zo gek ben ik nou ook weer niet. Ik heb het groot-ste deel van de week in bed doorgebracht. Er waren een paar leuke oude films op tv. Fred en Ginger, Hepburn en Tracy. Ik heb me uit-stekend vermaakt.'

'Een orgie van romantiek.' David glimlacht. 'Nou, ik ben blij dat je het leuk hebt gehad.' Hij maakt de kofferbak van onze auto open en hijst zijn koffer erin. 'Dan hoef ik me tenminste niet zo schuldig te voelen over alle heerlijke maaltijden.'

'Ik wil het niet weten,' zeg ik tegen hem. 'Ik zou waarschijnlijk al aankomen, alleen al door erover te horen.'

Hij is stilletjes als we terugrijden naar de stad, en staart uit het raam naar de lichtjes. Hij ziet er moe uit. Maar dat is een opluch-ting; het lijkt hem niet te zijn opgevallen hoe moe ik eruit zie.

Hij kijkt naar me. 'Nog iets gehoord van Chloe?'

'Ze trekt deze week door de Provence met een vriendin. Ze belt zondag om ons er alles over te vertellen.'

Hij knikt en gaat verder met uit het raam staren, dus ik zet de radio aan, en we luisteren naar een Billie Holiday special, helemaal tot in Manhattan: 'This Year's Kisses', 'I Must Have That Man!' 'Foolin' Myself', 'I'll Never Be the Same'.

Ik zet David bij de ingang van ons gebouw af met zijn koffer en breng vervolgens de auto naar de parkeergarage. Die is drie blokken verderop, maar ik vind het fijn om een stukje te lopen. De bittere lucht voelt vochtig, dus ik trek mijn jas strak om me heen en heb voor het eerst sinds dagen het gevoel dat ik precies weet waar ik mee bezig ben. Het is een koude avond, en ik ben op weg naar huis. Dat is een impuls die geen uitleg behoeft. Even later begint het te sneeuwen. Grote natte vlokken die door de lichten heen naar beneden dwarrelen als sterren die uit de nachthemel vallen. Wanneer ik stilsta en naar boven kijk, maakt de zuivere schoonheid ervan me duizelig. Heel even heb ik het gevoel dat ik zou kunnen wegzweven in al die open ruimte.

Dan verandert het licht, en haastig steek ik Broadway over. David zal wel honger hebben, en ik moet zijn eten op tafel zetten.

129

'Je hebt me nooit verteld wat er nou is gebeurd met je auteur.'

David kijkt naar me op, verrast. Hij is nu drie dagen terug uit Miami, en gaat tegenwoordig 's avonds mee naar de sportschool. Op dit moment gebruiken we om beurten een gewichtenapparaat, dus hij moet constant op zijn hurken gaan zitten om de gewichten te verwisselen voordat hij het gebruikt, en dan nog een keer om het juiste gewicht voor mij eraan te hangen.

'Welke auteur?' Hij gaat rechtop staan, grijpt de trekstangen vlak boven zijn hoofd en brengt deze langzaam omlaag naar zijn borst.

'Maribel Steinberg.'

Ik wacht terwijl hij zijn programma afwerkt en vervolgens een stap achteruit doet. 'O, dat. Het was gewoon een klucht van blunders. We hadden een signeersessie voor haar geregeld in een boekwinkel in een winkelcentrum in een forensenstad, en de plaatselijke vertegenwoordiger bleef maar tegen ons zeggen dat ze een enorme mensenmenigte verwachtte. Dus we rijden daar op woensdagavond naartoe, en we komen tot de ontdekking dat de winkel met het verkeerde tijdstip heeft geadverteerd. Er staan dozen vol boeken van haar in hun magazijn te wachten om gesigneerd te worden, maar geen klanten.'

'Hoe ging ze daarmee om?'

Hij verstelt de gewichten voor me en ik grijp de stang, haal diep adem, en trek.

'Prima. Ze heeft een stel boeken voor hen gesigneerd, en toen zijn we uit eten gegaan. Het is gewoon gênant.'

Ik werk mijn programma af en laat de gewichten met een klap vallen. 'Zoals ze er op het vliegveld vandoor stoof, had ik het idee dat ze misschien wel kwaad was.'

'Als dat zo is, dan heeft ze het me niet verteld.' Hij loopt naar het volgende toestel en verstelt de gewichten. 'Auteurs vatten dat soort dingen altijd persoonlijk op. Alsof het slechte publiciteit voor hen is, in plaats van voor de winkel. Ze hopen altijd een menigte fans aan te treffen, alsof ze net een Oscar hebben gewonnen of zo. Ze vinden het moeilijk om realistisch te zijn over het soort publiciteit dat we voor hen kunnen regelen.'

Dit betoog heeft hij al vaker gehouden; het is een van zijn favoriete klachten over zijn baan. Maar dit keer heeft het iets onechts; hij praat net een beetje te snel. Ik kijk naar zijn gezicht, maar hij neemt nu plaats onder de gewichten en begint aan zijn sessie. Hij grimast, zijn ogen op het plafond gefixeerd, alsof hij een of andere boodschap probeert te lezen die verstopt zit tussen de tegels.

'Ze is knap,' zeg ik.

Hij is klaar en laat de gewichten vallen. 'Maribel?' Hij haalt zijn schouders op. 'Tja, het zal wel. Niet echt mijn type. Ze neemt het allemaal een beetje te serieus, weet je? Het is gewoon een dieetboek, maar ze doet alsof ze haar autobiografie heeft geschreven, haar hart en ziel erin heeft gestopt. Het is praktisch een religie voor haar. Ze schijnt echt te denken dat ze het leven van mensen kan veranderen door hun te vertellen hoe ze een beetje af kunnen vallen.' Hij kijkt naar me en beseft dat ik dit misschien verkeerd op zou kunnen vatten. 'Ik bedoel, jij bent een heleboel afgevallen en je ziet er geweldig uit, maar meer is het niet. Je neemt lichaamsbeweging, je werkt aan je lichaam. Het is niet zo dat je iemand *anders* bent geworden, wel?'

We staan bij het gewichtenapparaat in een drukke sportschool, allebei drijfnat van het zweet. Is dit echt het moment om een goed gesprek te hebben over het veranderen van mijn leven? Maar ik kan deze gelegenheid niet onbenut laten; het is te belangrijk.

'Dat weet ik nog zo net niet,' zeg ik tegen hem. 'Kun je alles wat je doet veranderen zonder te veranderen wie je bent? Het is niet alleen dat ik ben gestopt met bepaalde dingen te eten en begonnen met naar de sportschool te gaan. Ik heb een besluit genomen om te veranderen, en daar leef ik elke dag naar. Dus ben ik dan echt nog dezelfde persoon die vroeger uit kantoor kwam, pizza bestelde en televisie ging zitten kijken? Als jij ineens je boeltje pakte en naar Parijs verhuisde en alleen nog maar Frans sprak en een schildercarrière begon, zou je dan nog steeds dezelfde persoon zijn?'

'Ik zou dezelfde persoon zijn die een ander leven leeft.'

'Wat is het verschil?'

'Ik zou hetzelfde lichaam hebben en dezelfde herinneringen. Ik zou alleen mijn tijd doorbrengen met andere dingen.'

Een man in een lycra fitnesspak komt naar ons toe en zegt: 'Neem me niet kwalijk, gebruiken jullie dit apparaat nog?'

'Sorry. Ga je gang.' David stapt bij het apparaat vandaan. 'Wil je een beetje water?' Hij loopt naar de waterkoeler en haalt voor ons allebei een papieren bekertje vol met water. Zo staan we daar in stilte en drinken onze beker leeg.

'Dus je hebt echt het gevoel dat je een ander mens bent?' Hij verfrommelt zijn bekertje en gooit het in de prullenbak.

'Het is gecompliceerd. In zekere zin wil ik een ander mens zijn. Maar tegelijkertijd is dat een heel beangstigende gedachte.'

'Hoe anders?'

Ik kijk hem aan. 'Dat klinkt als een grote vraag.'

'Misschien. Waar hebben we het hier over?'

'Ik weet het niet. Het begon met een gesprek over Maribel Steinberg.'

Hij is even stil en staat te kijken naar de mannen die verderop voor de spiegel staan te zwaaien met de loodzware vrije gewichten. Hun spieren puilen door hun minuscule shirts heen. 'Die mannen, de echte gewichtheffers, de helft van hen is begonnen als het dikkerdje dat gepest werd op de basisschool. Denk je dat zij zich nu nog steeds dezelfde persoon voelen?'

'De manier waarop mensen je zien, beïnvloedt je persoonlijkheid. Vraag dat maar aan om het even welke vrouw die veel is afgevallen. Mensen reageren anders op je, en dus begin je jezelf ook anders te zien.'

Hij kijkt naar me. 'Ik voel me nog steeds achtentwintig, maar mensen zien me als iemand van zesenveertig. Voelde jij je niet nog steeds een slanke vrouw nadat je dik was geworden?'

'Natuurlijk, maar dat duurde niet lang. Na een poosje word je onzeker over je lichaam omdat je in de gaten krijgt hoe mensen naar je kijken. Er waren dingen die ik misschien wel gezegd of gedaan zou hebben toen ik mager was die ik niet wilde zeggen of doen toen ik dik werd. Ik dacht ze nog wel, maar ik zou me belachelijk hebben gevoeld als ik ze had gezegd.'

'Echt waar? Het veranderde wat je tegen mensen wilde zeggen?'

Ik knik. 'En na een poosje houd je op met die dingen te denken. In plaats daarvan denk je aan de dingen die je *wel* kunt zeggen. Je maakt meer grapjes. Je praat niet meer op dezelfde manier over eten of kleren of seks. Dus als het je manier van denken verandert, is dat dan niet een behoorlijk fundamentele verandering in je persoonlijkheid?'

Hij wendt zijn blik af. 'Het ziet ernaar uit dat we nu weer verder kunnen op het gewichtenapparaat.'

We werken ons programma zwijgend verder af. Ik heb het gevoel dat we dicht bij een belangrijk punt zijn gekomen, maar dat we allebei de moed verloren. Het is niet dat ik hem wil vertellen wat er zoal met mij is gebeurd de laatste tijd; het idee is angstaanjagend. Maar ik heb het gevoel dat hij wel moet weten dat er *iets* is gebeurd, want wat heeft het anders voor zin dat we getrouwd zijn?

Een grote vraag. En eveneens angstaanjagend.

Maar ik voel ook dat hij net zo goed dingen te zeggen heeft. Mijn dieet heeft hem duidelijk niet onberoerd gelaten. Hij komt alsmaar dicht bij een serieus gesprek erover, en dan deinst hij er vervolgens voor terug. Al dat geprat over een verandering in persoonlijkheid kan niet zomaar een abstracte vraag zijn. Waarom kan hij niet praten over wat hem werkelijk dwars zit? Waarom alsmaar om het onderwerp heen draaien?

Het antwoord spreekt vanzelf. Wat het ook is wat hij denkt, hij is bang dat het echt zal worden als hij het uitspreekt.

En waarschijnlijk heeft hij gelijk. Zouden we echt weer terug kunnen gaan naar hoe het was als we uitspraken wat ons dwarszat?

Nee. Nu niet meer, na wat ik heb gedaan.

'Zo, wat gaan we doen vandaag?'

'Knip het maar kort,' zeg ik resoluut tegen Carlo. 'Ik wil eruit zien als Winona Ryder.'

Hij kijkt me verbaasd aan. *'Echt waar?'*

Onwillekeurig moet ik lachen. Hij ziet eruit als een klein jongetje dat zijn moeder al maanden om een stuk speelgoed smeekt, en zijn oren niet kan geloven als ze eindelijk ja zegt.

'Ik ben toe aan iets anders. We doen het gewoon.'

Hij grijnst en pakt zijn schaar. 'Lieverd, mijn dag kan niet meer stuk.'

Ik haal diep adem en doe mijn ogen dicht. Ik kan zijn schaar vlak onder mijn rechteroor aan het werk horen gaan. Ik stel me de blik voor op Michaels gezicht als hij me in zijn richting ziet komen lopen in het warme Californische zonlicht. Zal hij me wel herkennen, of zal hij – heel even maar – het meisje zien dat hij in Florida heeft gekend, met haar korte haar en haar makkelijke glimlach? Ik koester die gedachte terwijl Carlo zijn angstaanjagende wonderen verricht. Als hij eindelijk klaar is, doet hij een stap naar achteren, zet zijn föhn uit, en gedurende lange tijd is er enkel stilte.

'Doe je ogen maar open,' zegt hij.

'Wie is hij?' vraagt Liz dwingend wanneer we elkaar die dag ontmoeten voor de lunch.

'Wie?'

'Niemand brengt al dit soort veranderingen aan voor haar *man.*' Ze tuit haar lippen en bestudeert mijn nieuwe kapsel. 'Het is een compleet nieuwe Eva. Je ziet eruit alsof je zojuist de appel hebt opgegeten.'

Ik herkende mezelf amper toen ik zag wat Carlo had gedaan. Mijn haar, dat 's morgens slap en futloos had gehangen, krulde nu over mijn oren in een schattige boblijn die halverwege mijn nek eindigde. Ik kon de verleiding niet weerstaan om eraan te komen en streek met mijn vingers over de zachte uiteinden.

We zitten op een retrobank in een kapsonesbar genaamd 1972 op Ninth Avenue. Al het meubilair ziet eruit alsof het afkomstig is uit iemands voorstedelijke speelkamer, en ze draaien alleen muziek uit dat jaar – 'Layla', 'A Horse with No Name', 'Lean on Me', 'Heart of Gold', en 'The First Time Ever I Saw Your Face'. Later op de avond, zo vertelt Liz, zal een dj krasserige oude albums komen draaien, zoals *Exile on Main Street, Eat a Peach, Can't Buy a Thrill, Catch Bull at Four, Harvest, Close to the Edge*, Nick Drake's *Pink Moon* (hetgeen tot mijn verbazing reïncarneerde als een verlegen geest in een reclame voor auto's een paar jaar geleden), *Thick as a Brick*, en *Catch a Fire*. Op ons na zien de klanten er allemaal uit alsof ze jonger zijn dan vijfentwintig. Voor hen is het pure culturele nostalgie, maar ik *herinner* me deze liedjes van vroeger. Het is bijna pijnlijk.

Liz neemt me kritisch op terwijl de ober onze drankjes brengt. Hij is belachelijk knap, het soort knul dat reclame zou moeten maken voor ondergoed op een billboard op Times Square, ware het niet dat zijn haar te lang en te steil is, alsof hij net uit de bus uit Wichita is gestapt. 'Gooi het er nou maar uit. Wie is hij?'

'Is het nooit bij je opgekomen dat ik het misschien wel voor mezelf doe?'

'Ja, vast. En als je maar aan leuke dingen denkt, kun je naar Nooitgedachtland vliegen.' Ze neemt een slok van haar drankje. 'Even zonder dollen, meid. Je ziet er fantastisch uit. Twintig jaar jonger.'

Ik ben verrukt. 'Dank je, Liz. Zo voel ik me ook.'

'Ik ben blij voor je.' Ze staart naar de andere kant van het vertrek. 'Had ik al gezegd dat ik heb besloten om lesbienne te worden?'

'Dat is een grapje, zeker?'

'Laten we zeggen dat ik het idee aan het aftasten ben. Ik heb vorige week een informatief interview gegeven aan een NYU studente die geïnteresseerd is in een carrière in het design wezen. Leuke griet; een van mijn klanten is haar tante. Ik liet toevallig vallen dat mijn klanten voornamelijk recent gescheiden vrouwen zijn die al hun teleurstelling in mannen steken in het opnieuw inrichten van hun appartement, en ze keek me volmaakt onschuldig aan en zei: "Waarom gaan ze dan niet met een vrouw naar bed?"' Liz schudt verwonderd haar hoofd. 'Alsof het het meest vanzelfsprekende idee van de wereld is. En toen drong het ineens tot me door, het *is* het meest vanzelfsprekende idee van de wereld. Vrouwen van mijn leeftijd zitten vast in een verkopersmarkt als we blijven proberen om met mannen uit te gaan. We proberen allemaal hetzelfde schaarse goed te kopen, dus de prijs blijft maar stijgen, en algauw kun je je effectenmakelaar niet meer aan de telefoon krijgen.'

'Ik ga niet eens vragen wat dat betekent.'

'Maar de stad barst van de aantrekkelijke, alleenstaande vrouwen,' vervolgt ze. 'Als we een pact konden sluiten en met elkaar uit zouden kunnen gaan, zouden we het systeem tuk hebben. Die griet vertelde me dat meiden van haar leeftijd tegenwoordig allemaal met elkaar naar bed gaan. Als je op vrijdagavond geen vent kunt vinden, bel je gewoon een van je vriendinnen op en dan heb je het heerlijk samen.'

Ik moet onwillekeurig lachen. 'De kinderen zullen onze gids zijn.'

'Nou en of. Ik durf te wedden dat Chloe het ook doet.'

'Alsjeblieft.' Ik hef een hand op om haar de mond te snoeren. 'Ik wil niets weten over Chloe's seksleven. Dat zijn haar zaken.'

'Maar je snapt wel wat ik bedoel, hè? Het is simpele economie.'

'En als je geluk hebt, kun je elkaars kleren lenen.'

Ze neemt me taxerend op. 'Dat is een nieuwe outfit.'

'Ja, ik ben gisteren wezen winkelen. Mijn maat was alweer veranderd. Het lijkt wel alsof ik meer tijd doorbreng met kleding kopen dan met werken.'

Liz is even stil. 'Misschien is het tijd om te stoppen.'

'Bijna. Ik heb nog een paar pondjes te gaan.'

Ze kijkt naar mijn cranberrysap met mineraalwater, en slaat haar ogen dan op naar mijn gezicht. 'Serieus, je ziet er geweldig uit, meid. Je kunt nu wel stoppen.'

'Nog een maand. Ik ben zo ver gekomen, dan kan ik het ook net zo goed afmaken.'

'Weet Chloe het?'

Ik kijk haar verbaasd aan. 'Ze weet dat ik aan de lijn doe. Hoezo?'

'Het zou wel eens een hele verrassing kunnen zijn om thuis te komen en tot de ontdekking te komen dat je moeder haar leven op de schop heeft genomen.'

'Ik denk dat ze trots op me zal zijn.'

'Dat weet ik wel zeker. Totdat je haar kleren gaat dragen en met haar vriendjes uit begint te gaan.'

Ik moet lachen. 'Een minuut geleden was je me nog aan het vertellen dat ze lesbisch is.'

'Niet lesbisch, gewoon flexibel. Creatieve oplossingen voor het probleem van verminderde verwachtingen.'

'Sinds wanneer zouden wij dan achter dezelfde mannen aan zitten?' Ik schud geamuseerd mijn hoofd. 'Bovendien ben ik getrouwd.'

'Hmm. Ze zeggen het.'

Zo gaat het met Liz. Alsmaar in kringetjes rond, niets staat ooit stil op zijn plaats, totdat zij besluit dat het tijd is dat de muziek ophoudt. Ik zou het irritant kunnen vinden, alleen spelen we dit spelletje al zo vele jaren. Het is bijna troostend, onveranderlijk terwijl de wereld steeds sneller is gaan rondtollen.

'Ik vlieg dit weekend naar Californië.'

'O ja? Zaken of plezier?'

'Ik moet een architect interviewen. Maar het zal fijn zijn om een paar dagen zon te pakken.'

'Dus de bikini gaat mee in de koffer?'

'Ik denk niet dat ik veel strandtijd zal hebben. Misschien huur ik wel een cabrio en ga ik met open dak rondrijden.'

Ze trekt een gezicht. Als rasechte New Yorker gaat Liz zelden de stad uit, en dan alleen nog maar naar de Hamptons. Een van haar welvarende klanten nodigt haar meestal wel een keer uit voor een weekendje, en dan is ze de hele tijd de uren aan het tellen tot ze weer terug kan. Manhattan is haar sprookjesland: je dromen mogen er dan misschien niet altijd uitkomen, maar er zijn altijd nieuwe vallende sterren om een wens te doen.

'Hebben ze dan architectuur in Californië?'

'Kennelijk. Ze hebben architecten.'

'En je kon er hier geen vinden die de moeite van het interviewen waard was?'

'Onze lezers hebben geen boodschap aan architecten uit New York. Ze zijn alleen geïnteresseerd in huizen.'

'En waar ben jij in geïnteresseerd?' Ze trekt haar wenkbrauwen op. 'Of is slank zijn al beloning genoeg?'

Ze draaien 'The Candy Man' nu. Ik pak een gedrukt kaartje van de tafel en bekijk de lijst met leuke wetenswaardigheden over 1972.

'Wist je dat Eminem in 1972 geboren is? En Snoop Doggy Dogg?'

Liz rolt met haar ogen. 'Drie dagen na elkaar, ik weet het. Het was een historische week. Ik heb het gelezen.'

'Andere gebeurtenissen in 1972 waren onder meer de opening van de twin towers van het World Trade Center, het eerste recombinant DNA, Nixons reis naar China, het SALT I verdrag, de aanslag op George Wallace, het moordproces van Angela Davis, de verkiezing van Juan Perón tot president van Argentinië, het bloedbad van München, Mark Spitz' zeven gouden medailles voor het zwemmen, de terugtrekking van de laatste Amerikaanse grondtroepen uit Vietnam, Bobby Fischers schaaktweekamp tegen Boris Spassky, de Watergate inbraak, Nixons herverkiezing, en de Dow Jones index die voor het eerst de 1000-puntengrens bereikte.'

'En ze vonden die Japanse soldaat die zich nog steeds schuilhield in de jungle.' Liz reikt over de tafel heen en pakt de kaart uit mijn hand. 'Als je blijft lezen, kom je bij het feit dat de grote films *The Godfather, Cabaret,* en *Deliverance* waren, en dat *M*A*S*H* voor het eerst op televisie was. Heel fascinerend allemaal, maar ik ben meer geïnteresseerd in het heden.'

'Heb jij wel eens zes maanden lang elke dag hetzelfde gegeten? Dat is niet bepaald spannend.'

'Hebben we het nu over je dieet of over je huwelijk?'

'Jij schijnt te denken dat die twee dingen hetzelfde zijn.'

'Dat is waarschijnlijk de reden waarom ik niet getrouwd ben. Maar aan de andere kant, ik ben ook niet te dik.' Ze kijkt me aan en haar gezicht wordt ernstig. 'Er is een verschil tussen elke dag hetzelfde eten en verhongeren.'

'Wil je zeggen dat ik niet moet zeuren en dankbaar moet zijn voor wat ik heb?'

'Nee, ik zeg dat je het niet vanzelfsprekend moet vinden. Er zijn een heleboel mensen die honger lijden.'

We zitten een poosje zwijgend bij elkaar. Dan klinkt 'I Am Woman' uit de speakers, en we rollen allebei met onze ogen.

'Heb jij ook zo'n hekel aan ironie?' vraagt Liz.

127

Voor ik het weet, is het vrijdag. David heeft de hele dag door vergaderingen, dus we zeggen elkaar bij het ontbijt gedag en hij gaat naar kantoor, zodat ik me kan concentreren op het chaotische, last minute inpakken van mijn koffer: nauwsluitend zwart jurkje, sexy zwarte niemendalletjes, de juiste schoenen voor het chique restaurant in het kuuroord. Roodzijden cheongsam, pakje condooms, maar ook een doos tampons aangezien ik elk moment ongesteld kan worden – en wat zou er onhandiger kunnen zijn dat het gebeurt op het moment dat ik in L.A. uit het vliegtuig stap? We gaan ook over Michaels perceel lopen, dus ik gooi er spijkerbroeken, T-shirts en een paar gympies in. Wat trek je aan om een steenmassage te ondergaan? Het kuuroord heeft waarschijnlijk donzige badjassen, zoals altijd in alle folders staat, maar ik gooi er voor de zekerheid ook nog maar een sportbroekje in. Misschien is er een fitnessruimte en zal ik de kans krijgen om nog wat aan mijn conditie te werken tussen alle architectuur, seks en steenmassages in. O ja, en een dictafoon, voor ons interview.

Ik stel me ons voor, zittend op een paar rotsen op een zonovergoten helling terwijl ik hem de vragen stel die ik heb voorbereid, een fles wijn en een zachte kaas bij de hand. Of misschien in bed, allebei naakt, Michael languit op zijn rug met zijn handen achter zijn hoofd, omhoog starend naar het plafond terwijl hij over mijn vragen nadenkt, zijn zorgvuldig geformuleerde antwoorden geeft. Ik zit dan rechtop, leunend tegen het hoofdeinde van het bed, mijn aantekeningen opengeslagen op mijn schoot.

Ineens dringt het tot me door dat dat misschien niet de meest flatteuze positie is voor een naakte vrouw van begin veertig, zelfs niet voor eentje die elke dag naar de sportschool gaat, dus ik trek ons vlug allebei een badjas aan. We zijn net terug van onze massage. *Eerst het interview,* houd ik vol, *daarna kunnen we vrijen.* Michael stemt in, maar zijn ogen blijven mijn kant uit dwalen, en zijn groeiende verlangen voegt een speelse noot toe aan zijn antwoorden, totdat hij ten slotte zijn armen uitsteekt, de aantekeningen van mijn schoot pakt en ze op de grond smijt. Maar hij vergeet de dictafoon, en die neemt alles op wat er daarna volgt, vergeten totdat het ding drie kwartier later plotseling afslaat terwijl wij op adem liggen te komen.

Michael lacht en vraagt: 'Heb ik je vraag daarmee naar tevredenheid beantwoord?'

En een paar dagen later, terwijl ik het opgenomen gesprek uit zit te werken, kom ik bij dat punt op het bandje en blijf ik als verstijfd zitten onder mijn koptelefoon, geheel in beslag genomen door de geluiden van onze vrijpartij, deze opnieuw belevend met elke kreun, iedere kraak van het luxueuze kingsize bed.

Zou ik in staat zijn om mezelf te dwingen de opname te wissen? Of zou ik in de verleiding komen om zo dom te zijn om het bandje te bewaren, het te verstoppen om naar te luisteren tijdens het masturberen, als een of andere stiekeme tienerjongen met Playboys onder zijn bed? De gedachte is zowel opwindend als angstaanjagend. Wat als David het zou vinden? Het eerste deel van het bandje zou saai zijn, gewoon een interview. Maar wat als hij zou blijven luisteren, totdat hij mijn aantekeningen op de grond hoorde vallen en alle vragen definitief werden beantwoord? De gedachte vervult me met schaamte, maar tot mijn nog veel grotere schaamte ook met opwinding. In mijn jonge jaren had ik altijd een heimelijke fantasie over op heterdaad betrapt worden, blootgesteld, een gordijn dat plotseling werd weggetrokken om alles aan een hele mensenmenigte te laten zien. In de fantasie had mijn minnaar niets in de gaten of ging hij zo op in de daad dat het hem niets kon schelen, en ik, balancerend op de rand van een climax, kon er niets aan doen dat ik een donderend orgasme kreeg terwijl het publiek van leraren, familieleden en goede vrienden van de familie toekeek.

Wat zegt het over mij dat ik dit heimelijk exhibitionistische trekje bezit? Is het de blootstelling die ik opwindend vind, of uitdagend gedrag? Zou een feministe argumenteren dat de fantasie slechts een manier is om mijn verlangen op te eisen, mijn eigen lichaam, in plaats van me door de buitenwereld te laten vertellen wat ik opwindend zou moeten vinden? Alles aan ons is een verwarrende kluwen van maatschappij en eigen ik, inclusief onze seksualiteit. Maar zou die niet alleen van onszelf moeten zijn? *Kan* het dat ooit zijn? Kan iets opwindend zijn als er niemand is die het afkeurt?

Misschien moeten we het interview in bed maar overslaan. Het is sowieso beter om het ter plaatse te doen, zodat ik de fotografe foto's kan laten maken van alles wat Michael aanwijst als zijnde belangrijk.

Als ik klaar ben met pakken, heb ik nog tien minuten over voordat ik een taxi moet nemen. Het is halverwege de middag in Parijs. Chloe zit waarschijnlijk in de les, maar van vliegen word ik altijd nerveus, dus ik probeer haar mobiele telefoon. Zoals verwacht krijg ik haar voicemail, en de gedachte schiet door mijn hoofd dat als mijn vliegtuig neerstort, dit het bericht zal zijn dat ze krijgt vanaf de andere kant van het graf, zoals die afschuwelijke verhalen van mensen die thuiskwamen op 11 september om stemmen te vinden op hun antwoordapparaat van dierbaren die ze nooit meer zouden zien.

'Hoi, Chloe. Met mama. Ik weet dat je waarschijnlijk in de les zit, maar ik ga zo naar het vliegveld voor mijn reis naar Californië, en ik wilde alleen maar even zeggen dat ik van je houd. O, en ik heb mijn haar geknipt. Ik probeer het vanavond nog wel even als ik in L.A. ben.'

Ik hang op en voel me onnozel. Ze zal waarschijnlijk met haar ogen rollen en tegen haar vrienden zeggen: 'Mijn moeder is zo neurotisch. Elke keer dat er iemand van ons in een vliegtuig stapt, doet ze alsof we elkaar nooit meer zullen zien, dus dan moeten we een heel ritueel doorlopen van dingen zeggen die we per se gezegd wilden hebben als het toestel zou neerstorten.'

Maar ik doe dit niet *altijd*. Ik deed het niet toen David naar Miami vloog. Uiteraard had ik toen andere dingen aan mijn hoofd.

David lijkt nu al net zo afgeleid te zijn. Toen ik thuiskwam met mijn nieuwe kapsel, staarde hij me met open mond aan, herstelde zich toen en zei: 'Wauw! Dat is een hele verandering!'

'Ten goede, hoop ik?'

'Het staat je heel goed. Maakt je een stuk jonger.'

Vervolgens ging hij weer verder met zijn manuscript.

Ik staarde hem aan. *Is dat alles? Twintig jaar hetzelfde kapsel, en dat is alles wat je erover te zeggen hebt?*

Ik ging de badkamer binnen en staarde een hele tijd naar mezelf in de spiegel. 'Nou, ik vind het mooi.'

En ik heb het niet voor jou gedaan.

Ik sleep mijn koffer naar buiten, waar ik een taxi aanroep en de chauffeur de ochtend van zijn leven bezorg door te zeggen: 'La Guardia, alstublieft.'

Ik stap uit in L.A. en voel me een mondaine reiziger die van kust naar kust vliegt op een geheime pleziermissie – en op kosten van de zaak. Het voelt behoorlijk glamoureus om door de aankomsthal op LAX te benen met mijn *New York Times* onder mijn arm en een beroemde architect die op me wacht om me mee te nemen naar een luxueus kuuroord.

Michael had aangeboden om me op te halen van het vliegveld, maar ik had geweigerd. 'Jij hebt het druk,' zei ik tegen hem. 'Ik huur wel een auto en dan ontmoeten we elkaar in Ojai.'

'Zeker weten? Dat betekent dat je over de snelwegen van Los Angeles zult moeten rijden.'

Ruim twintig kilometer op de I-405, dan iets meer dan tachtig kilometer op de 101, tot voorbij Ventura, waar ik van Highway 33 af draai om de bergen in te gaan. Een kleine honderddertig kilometer in totaal. De routeplanner vertelt dat ik rekening moet houden met een reistijd van anderhalf uur, en ik hou vol tegenover Michael dat het geen probleem is. Waarom zou hij helemaal vanuit Santa Monica hierheen moeten komen rijden, alleen om mij op te halen? Ik ben uitstekend in staat om een auto te huren en hem in Ojai te ontmoeten. Ik kan er niets aan doen dat ik heimelijk denk dat hij mijn onafhankelijkheid aantrekkelijk zal vinden. Of misschien ben ik er gewoon huiverig voor om vast te zitten in de bergen als de dingen niet goed gaan.

Ik begin bijna onmiddellijk aan mijn besluit te twijfelen. Het autoverhuurbedrijf heeft niet de Civic waar ik om heb gevraagd, dus geven ze me een Buick Century mee, die voelt alsof ik in een zitzak rijd. Met de vertraging is het al na drieën als ik op weg ga, en de vrijdagmiddagspits begint al op gang te komen. Dus daar zit ik dan, in een file op de 405, als mijn gsm overgaat.

'Hé,' zegt Michael. 'Waar ben je?'

'Nou, op dit moment zit ik achter een zwarte Hummer en voor een pick-up. Dat is zo ongeveer het enige wat ik kan zien.'

Hij lacht. 'Welkom in L.A. Heb je een goede vlucht gehad?'

'Niet slecht. Maar sinds wanneer krijg je niet meer van die zoutjes bij je drankje?'

'Dat heeft met bezuinigingen te maken. Denk je eens in hoeveel ze zouden kunnen sparen als ze helemaal geen passagiers meer meenamen.' Er valt een stilte. 'Eva, de plannen zijn enigszins gewijzigd, en ik vond dat ik je moest waarschuwen.'

Mijn maag draait om bij die woorden. Hij gaat me laten zitten. Ik ben helemaal hierheen gekomen, en nu belt hij op om te zeggen dat hij het niet redt. Heel even vraag ik me af of ik naar rechts moet zien proberen te komen om een afrit te nemen, om terug te rijden naar het vliegveld. Ron zal niet willen betalen voor mijn weekendje in een kuuroord tenzij hij een voorpaginaverhaal krijgt. Ik houd mijn toon kalm als ik vraag: 'Wat is er aan de hand?'

'Mijn vrouw wil mee naar Ojai. Ze hoorde dat je een reportage maakt over het huis voor een tijdschrift en het leek haar wel leuk.'

Al doe ik nog zo mijn best om kalm te blijven, ik kan de schrik in mijn stem niet verbergen. 'Je *vrouw*?'

'Het spijt me. Als je ervan af wilt zien, dan vind ik dat prima. Ik kan me voorstellen hoe raar dit voor jou zou zijn.'

Nee, dat kan hij niet. Zijn *vrouw*? Ga ik echt het weekend doorbrengen met onnozel glimlachen tegen de vrouw met wier man ik net een hele week het bed heb gedeeld? Is hij gek geworden?

'Eva?'

Aan de andere kant, hoe zou ik aan Ron moeten verklaren waarom ik nu omdraai en naar huis ga, alleen omdat Michael Foresmans vrouw met ons mee wilde voor de bezichtiging van het huis?

Ik zou moeten liegen, tegen hem moeten zeggen dat er iets tussen was gekomen en dat Michael het interview op het laatste moment had afgezegd. Dat kon hij me niet kwalijk nemen, toch? Maar als hij er ooit achter kwam...

'Eva? Ben je er nog?'

'Ja, ik ben er nog.' De Hummer voor me kruipt een paar meter voorwaarts en ik volg automatisch. 'Michael, ik weet niet of ik dit wel kan.'

'Geen probleem. Ik begrijp het volkomen. Ik zal gewoon tegen haar zeggen dat er iets tussen is gekomen en dat je het interview moest afzeggen.'

Dan zouden we dus allebei dezelfde leugen vertellen. Ineens walg ik van mezelf. Is dit wat er van mij geworden is? Ga ik de rest van mijn leven dan alleen maar liegen tegen iedereen?

'Michael, we moeten gewoon doorzetten en het interview houden. Het overrompelde me even, maar ik kan het wel aan.'

'Echt waar?' Hij klinkt weifelend.

'Ja hoor. Ik heb mijn uitgever een interview en een fotoreportage beloofd. Hij houdt er ruimte voor vrij in ons volgende nummer. Ik kan er niet maar gewoon de bruï aan geven omdat ik je vrouw zal moeten ontmoeten.'

Er valt een lange stilte, en ik voel dat hij wenst dat ik gewoon had besloten om er de bruï aan te geven. Dit zal voor hem ook moeilijk worden. *Je maakt er maar het beste van,* denk ik kwaad. *Dat ga ik ook doen.*

'Oké,' zegt hij ten slotte. 'Wat jij wilt. Ik zal het kuuroord bellen en kijken of ik een andere kamer kan krijgen.'

'Misschien kan ik beter ergens anders logeren. Er zullen toch ook nog wel andere hotels zijn in de stad, of niet?'

'Weet je het zeker? Ik vind dit echt heel vervelend.'

'Ik zou nooit in zo'n chique tent hebben gelogeerd als ik gewoon op zakenreis was.'

'Oké, laat mij een paar telefoontjes plegen, dan bel ik je zo terug. Hoe laat denk je dat je er zult zijn?'

Ik kijk naar de eindeloze rij stapvoets rijdend verkeer voor me. 'Dat duurt nog wel even, denk ik.'

Het blijkt een druk weekend te zijn in Ojai, en Michael heeft moeite om een kamer voor me te vinden. Maar twee uur later, als ik in de buurt van Ventura kom op de 101, belt hij me om te zeggen dat er een annulering was bij het Best Western, dus dat hij die kamer voor me heeft genomen.

'Het ziet ernaar uit dat wij er rond zevenen zullen zijn,' zegt hij. 'Wil je samen met ons dineren?'

'Zou je het erg vinden als ik gewoon zelf ergens wat ging eten en we elkaar pas morgenochtend ontmoeten? Het is een lange dag geweest, en ik wil hier liever niet aan beginnen als ik uitgeput ben.'

'Dat is prima.' Hij klinkt opgelucht. 'Waarom spreken we niet af om elkaar voor het ontbijt te ontmoeten rond negen uur morgenochtend? Als jij naar de Inn komt, kunnen we gaan ontbijten bij de Oak Grill. Moet ik je nog een paar restaurants aanbevelen voor vanavond?'

'Ik red me wel. Hoe gaan we het spelen morgenochtend?'

'Hoe bedoel je?'

'Doen we alsof we elkaar nog nooit hebben ontmoet?'

Hij aarzelt. 'Zou je dat vervelend vinden?'

'Niet zo vervelend als dat je vrouw erachter zou komen dat je met me naar bed bent geweest.'

Hij lacht niet. 'Dus we hebben gecorrespondeerd en elkaar door de telefoon gesproken, maar we hebben elkaar nog nooit ontmoet.'

'Hoe moet ik dan weten wie je bent?'

'Nou, mijn foto heeft een paar maanden geleden in *Time* gestaan. Maar ik zal tegen de gastvrouw zeggen dat we een afspraak hebben met jou. Als jij er als eerste bent, geef je je naam op bij haar, en dan zal ik hetzelfde doen. Zij zal ons dan wel met elkaar in contact brengen.'

Ik voel mijn woede terugkeren. *Dit is zo'n gezeik.* Maar ik blijf kalm. 'Dat is prima. Ik zie je morgenochtend.'

Ik kom rond vijven in Ojai aan. De hotelreceptioniste wijst me de weg naar een café, waar ik een salade neem, en vervolgens loop ik een paar uur door de stad, galerietjes en winkels bekijkend. Ik snap wel waarom Michael het hier fijn vindt. Het is een kunstenaarsstadje, midden in een oogverblindend landschap. De naam betekent 'nest van de maan' in het Chumash, een Indiaanse taal, en dat kan ik ook zien: de vallei waar het stadje in ligt, is van een onaardse schoonheid, zodat het eruitziet als het soort plek waar de maan tot rust zou kunnen komen na haar lange reis.

Ik staar omhoog naar de heuvels die het stadje omringen terwijl ik gedeprimeerd terugloop naar mijn hotel. Wat ga ik morgenochtend tegen Michaels vrouw zeggen? Ik haat de gedachte om het hele interview lang toneel te moeten spelen, te moeten doen alsof ik Michael niet ken, alsof ik niet weet dat ze geen enkele belangstelling voor het huis had totdat ze hoorde over het tijdschriftartikel. Ik stel me voor hoe ze over het terrein zal rondbanjeren, zich zal laten fotograferen terwijl ze uitkijkt over de vallei alsof ze hier altijd komt om rust te vinden.

Het is een bekend verschijnsel. Zeg tegen een lid van de beau monde dat je van plan bent een artikel te schrijven over haar huis, en alle scheuren in haar leven worden ineens gedicht: vervreemde echtgenoten duiken op om lezend in de bibliotheek gefotografeerd te worden (eentje hield nota bene het boek ondersteboven), en kinderen die normaal gesproken alleen maar bellen als ze geld nodig hebben voor drugsverslavingen verschijnen keurig gekleed en goed verzorgd, pronkend met de glimlach die ze is aangeleerd op Groton of Choate. Nadat de foto's genomen zijn, terwijl de fotograaf zijn spullen inpakt, verdwijnt de glimlach en verspreiden de gezinsleden zich om hun individuele verdorvenheden na te jagen. Ze hebben de schijn lang genoeg opgehouden om vereeuwigd te worden als gelukkig gezin op de pagina's van een tijdschrift dat gewijd is aan verfijnd leven. Wat kan een mens nog meer van hen verlangen?

Het is deprimerend om Michael als een van die mensen te zien. Waarom kon zijn vrouw niet gewoon in L.A. blijven, vraag ik me af als ik in mijn eenzame bed kruip. Of nog beter, waarom had ze niet kunnen trouwen met een man die haar interesses deelde, en Michael overlaten voor diegenen van ons die zijn dromen begrijpen?

De volgende ochtend rijd ik naar de Ojai Inn om hen te ontmoeten. Ik heb nauwelijks geslapen. Rond 3.00 uur 's nachts ben ik uiteindelijk opgestaan om mijn vragen voor het interview vollediger uit te schrijven dan de haastig neergekrabbelde aantekeningen die ik had gemaakt. Ik controleer de batterijen in mijn dictafoon; zoek mijn lege bandjes uit. Ik zal kordaat en professioneel zijn. Ik klap de strijkplank uit en laat een koel strijkijzer over mijn shirt glijden om de kreukels van het vervoer weg te werken. Terwijl ik de kleren opgraaf die ik van plan ben aan te trekken, stuit ik op de doos met condooms. Met een misselijk gevoel in mijn maag smijt ik ze in de prullenbak in de badkamer. Het sexy ondergoed prop ik helemaal onder in de koffer, uit het zicht. Vandaag ga ik degelijke katoen aantrekken. Ik zal mijn hoofd leegmaken en alleen aan architectuur denken.

Ik arriveer vroeg bij de Inn, neem een tafel in de Oak Grill, en bestel een pot koffie. Ik wil al zitten wachten als ze arriveren, zodat ik niet door de eetzaal naar hen toe zal hoeven lopen om hen te begroeten. Ik zal gewoon opstaan uit mijn stoel zodra ze eraan komen, glimlachen en zeggen: 'Michael?' met mijn hand uitgestoken, alsof we elkaar nu eindelijk ontmoeten na weken van brieven, e-mails en telefoontjes.

In werkelijkheid heb ik net ontdekt dat er een vlekje op mijn shirt zit als ze binnenkomen, en ben ik bezig dat met een servet weg te poetsen als ik voetstappen hoor, en Michael zegt: 'Jij moet Eva zijn.'

Ik kijk verrast op. Hij glimlacht naar me, en ik zie dat hij mijn nieuwe uiterlijk in zich op neemt. Maar nu komt zijn vrouw naast hem staan, en ik zie meteen aan de uitdrukking op haar gezicht dat ze ruzie hebben gehad. Vermoedt ze iets? Er is geen tijd om nerveus te worden, dus ik sta op van de tafel, geef Michael een hand en zeg tegen hem dat het enig is om hem eindelijk te ontmoeten.

'Hoe was je reis?'

'Prima. Totdat ik de 405 op draaide.' Ik draai mijn gezicht naar haar toe, steek glimlachend mijn hand uit. 'Hallo, ik ben Eva Cassady. Aangenaam kennis te maken.'

Geschokt realiseer ik me dat ze niet de elegante blondine is die ik me had voorgesteld, maar een donkerharige vrouw van ongeveer mijn lengte, en een flink stuk zwaarder dan ik nu ben. Het is bijna alsof ik naar mezelf kijk zoals ik een paar maanden geleden was.

'Ik ben Mari Foresman,' zegt ze, en we schudden elkaar de hand. 'Welkom.'

We kletsen wat tijdens het ontbijt, en tot mijn verbazing merk ik dat ik haar aardig vind. Voordat hun dochter geboren werd, heeft ze gewerkt als lerares in het speciaal onderwijs in oost Los Angeles, en nu zit ze in het bestuur van een organisatie die voorzieningen biedt voor geestelijk gehandicapten. Ze is niet de elegante society echtgenote; ze is de sociaal bewogen echtgenote, wier ongeduld over Michaels werk niet voortvloeit uit het feit dat het zo vreemd en avant-gardistisch is, maar meer uit het feit dat het zelfzuchtig is, niet sociaal betrokken. Uiteraard *zegt* ze dat niet. Maar als Michael praat over zijn verlangen om korte metten te maken met de traditionele opvattingen over het huis, dat van binnen naar buiten toe is opgebouwd vanuit de keuken en haard in lagen van welvaartsvertoon door het nabootsen van de vleugels die werden aangebouwd aan Palladiaanse villa's, zie ik een geduldige glimlach verschijnen op haar gezicht. Het is duidelijk dat ze hem deze toespraak al vele malen heeft horen geven.

'De meeste mensen koken nog steeds in hun keuken,' zegt ze mild op enig moment. 'Als de keuken zich in het hart van het huis bevindt, is dat omdat gezinnen samenkomen om te eten en uit elkaar gaan om te slapen. Maar dat is een luxe. Ga maar eens in Chiapas kijken; dan zul je zien dat de arme boeren koken en slapen in hetzelfde vertrek. En de meesten van hen hebben nog nooit van Palladio gehoord.'

Michael kijkt geïrriteerd vanwege deze onderbreking. Hij kijkt niet naar haar, buigt zich gewoon naar voren om zijn standpunt rechtstreeks aan mij uiteen te zetten. 'Er is geen enkele reden om onszelf te beperken tot dat type huis,' houdt hij vol, 'net zomin als we ons een bankgebouw moeten voorstellen als een stenen fort met grote pilaren ervoor. De meeste banken van tegenwoordig zijn glazen torens, omdat ze niet langer in contant geld doen – geld wordt elektronisch verplaatst. En hetzelfde geldt voor onze levens. Voedsel vormt niet langer het hart van onze cultuur; tegenwoordig is dat informatie. De flatscreen tv is de nieuwe haard. Het duurt niet lang meer voordat ramen zullen worden vervangen door computerschermen.'

'En is dat een goede ontwikkeling?'

'Het is goed noch slecht. Evolutie is geen moreel proces; het is puur een reactie op de werkelijke omstandigheden van het leven. We zijn een ras dat evolueert van een individueel bewustzijn naar een collectief model van informatie delen. Wat de sciencefiction-schrijvers vroeger de "hive mind" noemden. En het gaat steeds snel-ler. De computer met internetverbinding is nu al van het bureaublad naar onze handpalm verplaatst. De volgende stap is rechtstreekse neurale verbindingen, waarmee we toegang zullen kunnen krijgen tot alle informatie in iedere grote onderzoeksbibliotheek ter wereld via een draadloze verbinding die rechtstreeks in onze hersenen is ge-implanteerd. Het leger is hier al mee aan het experimenteren voor hun gevechtspiloten, dus het is als product waarschijnlijk binnen twintig jaar voor de consumentenmarkt beschikbaar. Mensen horen dat, en ze worden bang voor geestbeheersing. Maar we laten onze geest nu ook al vormen door de informatie waarmee we dagelijks worden gebombardeerd op non-stop tv, het internet, de iPod die je op je hoofd hebt tijdens het joggen. Denk je eens in hoe anders onze geest zal werken als informatie zich rechtstreeks van brein naar brein verplaatst. Gedachten zullen net zo snel vloeien als geld nu.'

Mari legt zachtjes haar hand op zijn bovenarm. 'Misschien moet je haar vertellen hoe dit alles verband houdt met je huis.'

En ineens realiseer ik me dat ze niet is meegekomen dit weekend om haar foto in een tijdschrift te krijgen. Ze is meegekomen omdat ze weet hoe haar man kan worden als hij eenmaal begint te praten over zijn visie voor het huis, en ze wil hem beschermen tegen zijn eigen onwenselijke impulsen. *Blijf bij het onderwerp*, waarschuwt ze hem. *Je bent architect, geen sociaal theoreticus.*

Maar hij is nu echt goed op dreef. Terwijl we zitten te ontbijten, vertelt hij hoe scholen zullen moeten veranderen om in te spelen op dit tijdperk van instant informatie, waarin onderwijs en toetsing niet langer draaien om informatie – historische feiten, wiskundige formules – maar om het redeneren, een terugkeer naar het Socrati-sche symposium. En bibliotheken! Hoe zullen die eruitzien als alle boeken verdwenen zijn? Mari en ik eten stilletjes onze grapefruit en magere yoghurt terwijl Michael opgewonden de wereld van onze toekomst vormt.

'Misschien moesten we maar eens naar het huis gaan,' stelt Mari uiteindelijk voor. 'We kunnen je fotografe toch niet laten wachten.'

Geschrokken kijkt Michael neer op zijn onaangeroerde ontbijt. Ik merk dat ik met een liefdevolle, geamuseerde blik naar hem zit te kijken. Is dit de keerzijde van al die seksuele energie waar ik vorige week van heb genoten? Hij is bijna kinderlijk enthousiast, een klein jongetje tegen wie je moet zeggen dat hij zijn bord leeg moet eten voordat hij naar buiten stormt om te gaan spelen.

Ik werp een blik op Mari en zie dezelfde uitdrukking op haar gezicht terwijl hij een paar snelle happen neemt van zijn koude omelet, en het bord vervolgens abrupt van zich af schuift. 'Klaar?'

We rijden de vallei uit in hun hybride auto. Michael is helemaal stilgevallen en staart nu naar de weg als een mokkend kind. Mari draait zich om in haar stoel om naar mij te kijken op de achterbank. 'Waar in New York woon je?'

'Aan de Upper West Side. Broadway en 82nd.'

'Echt waar? Ik heb twee jaar op 79th gewoond, vlak bij Riverside, na mijn afstuderen. Dat is mijn favoriete gedeelte van de stad. Je kunt er de overblijfselen nog voelen van de oude radicale, intellectuele traditie, zelfs ondanks alle veranderingen. Bagels met Trotsky op zondagochtend.'

'Het zijn voornamelijk Wall Street types en mediabonzen tegenwoordig. Maar je kunt er nog steeds goede bagels krijgen, en de Trotsky wordt elke dag vers bezorgd rondom Columbia.'

Ze glimlacht. 'Hoe lang woon je er al?'

'Sinds mijn studententijd, eigenlijk. Mijn man en ik wonen al vijftien jaar in hetzelfde appartement. We zijn maar één keer verhuisd, toen mijn dochter vijf was.'

'Dus ze woont nu op kamers?'

'Om precies te zijn, zit ze in Parijs voor haar stage in het buitenland. Het schijnt moeilijk te zijn om daar aan bagels te komen.'

Ze lacht. 'Maar de Trotsky is er vers.'

'Precies. En waarom ben jij uit New York weggegaan?'

Ze kijkt uit het raam naar de droge Californische heuvels. 'Ik kreeg de kans om te werken met een vrouw die nieuwe programma's aan het ontwikkelen was om verstandelijk gehandicapte kinderen in de immigrantengemeenschap te helpen, kinderen die de extra handicap hadden dat ze de taal niet spraken, dus daarom ben ik hierheen gekomen.' Ze glimlacht. 'We gaan van tijd tot tijd nog wel terug naar New York, en Michael moet er zeer geregeld zijn voor zijn werk. Maar ik mis het nog steeds.'

Ik zeg niets. Alleen al de gedachte aan hoe Michael zijn tijd in New York doorbrengt, maakt dat ik me vreselijk voel. Ik vind deze vrouw *sympathiek*. Als ik haar had ontmoet op een feestje, zou ik hebben gedacht dat het leuk zou zijn om haar beter te leren kennen, een keer samen te gaan lunchen. Maar nu ben ik met haar man naar bed geweest.

We draaien van de snelweg af een weggetje op dat zich kronkelend omhoog slingert, de heuvels in. Het eindigt bij een gesloten metalen hek, zoals je ze wel ziet op een boerderij, met een zandpad erachter dat ervandaan loopt. Michael stapt uit; gaat naar het hek om het open te maken.

Mari kijkt over haar schouder naar mij. 'Sorry voor al dat gedoe tijdens het ontbijt,' zegt ze zacht. 'Michael laat zich soms nogal meeslepen. Dit huis is de plek waar hij alle ideeën in stopt die hij niet in het werk voor zijn klanten kwijt kan.' Ze glimlacht. 'Ik ben verbijsterd dat hij het aan jou wil laten zien; het is niet iets wat hij aan veel mensen gunt. Het is als zijn maîtresse.'

Ik heb het gevoel alsof er iets vast zit in mijn keel. 'Dat moet heel moeilijk voor je zijn.'

Ze schudt haar hoofd. 'Hij is een gepassioneerd man. Dit is de prijs die je betaalt als je een genie liefhebt. Sommige dingen moet je gewoon accepteren.'

Ik ben te zeer van mijn stuk gebracht om iets anders te doen dan knikken, en inmiddels heeft Michael het hek opengedaan en loopt hij terug naar de auto en kruipt hij achter het stuur. 'Ik moet dat slot smeren. Het klemt elke keer meer.'

Terwijl we voortrijden over het rotsachtige karrenspoor, voel ik me net Alice die in een konijnenhol naar beneden tuimelt. Vriendelijke echtgenotes, klemmende sloten... voer voor psychologen. En als dit huis Michaels maîtresse is, wat maakt dat mij dan? Een renovatie? Het magazijn waar hij zijn dromen heeft opgeslagen?

'Rustig aan,' zegt Mari tegen Michael, naar mij achterom kijkend. 'Ze ziet een beetje groen rond de mond.'

Michael kijkt naar me op in zijn achteruitkijkspiegel. 'Sorry voor al die hobbels. Ik moet iemand laten komen om deze oprit te egaliseren.'

'Weet de fotografe ons hier te vinden?'

'Ik heb haar een routebeschrijving gegeven. Ze zou hier aan het begin van de middag moeten zijn. Dat geeft ons de tijd om het hele terrein te bekijken, en dan kun jij bedenken waar je haar foto's van wilt laten maken.'

Aan de rechterkant rijden we langs een rij zonnepanelen die tegen de berghelling zijn opgesteld. 'Ik kan ongeveer zestig procent van mijn stroom genereren met die panelen. Ik heb ook een geothermisch netwerk dat het in de winter overneemt. Als ik een windmolen zou plaatsen op die bergkam, zou ik waarschijnlijk stroom kunnen gaan léveren aan het elektriciteitsbedrijf.'

De bergkam verdeelt het terrein in tweeën, en als we over de top rijden, staat daar ineens het huis – uitgesmeerd over een klein plateau vlak onder ons, met een spectaculair uitzicht op de vallei in de verte. Het is een dramatische aanblik, en Michael zet de auto even stil zodat ik kan uitstappen en het in me opnemen. Het huis is een en al scherpe hoeken en golvende rondingen, als iets wat een kind misschien zou bouwen als hij alle rechte blokken uit zijn bouwdoos kwijt was. De materialen zijn nog veel merkwaardiger om te zien: adobe, metalen golfplaten, ruw hout, en die doorzichtige glazen bouwstenen die je wel ziet in tandartsenpraktijken en winkelcentra in Zuid-Florida. Elk materiaal lijkt voort te komen uit de plek waar twee andere materialen elkaar ontmoeten op een rand of hoek, maar ik kan niet zeggen of dat symbool staat voor conflicten die hun oplossing vinden in synthese, of voor voortplanting en geboorte.

Michael draait zijn raampje omlaag. 'Wat vind je ervan?'

Hoe zeg je tegen een man dat zijn droom *lelijk* is? Misschien komt het alleen doordat mijn oog niet geoefend is om schoonheid te zien in het conflict, maar het effect dat hij heeft gecreëerd doet pijn aan mijn ogen en verzet zich weerbarstig tegen mijn pogingen om het te zien als een samenhangend ontwerp.

'Fascinerend,' zeg ik. 'Heel... bijzonder.'

Van dichtbij is het effect zelfs nog dramatischer. Hij heeft scherpe randen laten zitten aan het beton en hout, en de verbindingsbouten waarmee de metalen platen aan het geraamte van het huis bevestigd zijn, zien eruit als iets wat uit Frankensteins nek steekt. De muren hellen in vreemde hoeken boven je hoofd naar buiten, en mijn eerste impuls is om een stap achteruit te doen zodat ik niet verpletterd zal worden als ze omvallen.

Mari ziet mijn reactie en glimlacht. 'Dat doet iedereen. Je automatische reactie is zelfbescherming.'

'Interessant effect.'

Ze lacht. 'Ach ja. Eigen haard is goud waard. Wij hebben een huis dat mensen op de vlucht doet slaan.'

Michael werpt haar een geïrriteerde blik toe. 'Kom het eens van de andere kant bekijken.'

We lopen eromheen tot de plaats waar de berghelling wegvalt en een schitterend uitzicht op de vallei zich voor ons ontvouwt. Maar waar ik een muur vol ramen had verwacht, is enkel een dichte, kleistenen muur, met een deur die voert naar een pad dat tussen een paar rozenbogen door afdaalt naar een klein houten plankier op de rand van de rots.

'Dat is een uitzicht dat een miljoen waard is,' zegt Mari, gebarend naar de vallei. 'Mits je het zou kunnen zien.'

'Daar gaat het nou juist om,' zegt Michael. 'Mensen betalen een vermogen voor een uitzicht, zodat ze in hun huis kunnen zitten en naar buiten kunnen kijken naar de wereld, door het glas heen. Als je uitzicht wilt, ga dan naar buiten. Stap de wereld in. Een huis is geen fotolijst.' Hij kijkt naar me en glimlacht. 'Het is net als wanneer je een hotel bouwt aan het strand, maar alle ramen op het land laat uitkijken.'

Mari zucht. 'Enfin, ik verheug me op de rozen.'

Michael wijst naar het dak, dat oprijst in een reeks steile hoeken aan de randen van het huis. 'Daarboven is de regenafvoer. Het stroomt allemaal naar beneden in een waterreservoir aan de zijkant van het huis, en we kunnen het gebruiken om ons mee te wassen.'

We gaan naar binnen. In het hart van het huis is een rond solarium met een glazen plafond en glazen muren, zodat het licht zich verspreidt naar alle kamers die eromheen liggen.

'Hier heb je je muur met ramen,' zegt Mari. 'Ze zitten alleen aan de binnenkant, in plaats van aan de kant waar je uitzicht hebt.'

'Het solarium heeft een schuifdak, dus het kan worden omgetoverd tot een patio,' zegt Michael tegen mij. 'In het regenseizoen kunnen we het afgevoerde water bij het waterreservoir vandaan laten stromen als dit vol zit, en dan wordt het een reeks watervallen langs deze ramen.' Hij wijst door het solarium heen naar een glazen muur tegenover ons. 'Dat is onze slaapkamer. De watervallen zullen fungeren als gordijnen om privacy te creëren.'

Mari kijkt me aan. 'Ik ga voor de zekerheid toch maar een paar gordijnen kopen. Stel je voor dat je een huis vol gasten hebt en dat het ineens stopt met regenen. Je wordt 's morgens wakker en je zit allemaal bij elkaar in de slaapkamer naar binnen te koekeloeren. Maar toch, het is een geweldig idee, als het werkt.'

Alle kamers hebben dakramen om natuurlijk licht te creëren, en als we van kamer naar kamer lopen, zie ik dat er in elke kamer een andere kleur zonlicht naar binnen stroomt.

'Je kunt de tint van het glas variëren,' vertelt Michael wanneer ik hem ernaar vraag. 'Ik wilde dat elke kamer een eigen textuur zou hebben.' Hij gebaart naar de muren. 'Hier heb ik een beetje gesmokkeld met de gerecyclede materialen. Ik dacht dat Mari het prettiger zou vinden als de muren meer afgewerkt waren.'

'Ik houd van het idee van gerecyclede materialen,' zegt Mari. 'Dat is waarschijnlijk mijn favoriete aspect van het huis.'

De muren zijn van gepolijst hout, en op de vloeren liggen leistenen en tegels. Het is eigenlijk heel rustgevend: warme kleuren en overvloedig licht. De keuken is weggestopt in een hoek van het huis, maar het is niet bepaald een ondergeschoven kindje. Hij heeft schitterende koperen aanrechtbladen geplaatst, en kastjes van geborsteld metaal. De meeste apparatuur is aanwezig, en als Michael het licht aandoet, wordt het kookgedeelte verlicht door een reeks dramatische spotjes.

'Wauw,' zegt Mari, onder de indruk. 'Je hebt de hele inrichting hier veranderd.'

Michael kijkt naar mij. 'Ze dacht dat ik ons wilde laten koken op een open vuur. Grote ijzeren ketel, hangend aan een driepoot.'

Ik laat mijn hand over de Viking kookplaat van horeca-kwaliteit glijden. 'Hiervan wil ik straks een heleboel foto's. Mijn uitgever heeft iets met keukenapparatuur. Hij noemt het de kassakiekjes.'

'Dan heeft hij vast de rekeningen gezien.' Mari opent de convectieoven en tuurt naar binnen. 'Hebben we hier allemaal voor betaald, of heb je het gratis gekregen omdat Eva een artikel schrijft over het huis?'

Michael pakt mijn arm. 'Ik zal je de rest van het huis laten zien,' zegt hij.

Er moet nog wat tegel- en installatiewerk worden afgemaakt in de grote badkamer, maar ik denk dat de fotografe daar wel omheen zou moeten kunnen werken. Verder ziet het huis er veel meer af uit dan Michael me had doen geloven. Ze zouden er best al meubilair in kunnen zetten. Op dit moment staat er alleen een oude tekentafel met een stapel met de hand getekende plattegronden in de woonkamer, en een gehavende bank.

Michael zegt: 'Daar slaap ik als ik hier een weekend naartoe ga om aan het huis te werken.'

Ik knik, maar zeg niks. Ik voel me al ongemakkelijk genoeg, zonder het over slaaprituelen te hebben. 'Waar wil je het interview houden?'

'Buiten? Ik zou een paar klapstoelen neer kunnen zetten, beneden bij de tempel.'

'Waar is dat?'

Hij lacht. 'Nou, voorlopig is het eigenlijk alleen nog maar een plankier, maar ik ben van plan om daar een boeddhistische tempel te bouwen.'

En nu weet ik het weer. De boeddhistische tempel, waar zijn vrouw naartoe zal gaan om haar gekoelde wijn te drinken en de zon te zien ondergaan. We dalen af naar het plankier, dat op de rand van de steile helling ligt, en je al het uitzicht biedt dat het huis je ontzegt. Michael haalt vier klapstoelen uit de kofferbak van zijn auto, draagt ze naar beneden en zet ze op met uitzicht op de vallei.

'Ik heb een koelbox vol wijn en broodjes in de auto. Wil je iets hebben?'

'Straks misschien. Het is nu nog te vroeg voor mij.' Ik haal mijn dictafoon en mijn aantekeningen tevoorschijn. 'Laten we eerst het interview doen, dan kunnen we daarna eten.'

'Ik zal jullie maar alleen laten,' zegt Mari. 'Ik wil niet in de weg zitten bij het interview.'

'Eigenlijk hoopte ik dat je zou blijven,' zeg ik tegen haar. 'Dat maakt het allemaal wat minder formeel.'

De waarheid is dat ik niet alleen wil zijn met Michael op dit moment. Niet met zijn vrouw in de buurt. Een van ons zou in de verleiding kunnen komen om iets te zeggen of een gebaar te maken dat haar achterdocht zou kunnen wekken. Of liever gezegd, ik merk dat ik me niet op mijn gemak voel bij Michael. Ik schaam me voor wat we hebben gedaan, maar ik ben ook boos op hem omdat hij me in deze situatie heeft gebracht. Ik weet dat ik het recht niet heb om er zo over te denken. Ik was degene die contact heeft opgenomen met hem, ik heb gezeurd om een interview. Wat heeft hij dan gedaan om me zo kwaad te maken?

Hij is getrouwd met een vrouw die ik sympathiek vind. Als ze ijzig en elegant was geweest, minder ongekunsteld, dan zou ik me misschien niet zo schuldig hebben gevoeld dat ik met haar man naar bed was geweest. Maar op dit moment vind ik Mari bijna nog aardiger dan Michael. Dus ik ga gewoon mijn interview afnemen, zorgen dat ik mijn foto's krijg, en dan met mijn magere lijf weer terug op het vliegtuig naar New York. Lesje geleerd.

Ik begin met een paar vragen over zijn architecturale filosofie, en Michael zegt een paar provocerende dingen die hij de laatste tijd in een heleboel interviews heeft gezegd. Desondanks is het goed om ze in ons interview te hebben. Vervolgens vraag ik hem wat de problemen zijn bij het ontwerpen van een huis volgens zijn principes, en hij antwoordt met een lange, kritische monoloog over alles wat er volgens hem niet deugt aan het concept van een huis in hedendaags Amerika: het is saai en burgerlijk, betekenisloos afgezien van een gedateerde opvatting over het gezin en het opzichtige vertoon van materiële welvaart. In het digitale tijdperk bouwen we nog steeds huizen die gebaseerd zijn op ontwerpen uit het stoomtijdperk; het enige wat we hebben gedaan, is de apparatuur vernieuwen.

Onze lezers zullen hem haten, denk ik terwijl hij tekeergaat over de cultus van de open haard in upper-middle-class huishoudens. *Maar dat is dan ook precies wat hij wil. Is er een betere manier om je genialiteit te onderstrepen dan gehaat te worden door de upper-middle-class?*

Later laat ik hem een aantal van de vernieuwende ontwerpideeën beschrijven die hij in dit huis heeft toegepast. Terwijl hij praat, maak ik een paar snelle aantekeningen over de dingen die ik gefotografeerd wil hebben, zodat onze lezers zullen kunnen zien wat hij beschrijft.

'Ik zal het je laten zien,' zegt hij op een gegeven moment, en we staan op en lopen om het huis heen terwijl hij aanwijst wat in zijn ogen belangrijke aspecten zijn van het ontwerp, terwijl ik mijn dictafoon omhoog houd om zijn stem op te vangen. Mari blijft beneden op het plankier, en wanneer we helemaal aan de andere kant van het huis zijn, steekt Michael ineens zijn hand uit en zet mijn dictafoon uit.

'Gaat het?'

'Ja hoor, maar ik wil er hier niet over praten. Laten we gewoon verdergaan met het interview.' Ik zet de dictafoon weer aan en vraag hem naar de zonnepanelen. We hebben het over alternatieve energiebronnen en energie-efficiënte bouwmaterialen, als we een stofwolk zien opstijgen en er een jeep verschijnt boven op de bergkam.

'Dat is Haley,' zegt Michael. 'Ik was al bang dat ze wat moeite had gehad met mijn routebeschrijving.'

De jeep stopt achter zijn auto, en we lopen ernaartoe terwijl de fotografe uitstapt en haar spullen begint uit te laden. Ze is halverwege de dertig, lang en blond, en atletisch gebouwd, alsof ze haar dagen klimmend op en rond bouwterreinen doorbrengt met haar camera-uitrusting. Michael stelt ons aan elkaar voor, en ik geef haar mijn lijst van de foto's die ik graag wil hebben.

'Er komen er waarschijnlijk nog een paar bij als we klaar zijn met het interview.'

Ze knikt en werpt een blik op het huis. 'Geen probleem. Dit wordt een feest. Een heleboel interessante hoeken aan dit huis.' Ze kijkt naar Michael. 'Heb je het zelf gebouwd?'

'Grotendeels. Ik heb wel hulp gehad bij de echt ingewikkelde dingen.'

'Wil je een shot van jezelf terwijl je eraan bezig bent?'

Michael aarzelt. Hij is niet gekleed op bouwwerkzaamheden, maar ik kan zien dat hij in de verleiding komt. Hij kijkt naar mij. 'Denk je dat je uitgever zoiets zou willen?'

Waarom wil iedere man zichzelf toch zo graag als bouwvakker zien? Toen David vorig jaar het gipsen plafond in Chloe's slaapkamer heeft gerepareerd, liep hij het hele weekend rond met een gereedschapsgordel om, alsof hij auditie deed om een van de Village People te worden. Toch is het niet mijn taak om ervoor te zorgen dat Michael zichzelf niet voor schut zet. Als we het weekend alleen met elkaar hadden doorgebracht, zou ik hem er misschien voorzichtig van hebben proberen te weerhouden, maar vandaag ben ik hier om een interview en een paar foto's in de wacht te slepen. Dat is alles.

'Dat zou misschien wel leuk zijn,' zeg ik tegen hem. 'Ik kan je alleen niet beloven dat we er iets mee kunnen in de reportage. Mijn uitgever hanteert meestal een maximum van één foto met de eigenaren, en hij wil graag dat ze er ontspannen uitzien. Op die manier kunnen onze lezers zich inbeelden dat ze zelf in het huis wonen.'

Michael glimlacht. 'Dat klinkt alsof hij bang is dat ze misschien jaloers zouden worden.'

'Zoiets, ja. Als een huis leeg is, kun je het vullen met je eigen verbeelding. Dat geldt ook voor mensen.'

Michael kijkt me even aan en knikt dan. Het was niet bedoeld als boodschap met een of andere diepere betekenis, maar het lijkt erop dat hij het wel als zodanig opvat.

De fotografe grist de rest van haar spullen bij elkaar en gooit dan een tas over haar schouder. 'Oké, ik zal vast beginnen met wat shots van de buitenkant.'

Ze daalt af naar het huis, en Michael en ik blijven nog een poosje onhandig bij elkaar staan. Dan klik ik mijn dictafoon weer aan en vraag hem naar het regengordijneffect dat hij heeft bedacht voor het solarium. Zou dat water worden hergebruikt, of wordt het als afvoerwater beschouwd?

En zo brengen we de rest van de middag door. We slagen erin om het interview af te ronden zonder pijnlijke momenten, en vervolgens ga ik een tijdje met de fotografe aan de slag. Als we klaar zijn, haalt Michael de koelbox uit zijn auto, trekt een fles wijn open, en zitten we met zijn allen op het plankier broodjes te eten en te kijken naar het veranderende licht als de middag over de heuvels neerdaalt.

'Dus je vliegt morgen weer terug naar New York?' Mari kijkt naar me. 'Wat jammer dat je niet nog een paar dagen kunt blijven om van de zon te genieten.'

'Ik zou wel willen. Maar mijn uitgever wil dit interview in het volgende nummer hebben, en er moet nog heel wat gebeuren.' Ik kijk naar Michael. 'Ik zal je een kopie sturen zodra ik er een verhaal van heb gemaakt. Als je iets zou willen veranderen, is dat het beste moment, voordat we aan de opmaak beginnen.'

Hij knikt. 'Prima. Geef jij me een seintje als je merkt dat ik iets volkomen stompzinnigs heb gezegd?'

'Ik geloof niet dat je je daar zorgen over hoeft te maken. Maar als er iets is wat je niet bevalt zodra je de voorlopige tekst krijgt, laat het me dan even weten, dan kunnen we het veranderen.' Ik werp een blik op mijn horloge. 'Ik moet zo maar weer eens gaan. Mijn dochter zit in Parijs, en ik wil haar nog even bellen voordat het te laat wordt.'

Mari kijkt op haar horloge. 'Het moet al bijna middernacht zijn in Parijs. Weet je zeker dat je niet tot morgen wilt wachten? We hoopten eigenlijk dat we je vanavond mee uit eten konden nemen.'

Ik word ineens doodmoe bij de gedachte om een hele avond beleefde gesprekken te moeten voeren. 'Dat klinkt echt heel aanlokkelijk,' begin ik, 'maar...'

Michael steekt een hand op nog voordat ik mijn excuus heb kunnen uitspreken. 'We maken er geen woorden meer aan vuil. We nemen je mee uit eten. Ik duld geen tegenspraak.' Hij wendt zich tot de fotografe. 'Ga jij ook mee, Haley?'

'Ik zou wel willen, maar ik moet vanavond terug zijn in de stad.'

Fantastisch. Alleen het gelukkige stelletje en ik. Er zit niets anders op dan glimlachen en vriendelijk zijn – en geen druppel wijn aanraken.

'Dank je,' zei ik. 'Dat is heel aardig van jullie. Zou het onbeleefd zijn als ik terugging naar mijn hotel om een paar uurtjes te rusten? Ik heb een beetje last van het tijdsverschil.'

Zo krijg ik in ieder geval de kans om even op adem te komen. Terug in mijn kamer ga ik languit op bed liggen. *Je hoeft nog maar een paar uur zien door te komen.* Maar wie ben ik om te klagen? Ik heb me zelf in de nesten gewerkt.

Ik hoef in ieder geval niet bang te zijn dat ik aankom. Ik heb geen honger, en alleen al van het idee om met Michael en zijn vrouw aan tafel te moeten zitten, word ik misselijk.

Het lijkt erop alsof ik alweer een nieuw dieet heb ontdekt. Hoe kun je ooit dik worden als alles in je mond in as verandert?

124

Hallo Eva,

Het spijt me zo ontzettend wat ik je allemaal heb laten door-
staan afgelopen weekend. Het moet een hel voor je zijn geweest.
Ik had geen idee dat Mari met me mee zou willen. Normaal ge-
sproken heeft ze totaal geen belangstelling voor het huis – of voor
om het even wat ik doe, om eerlijk te zijn. We houden de schijn
op omwille van Emma, maar we zijn geen van tweeën gelukkig.
Daar ben ik waarschijnlijk zelf ook net zo goed debet aan, maar
het is niet eerlijk dat jij daaronder hebt moeten lijden.

Hoe het ook zij, ik wilde alleen maar even zeggen dat het me
vreselijk spijt. Je hebt je waardig gedragen in een lastige situatie.
Mari zei nog dat ze je zo aardig vond. Over een paar weken moet
ik weer in New York zijn. Enige kans dat ik het dan goed kan
maken?

En ik heb niet eens kunnen zeggen hoe geweldig ik je haar
vond!

Michael

Zijn mailtje is er al wanneer ik thuiskom. Hij heeft het op zondagochtend gestuurd, dus hij moet rechtstreeks naar huis zijn gegaan
vanuit het hotel, zijn computer aan hebben gezet, en mij geschreven
hebben. Waar was Mari toen hij dit deed? Zijn ze direct na thuiskomst in verschillende kamers verdwenen?

Ze hadden zich beslist als een getrouwd stel gedragen tijdens het
diner. Toen ik me bij hen voegde in de bar van het restaurant, kreeg
ik sterk het gevoel dat ze de hele middag hadden gevrijd. Michael
leek afwezig en in gedachten verzonken, maar Mari gloeide als een

bruid tijdens haar huwelijksreis, een soort loomheid die ik herkende van de week daarvoor, toen ik me precies zo had gedragen.

Had hij geprobeerd haar aandacht af te leiden van eventuele verdenkingen over mij door een paar uur met haar te rollebollen in het kingsize hotelbed? Of had hij gewoon tegen me gelogen over de staat van zijn huwelijk?

Hoe het ook zij, ik heb geen enkel recht om jaloers te zijn. Zij is zijn vrouw, en ik ben maar gewoon zijn...

Wat? Zijn nieuwste scharrel? Voor hetzelfde geld heeft hij dit al ontelbare keren eerder gedaan, vrouwen versierd tijdens zijn talloze reizen naar Spanje en Tokio. De fotografe leek een waarschijnlijke kandidate. Ze was zakelijk geweest, had haar foto's gemaakt, haar licht en lenzen versteld, maar het was duidelijk dat ze elkaar goed kenden.

Het zou me koud moeten laten. Hij is niet *mijn* man. En zelfs als hij dat wel was, zou ik nog geen recht hebben om te klagen, in aanmerking genomen hoe ik me heb gedragen. Ik zou zijn mailtje eigenlijk gewoon moeten wissen. En als hij er nog meer stuurt, zou ik die ook moeten wissen zonder ze zelfs maar te lezen. Ik heb een fout gemaakt in een moment van zwakte, toen ik snakte naar bevestiging. Maar nu ben ik weer bij zinnen gekomen. Het was niet Michael die ik wilde; het was mezélf.

Waarom voel ik me dan zo verloren? Ik ben nog maar vier pond van mijn doel verwijderd, en aangezien ik drie dagen lang nauwelijks een hap door mijn keel heb gekregen, zou ik het snel moeten bereiken. Maar misselijkheid is niet wat ik me had voorgesteld te zullen voelen als ik dit punt bereikte, met de finishlijn in zicht. Ik had mezelf triomfantelijk voorgesteld, met gebalde vuisten terwijl het publiek me luidkeels aanmoedigde. In plaats daarvan voel ik me alleen maar beschaamd.

Ik zat ons etentje uit met een glimlach op mijn gezicht geplakt; gaf antwoord op Mari's beleefde vragen over mijn werk, mijn belangstelling voor architectuur, en zelfs over mijn gezin. Ik heb Michael de hele avond amper aangekeken. Het voelde gek genoeg een beetje als een sollicitatiegesprek, alsof Mari mijn referenties aan het controleren was. Toen ze naar Chloe vroeg, merkte ik dat ik volschoot. Ik moest me excuseren om naar het toilet te gaan, waar ik vocht tegen de opwellende tranen en vervolgens koud water in mijn gezicht plensde voordat ik weer terugging naar de tafel.

'Het spijt me,' zei ik tegen hen. 'Ik denk dat ik het tijdsverschil begin te voelen. Ik kan waarschijnlijk maar beter naar bed gaan.'

'Maar je hebt je eten niet aangeraakt.'

Ik keek neer op het bord voor me. De in champignons en miso geglaceerde zandvis met gesmoorde andijvie, paksoi en granaatappel oogde en rook verrukkelijk, maar ik kon er niet van eten. Ik kon evenmin eten van de salade van biologische minigroenten met geschaafde jonge venkel, mandarijnen en kaascroutons. Sterker nog, het voelde alsof ik nooit meer iets zou kunnen eten.

'Het is een beetje te machtig voor me,' zei ik. 'Dat ben ik niet gewend, geloof ik.'

'Kunnen we iets anders voor je bestellen?'

Ik schudde mijn hoofd. 'Nee hoor, eten jullie maar lekker. Het ziet er allemaal heerlijk uit.'

Dus zat ik daar, niet op mijn gemak, terwijl zij zaten te eten, en ik mijn best deed om mijn aandeel in het gesprek te leveren. Toen het tijd was voor een dessert en koffie, wierp Mari een blik op mij en zei tegen de serveerster: 'Ik geloof dat we het dessert maar overslaan vanavond. Alleen de rekening graag, alstublieft.'

Ik was haar intens dankbaar. In de lobby van het hotel gaf ik eerst Michael en toen Mari een hand. 'Ik zal je de uitgewerkte versie van het interview sturen in de loop van volgende week,' zei ik tegen Michael. 'En kort daarna zouden we je ook de foto's moeten kunnen laten zien, als Haley ze snel kan leveren.'

'Meestal is ze heel snel,' zei hij.

Mari glimlachte alleen maar.

'Ik vond het enig om jullie te leren kennen,' zei ik tegen hen. 'Het spijt me dat ik geen beter gezelschap was vanavond.'

'Alsjeblieft,' zei Mari. 'Geen excuses. Ik kan me precies voorstellen hoe uitputtend dit voor je moet zijn.'

Ze kan het onmogelijk weten, dacht ik toen ik terugreed naar mijn hotel. *Het is gewoon je gewetenswroeging die alles wat ze zegt doet klinken als een beschuldiging.*

Terug op mijn hotelkamer nam ik twee Advils en kroop in bed. *Laat het los*, zei ik tegen mezelf. Het was tijd om naar huis te gaan, naar David, om weer mezelf te worden en te aanvaarden dat het leven waaruit ik met zoveel moeite had geprobeerd te ontsnappen geen gevangenis was, maar mijn thuis.

En bij die gedachte begon ik te huilen.

Terwijl ik Michaels mailtje lees, voel ik opnieuw de tranen branden. Zelfs *Mari zei nog dat ze je zo aardig vond.* God, wat een afschuwelijk mens ben ik geworden. En hij wil me zien als hij over een paar weken weer in New York is. Hij wil het *goedmaken*.

Een week geleden zou ik verrukt zijn geweest over zo'n woord. Nu maakt het me alleen maar boos. Wat voor soort iemand denkt hij dat ik ben?

Precies het soort iemand dat jij hebt verkozen te worden.

Het lijkt erop dat mijn geweten, dat op vakantie is geweest, nu weer terug is, zongebruind, uitgerust, en klaar om aan de slag te gaan. Het is duidelijk niet van plan om me enige ruimte te gunnen – niet dat ik die verdien. Gedurende al die weken op de sportschool is dat het enige geweest dat ik niet heb getraind. Naarmate mijn lichaam strakker werd, werd mijn moraal losser. En nu heeft mijn geweten besloten dat het tijd is voor wat beweging.

Ik probeer me te concentreren op eenvoudige taken – uitpakken, wassen, het interview uitwerken – maar bij het horen van het geluid van Michaels stem op mijn bandje wordt mijn keel dichtgeknepen, dus ik zet het apparaat telkens even uit. Ik controleer mijn e-mail, schrob het aanrecht, haal het bed af en was het beddengoed. Zelfs een uur op de sportschool, badend in het zweet, kan deze last niet van mijn schouders nemen.

Morgen zal het makkelijker zijn, zeg ik tegen mezelf. Dan ben ik weer op kantoor, waar simpele taken me wachten, telefoontjes beantwoord moeten worden, deadlines gehaald. Dat is waar ik op dit moment behoefte aan heb – geen tijd om na te denken. David probeert manuscripten te lezen en ik kan zien dat hij stapelgek van me wordt, hem van de ene kamer naar de andere verdrijvend terwijl ik zoek naar nog meer taken om me bezig te houden.

'Je bent nog maar net thuis,' zegt hij klaaglijk. 'Wil je echt alles vanavond nog gedaan hebben?'

Wat maakte me zo gulzig dat ik meer dan mijn rechtmatige deel van begeerte of liefde verlangde, zodat ik het van anderen ben gaan stelen? Ik heb nooit op die manier over mezelf gedacht. Dat is iets wat filmsterren doen, of rijke stinkerds, die verwende kinderen van onze cultuur van dromen. Wanneer ben ik iemand geworden die ik zelfs niet eens zou willen kennen?

Even na tienen sukkelt David in slaap boven zijn manuscripten. Om middernacht staat hij op om naar de badkamer te gaan, waar hij mij aantreft, op mijn knieën de douche schrobbend.

'Eva?' Daar staat hij dan, met zijn ogen knipperend tegen het felle licht. 'Gaat het wel? Is er iets aan de hand?'

En ineens begin ik te huilen. Hij staart me heel even verbijsterd aan. Dan pakt hij de spons uit mijn hand en smijt deze in het bad. Hij hijst me overeind en slaat zijn armen om me heen. Zo sta ik daar, stijfjes, mijn hoofd begraven tegen zijn schouder, huilend.

Hij vraagt me niet wat er scheelt. Ergens ben ik ervan overtuigd dat hij het weet. Ik voel me zo beroerd, zoals ik daar sta met zijn armen om me heen; ik verdien dit niet. Hij zou boos moeten zijn. Hij zou me van zich af moeten duwen.

Uiteindelijk neemt mijn gesnik af. Hij laat me los en kijkt me aandachtig aan.

'Je bent moe,' zegt hij. 'Je mist Chloe. Kom mee naar bed.'

En dat is het enige wat er gezegd wordt. Soms is stilzwijgen de enige genade die we kunnen hopen te vinden.

Hij doet het badkamerlicht uit, en we stappen in bed. Hij houdt me in zijn armen totdat ik wegglijd in een diepe, droomloze slaap.

123

'Eigenlijk zouden we een feest moeten geven,' zegt Ron. Iedereen aan de vergadertafel kijkt verbaasd op. Hij zit praktisch te stuiteren van opwinding, de foto's voor zich uitgespreid. 'We hebben een exclusief interview, dus waarom zouden we daar niet een hele happening van maken? We zouden een leuk restaurant kunnen afhuren, een paar architectuurcritici van de grote mediabedrijven uitnodigen. Misschien gaat een van hen erover schrijven en krijgen we wat publiciteit.'

Op maandagmiddag stuurde Haley me per e-mail haar beste foto's. Op dinsdag bracht Federal Express een cd-rom met de hele reeks, klaar voor de opmaak. Ze was inderdaad zo goed als Michael had gezegd, en elke cent van haar aanzienlijke honorarium waard. Op de foto's zag het huis er nog veel vreemder en interessanter uit dan het had geleken toen ik het voor het eerst zag: ze had keurig ingekaderde close-ups gemaakt van de eigenaardig overhellende muren en het vreemd gekleurde licht in de binnenkamers. Ze had Michael zelfs zo ver gekregen om wat water te verspillen door de hendel over te halen waarmee het waterreservoir leegliep langs de ramen van het solarium om een dramatische opname te maken van de watergordijnen die het heldere middagzonlicht filterden.

Ik had mijn pogingen om het interview uit te werken gestaakt en had een van onze bureaumedewerkers het laten doen. Maar toen de foto's er eenmaal waren, raakte Ron zo opgewonden van de beelden, dat hij bijna de belangstelling verloor voor wat Michael daadwerkelijk te zeggen had over het huis. Het interview, dat me zoveel heeft gekost, is nu gewoon een excuus geworden om de foto's te kunnen publiceren, en nu klinkt het alsof het enkel een gelegenheid is geworden voor een feestje waar Ron stroop zou kunnen smeren bij de grote namen in ons piepkleine, gespecialiseerde werkveld. Te oordelen naar de manier waarop zijn ogen glinsteren, zou je denken dat dit het moment is waar hij op heeft gewacht, wanneer hij eindelijk zijn concurrenten van *Architecture Today* en *House Fabulous!* kan overtroeven.

Ron kijkt naar mij, en in zijn ogen ligt een hongerige blik. 'Je zei dat Foresman volgende maand in New York is, toch?'

Ik knik. 'Hij is bezig met een project in Stony Brook.'

'Kun je hem vastpinnen op een datum? Zeg maar dat we hem graag willen bedanken door een feestje te geven te zijner ere.' Hij kijkt de tafel langs naar onze marketingdirecteur. 'Cynthia, hoe snel kun jij een feestje in elkaar flansen?'

Ze kijkt verbaasd. 'Ik? Ik heb nog nooit een feestje gedaan.'

'Dat valt onder marketing, toch? Public relations, de naam van het tijdschrift onder de aandacht brengen bij de pers?'

Ze aarzelt. 'Ik geloof van wel.'

'Dus? Hoe snel kun je het regelen? Het feest zou dan ter ere zijn van de verschijning van dit nummer, maar dan moet het feest plaatsvinden voordat het tijdschrift in de winkel ligt, zodat we voor die tijd wat aandacht van de pers krijgen.'

Cynthia heeft zich inmiddels hersteld, zich ongetwijfeld realiserend dat een marketingdirecteur van een klein tijdschrift het zich niet kan permitteren om aarzeling te tonen bij om het even welke suggestie voor publiciteit. Ze begint aantekeningen te krabbelen op haar gele notitieblokje met een uitdrukking op haar gezicht die lijkt te zeggen: *Oké, dus jij wilt een feestje? Dan krijg je een feestje. Garnalen op dienblaadjes. Misschien een ijssculptuur in de vorm van een huis.*

Ik probeer wanhopig een manier te verzinnen om deze trein te laten ontsporen voordat hij vaart begint te maken, maar Ron heeft zijn voet stevig op het gaspedaal en hij geniet met volle teugen, enorme rookwolken uitblazend terwijl we voortdenderen. Hoe zeg ik tegen hem dat de brug eruit ligt verderop? Er ligt een vrouw vastgebonden op de rails, en er is geen dappere cowboy om haar te redden.

'Ik geloof niet dat hij een feesttype is,' zeg ik.

Ron kijkt ongeduldig. 'Noem het dan een etentje. Alles om hem hier te krijgen.'

Ik heb zijn laatste twee mailtjes niet beantwoord, voornamelijk omdat ik de moed niet heb om hem te vertellen dat ik een fout heb gemaakt. Maar ik denk dat dat zal moeten wachten. Ron wil een feestje, en ik zou Michael geen uitnodiging kunnen sturen nadat ik hem had verteld dat ik hem niet meer wilde zien.

David voelt duidelijk dat er iets aan de hand is met me, maar hij heeft tot nu toe het stellen van directe vragen vermeden. Ik weet niet of het beleefdheid is of angst voor wat ik zal zeggen, maar het gevolg is dat we de afgelopen dagen op onze tenen om elkaar heen hebben gelopen, allebei hopend dat ik niet weer in tranen zal uitbarsten.

Ik ben niet van plan om nog een keer met Michael naar bed te gaan, maar ik wil op goede voet met hem blijven tot na het feestje. Het enige wat daarvoor nodig zou zijn, is een aanmoedigend antwoord op zijn mailtjes. Geen beloftes, geen geflirt; ik zal er alleen nog geen punt achter zetten. Zou dat liegen zijn?

Ik wil niemand kwetsen, en de waarheid vertellen zou mensen pijn doen. David heeft duidelijk gemaakt dat hij het niet wil weten, dus inmiddels bevinden zich er in ons appartement meer slapende honden dan op een boerenerf. En gezien de toon van Michaels e-mail, zou ik hem absoluut kwetsen als ik er nu een punt achter zette. Dit feestje zal me de tijd geven om hem voorzichtig te dumpen. Trouwens, als hij van dichtbij ziet voor wat voor tijdschrift ik werk, zal hij waarschijnlijk de belangstelling verliezen. Daarmee zou het hele probleem opgelost zijn.

Hallo Michael,

Je hoeft je niet te verontschuldigen voor dit weekend. In feite is het mijn eigen schuld. Ik ben degene die een interview heeft voorgesteld. Enfin, ik ben een grote meid – ik kan wel tegen een stootje.

Het is hier een gekkenhuis sinds ik terug ben. We zijn als een gek bezig om het interview en de foto's persklaar te krijgen, en ik voeg beide toe aan deze e-mail. Aan de tekst moet nog wat ge-sleuteld worden, en misschien schuiven we ook nog wat met de foto's, maar je moet het me snel laten weten als je grote bezwa-ren hebt. Mijn uitgever zou graag willen dat ze aan het eind van de week hun definitieve vorm hebben.

En, wanneer ben je weer in New York? We zouden het enig vinden om een diner voor je te organiseren om de publicatie van het interview te vieren.

Ziezo, dat is eruit. Ron zal ermee moeten leven als Michael er geen zin in heeft. We kunnen wel andere manieren verzinnen om het nummer onder de aandacht te brengen.

Niet dat Ron het mij evengoed niet kwalijk zou nemen als Michael weigerde. Ik aarzel, typ dan: *Het zou heel veel voor me betekenen.*

Als hij zich zo beroerd voelt over wat er in Californië is gebeurd, dan is dit zijn kans om er iets aan te doen. Ik betwijfel of dat is wat hij in gedachten had toen hij aanbood om het *goed te maken*, maar ach, het leven zit vol kleine teleurstellingen, nietwaar?

Liz belt me vlak voor het middaguur om me uit te nodigen voor de lunch.

'Ik dacht dat je je had ingeschreven bij dat datingbureau "Enkel lunch". Vorige week zei je dat je elke dag iets te doen zou hebben.'

'Dat is ook zo. En dat is precies wat ik vorige week heb gekregen: enkel lunch.' Ik hoor haar de telefoon bedekken en iets tegen haar secretaresse zeggen, en dan is ze er weer. 'Het blijkt oervervelend te zijn om te lunchen met mannen die je willen vertellen dat ze het zo zat zijn om alleen te zijn en op zoek zijn naar een vaste relatie.'

'Is dat dan niet wat je wilt?'

'Tuurlijk wel. Alleen niet met die kerels. Ik wil de vis zelf vangen, niet op een presenteerblaadje aangeboden krijgen. Die kerels zijn al aan de haak geslagen en gefileerd, en een of andere vrouw heeft de graten uitgespuugd. Ik klaagde vroeger altijd dat de mannen waar ik iets mee had emotioneel niet beschikbaar waren. Maar deze ke-rels zijn zo emotioneel beschikbaar dat je tegen ze wilt zeggen dat ze hun hart weer terug moeten stoppen in hun borst en zich door een chirurg dicht moeten laten naaien.'

'Dus in feite vind je alleen de kerels leuk die je als vuilnis behandelen.'

'Dat is oud nieuws, liefje. Ik winkel niet in de uitverkoop.'

We kletsen nog een poosje, en dan zegt ze: 'Nou, gaan we samen lunchen? Ik laat er een afspraak met zo'n arme stumper van de lunchclub voor schieten, dus dan kun je me vertellen wat een loeder ik ben.'

'Meen je dat? Bel je die kerel niet af?'

'Er stond een bericht op mijn voicemail vanochtend, en ik word geacht terug te bellen als ik hem wil ontmoeten voor de lunch. Het is niet zo erg.'

Ik kijk naar de stapel werk op mijn bureau. 'Kunnen we het kort houden?'

'Je klinkt als een van mijn lunchafspraakjes.'

'Zo, hoe was het in Californië?'

'Vermoeiend. En nu wil Ron dat ik een feestje organiseer om het interview onder de aandacht te brengen als het ter perse gaat. Hij schijnt te denken dat dit nummer ons een voorsprong zal geven op de concurrentie.'

We zitten bij Dean and Deluca, waar we een salade en koffie nemen. Ik zoek een tafeltje terwijl Liz zoetjes gaat halen voor haar koffie.

'Zeg me nou dat dit niet de beste uitvinding aller tijden is,' zegt ze als ze terugkomt, de kleine blauwe zakjes met zoetstof omhoog houdend. 'Het zoete van suiker, maar zonder de calorieën. Oké, je krijgt er kanker van – ik zou zeggen dat dat een geringe prijs is om te betalen voor een fantastisch uiterlijk.'

'Je zou je koffie ook zwart kunnen gaan drinken.'

Ze schudt haar hoofd. 'Plezier zonder consequenties. Dat is mijn motto.'

Ik kijk scherp naar haar op. Zinspeelt ze ergens op, of doet ze weer gewoon haar Dorothy Parker imitatie? Ze vangt mijn blik, en haar ogen glijden omlaag naar mijn koffiekopje. Zwart, zonder suiker. Ik ben bezig een theelepeltje in een piepklein bakje magere dressing op mijn dienblad te dopen, een paar druppels over mijn salade verdelend.

'We kunnen niet allemaal zo gedisciplineerd zijn als jij, Eva.'

Haar woorden overrompelen me volkomen. Dit kan ze niet menen. Zou ze zich werkelijk defensief kunnen voelen over haar gewicht tegenover *mij*? Ik kijk naar haar, en voor het eerst dringt het tot me door dat ik haar stilletjes voorbij ben gestreefd. Liz is in de afgelopen maanden wat aangekomen, maar als ik haar niet zo goed kende, zou het me niet eens zijn opgevallen. Ze trok haar jasje uit toen we gingen zitten, en ik kan zien dat haar blouse een beetje strak staat bij de knopen. Het is waarschijnlijk wel zo gezond dat ze niet langer een wandelende kleerhanger is. Overal behalve in Manhattan zouden haar vriendinnen nog steeds jaloers op haar zijn.

Maar het is een feit dat ik nu slanker ben dan zij. En wat nog veel erger is, ze ziet dat ik het in de gaten heb. We wenden allebei onze blik af, scheuren het pakje open met daarin een plastic mes en vork, dat bij onze salade zat.

'Als klein meisje zag ik die kleine plastic vorken en messen altijd als een getrouwd stel,' zeg ik snel. 'Omdat ze altijd onafscheidelijk waren. Inmiddels weet ik wel beter. Getrouwde stellen zijn zelden onafscheidelijk.'

Liz kijkt neer op het bestek in haar hand. 'Wat maakt dat dan van mij?'

Shit. Een veilig onderwerp bestaat niet meer. Ik kan niets anders doen dan proberen er een grapje van te maken.

'Nou, de lepel zit er los bij,' opper ik, 'omdat die vaker gebruikt wordt.'

Ze kijkt naar me op, en tot mijn schrik zie ik tranen opwellen in haar ogen. 'Dat zal ik dan wel zijn.'

Hoe is het mogelijk dat ik niet heb gemerkt dat ze verdriet heeft? Ben ik echt zo egocentrisch geweest? Ik steek mijn arm uit, leg een hand op haar arm. 'Liz, het spijt me zo.'

Maar ze schudt alleen haar hoofd en loopt snel naar het toilet. Ik blijf alleen achter, overweldigd door schaamte. Als ik een goede vriendin was geweest, zou ik gezien hebben... Wat? Dat Liz wat is aangekomen?

En ineens ben ik boos. Waarom is het mijn verantwoordelijkheid om me druk te maken over Liz' gevoelens? Ik heb niets gedaan om haar te kwetsen. Oké, ik ben afgevallen – ze zou blij voor me moeten zijn. Ik kan het niet helpen als zij op haar eigen manier met haar lichaam tobt. Ze heeft constant haar best gedaan om me te dwarsbomen sinds ik op dieet ben. Je leest er voortdurend over: dat je beste vriendinnen degenen zijn die je proberen te verleiden met koekjes of ijs, je ontmoedigen met opmerkingen die suggereren dat het er straks toch allemaal weer aan komt. Ze zijn jaloers, en ze zien jouw succes als een beschuldiging. Als jij het kunt, waarom zij dan niet? Dus is het een troost voor hen om zich voor te stellen dat jij zult falen. Als Liz een *echte* vriendin zou zijn, zou ze me steunen op dit moeilijke punt in mijn leven.

Maar mijn woede ebt net zo snel weer weg. Ik heb niet om Liz' steun gevraagd. Ik heb mijn geheimen voor haar verzwegen, zelfs genoten van het gevoel dat ik haar niet vertelde wat er achter mijn succes zit. Hoe kan ik het haar dan kwalijk nemen dat ze me haar steun niet heeft aangeboden?

Liz komt uit het toilet met een ironische glimlach op haar gezicht geplakt. Ze gaat tegenover me zitten, pakt haar plastic mes en vork en begint haar sla fijn te snijden. 'Ik moet wel behoorlijk belachelijk lijken.'

Ik schud mijn hoofd. 'Liz, ik besef dat ik de laatste tijd heel erg met mezelf bezig ben geweest. Het is het dieet, en alles wat er met David gaande is. Maar ik ben me er ook heel erg van bewust dat jij me door dik en dun hebt gesteund –'

'Laten we het er maar niet meer over hebben, oké?'

We eten een tijdje in stilte van onze salade, en dan zegt ze: 'Zo, vertel me nou maar eens over dat feestje van je.'

119

Iedereen vraagt me hoe ik het heb gedaan. Terwijl de obers schalen met aan tandenstokers geprikte garnalen doorgeven, drommen de architectuurcritici om me heen om te vragen hoe ik erin ben geslaagd om een interview te krijgen met Michael Foresman voor *House & Home.*

'Het was de jurk,' zegt Michael, zich losrukkend van Rons monoloog over de esthetische uitdaging van het restaureren van oude huizen. Hij knipoogt naar Ron en komt naast me staan. 'Hoe kon ik die jurk nou weerstaan?'

Mijn roodzijden cheongsam. Ik had een paar uur voor het feest voor mijn kast staan klagen over mijn gebrek aan kleren toen David de jurk in het oog kreeg en hem tevoorschijn trok. 'Wat is dit?'

Ik aarzelde. 'Dat is de jurk die je voor Chloe hebt meegebracht van je reis naar San Francisco. Weet je nog? Hij was te groot voor haar, maar ik zag hem een paar weken geleden in haar kast hangen, en ik heb hem mee hierheen genomen om hem te passen.'

'Past-ie?'

'Ja. Ja, hij past.'

Hij drukte de jurk in mijn handen. 'Laat eens zien.'

Hetgeen de reden is waarom ik te laat kwam op het feestje. Eerst liet David me de jurk aantrekken. Daarna trok hij me de jurk weer uit. En daarna moest ik opnieuw onder de douche.

'Waar heb jij uitgehangen?' siste Ron toen we uiteindelijk arriveerden.

'Sorry. Kledingkwestie.'

'De eregast is tien minuten geleden gearriveerd, en jij was er niet om hem aan iedereen voor te stellen.'

Een taak waar ik vreselijk tegenop heb gezien – vooral het moment waarop ik zou moeten zeggen: 'En dit is mijn man.' Ik herinner me de enigszins gekwelde uitdrukking op Michaels gezicht toen hij Mari aan me had moeten voorstellen in Californië, maar Mari en ik hadden ons best gedaan om beleefd en vriendelijk te doen. (Nou ja, *ik* had gedaan alsof. Zij *was* beleefd en vriendelijk.) Maar mannen reageren anders op dit soort momenten. Zelfs hoogopgeleide mannen als Michael en David kunnen agressief worden, hun borst vooruitstekend als hanen op het dak van het kippenhok.

Ik heb geen idee hoeveel David weet of vermoedt. Onze verhouding is voorbij, al weet Michael dat nog niet. Maar hoe zou ik David kunnen laten weten dat hij heeft gewonnen, zonder hem te vertellen hoeveel hij al heeft verloren? Hoe laat ik hem weten dat ik heb besloten om mijn fantasie op te geven zonder toe te geven dat hij geen aandeel had in die fantasie? En concreter, hoe zou ik hem kunnen vertellen dat ik heb besloten om te blijven zonder te maken dat hij wil vertrekken?

Beter om mijn mond te houden en deze misstap te laten verdwijnen in mijn verleden. Het enige wat ik hoef te doen, is de avond zien door te komen, en dan kan ik met pijnlijke nieuwe wijsheid mijn leven weer oppakken.

Uiteindelijk was het aan elkaar voorstellen bijna een anticlimax. Ron loodste ons naar de plek waar Michael aan de bar stond te praten met onze productiemanager over de opmaak van de foto's.

'Zo, hier hebben we Eva,' riep Ron met zijn ceremoniemeester-stem. 'En dit is haar man, David. Hebben jullie het eten al gevonden?'

Michael keek nieuwsgierig naar David, maar Ron was al bezig hem mee te voeren om een paar mediatypes te ontmoeten die hij had uitgenodigd. En zo ging het het daaropvolgende uur, met Ron die het feestje leidde als de kapitein van een oceaanstomer op zoek naar een ijsberg.

En die hebben we inmiddels misschien gevonden: iedereen staat te staren naar mijn rode cheongsam. David is bij het buffet, dus ik denk niet dat hij Michaels opmerking over de jurk heeft gehoord, maar Ron lacht net een tikje te hard, en er worden over en weer blikken gewisseld tussen mijn collega's.

'Het is inderdaad een bijzondere jurk,' beaamt Ron met iets te veel enthousiasme. Bij het zien van de uitdrukking op mijn gezicht, vervolgt hij op serieuzere toon: 'Eva is dit jaar een bron van inspiratie geweest voor ons allemaal. Het is me nogal een metamorfose geweest.'

Alle ogen zijn nu onvermijdelijk op mijn lichaam gericht, en voor het eerst registreer ik de reacties van mijn collega's: jaloezie, zelfs enige afkeuring. Een succesvol dieet haalt het slechtste in iedereen naar boven; mislukte diëten zijn bevredigender. Wie wil er nou werkelijk iemand die hij kent zien veranderen in die vrouw uit de tv-commercial die staat te pronken met haar gepolijste lichaam van middelbare leeftijd? Daar wordt toch niemand vrolijk van?

Michael ziet eruit als de kat die de kanarie heeft opgegeten, de veren nog uit zijn mond stekend. Een paar weken geleden zou er een rilling van begeerte door mijn lichaam zijn getrokken bij het zien van die blik. Nu word ik er alleen maar triest van. Hij ziet niet mij, maar een beeld in zijn hoofd. En ik ben de afgelopen zes maanden bezig geweest om mezelf te vormen naar dat beeld. Als hij werkelijk mij wilde zien, de Eva die de afgelopen twintig jaar vrouw en moeder is geweest, moet hij naar zijn eigen vrouw kijken. *Dat* is de realiteit. Dit lichaam waar iedereen nu naar staat te staren, is gecreëerd uit gedeelde herinneringen en fantasie.

Ik ben er trots op, begrijp me niet verkeerd. En het moment waarop ik de weegschaal voor het eerst onder de 120 zag duiken, twee dagen geleden, was alsof ik een engel zag die me glimlachend en zwaaiend binnenhaalde in het Beloofde Land. Maar nu ik er ben, is het gewoon een dag die ik door moet zien te komen: ontbijt, lunch, diner, sportschool. Geen triomftocht, maar gewoon de lange wandeling naar kantoor en zes verdiepingen trappen lopen.

Zoals met elke fantasie, had ik meer verwacht. Maar het leven raast voort, als een getijdenstroom die je meesleurt het diepe water in. In zekere zin gold dat ook voor Michael. Op de een of andere manier had ik meer verwacht. Niet meer seks – dat zou praktisch onmogelijk zijn geweest – maar een intensere beleving van het moment toen datgene waar we maandenlang over hadden gefantaseerd werkelijkheid werd. Ik had ieder moment in gedachten al helemaal beleefd – hoe we elkaar zouden uitkleden, het moment waarop hij voor het eerst mijn borst aanraakte, of voorzichtig mijn slipje naar beneden schoof tot ik naakt voor hem stond – maar vooral dat eerste moment wanneer hij bij me binnen zou dringen, langzaam, elkaar diep in de ogen kijkend, genietend van deze langverwachte bevrediging. Maar dat is niet hoe het uiteindelijk ging. Een beetje gefriemel, een ongemakkelijke pauze, en toen was hij ineens in me, heftig bewegend, het moment alweer voorbij.

Is het met alles zo? Missen we altijd het cruciale moment waarop we verwachten iets te zullen voelen? En zo ja, waarom lijken de vreselijke, gênante momenten dan zo lang te duren?

Zoals nu bijvoorbeeld. Er komt een ober langs met een dienblad vol garnalen, en ik pak er eentje, puur om iedereen te laten zien dat ik mezelf niet uithonger. Ik haal hem door de gembersaus, pak een servetje, en draai me weer om naar mijn publiek.

'Ik ben gek op snacks.' Ik neem een hap.

Michael neemt er ook eentje. 'Ik zie het altijd als een test. Kun je ervan eten zonder te knoeien op je kleren? Als ze van die kleine bladerdeeghapjes serveren, dan *weet* je gewoon dat je gastheer ergens een verborgen camera heeft.'

Dus nu moet iedereen er eentje nemen. Het is een orgie van garnalen met gembersaus, en we kijken allemaal of er niemand knoeit. Grappig hoe snel een feestje kan ontaarden in zoiets primitiefs, als een troep apen die bij elkaar zitten tot één van hen een stok opraapt. Dan moeten ze ineens allemaal een stok oprapen, puur om te laten zien dat ze dat kunnen, en voor je het weet, heb je de poppen aan het dansen.

Maar de nieuwigheid slijt uiteindelijk, en Ron wendt zich tot Michael en vraagt: 'Zo, hoe heb jij onze Eva leren kennen?'

Onze Eva? Zijn Eva. Ons aller Eva. Kun je stikken in een garnaal?

Michael kijkt naar me en glimlacht. 'We hebben elkaar leren kennen in Florida toen ik daar stage liep bij een architectenbureau en zij ook nog studeerde. Ze zei tegen me dat mijn gebouwen belachelijk waren.'

David is er net op tijd bij komen staan om dit te horen, en hij kijkt me met opgetrokken wenkbrauwen aan.

'Hij vertelde me dat hij strandhotels wilde bouwen met alle ramen landinwaarts gericht,' leg ik uit. 'Ik dacht dat hij gewoon probeerde te provoceren, en dat heb ik ook tegen hem gezegd.'

Michael lacht. 'Ik draag de littekens nog steeds mee. Dus toen ze contact opnam om te informeren of ik een interview wilde geven, zag ik mijn kans schoon om wraak te nemen.'

David is in de kring van mensen om ons heen komen staan, en ik heb het gevoel alsof het vertrek ineens heel klein is geworden.

'En heb je dat ook gedaan?'

Michael kijkt naar mij. 'Laten we maar zeggen dat ze een waardige tegenstander is.'

'*En* ik heb opslag verdiend.'

Hij kijkt naar Ron. '*En* ze heeft opslag verdiend.'

Nerveus gelach alom. Ron heft beide handen in de lucht in een gebaar van overgave. 'Oké. Ik kan wel zien dat ik in de minderheid ben.'

'Dus ik krijg opslag?'

'Daar hebben we het nog wel over.'

'Jij hebt vast kinderen,' zegt Michael lachend. 'Dat is dezelfde zin die ik altijd gebruik bij mijn dochter.'

Ineens zegt David: 'Eva, je hebt me nooit verteld dat jullie elkaar nog van vroeger kennen.'

Iedereen kijkt naar David, vervolgens naar mij, en ik voel mijn gezicht warm worden, wetend dat het knalrood moet zijn. David ziet het. Iedereen ziet het. Onze lichamen verraden ons.

'Zo,' zegt Ron snel, zich tot Michael wendend. 'Vertel ons eens over dat nieuwe project in Stony Brook.'

David is zwijgzaam in de taxi naar huis. We zitten ieder op een hoek van de achterbank van de taxi, kijkend naar de voorbij flitsende lichten buiten, de spanning tussen ons om te snijden. Wanneer de taxi stopt bij ons gebouw, leunt David naar voren om de chauffeur te betalen terwijl ik uitstap en op hem wacht in de hal. Wanneer hij zich bij me voegt, zeggen we geen van beiden iets. We wachten in stilte op de lift en staren vervolgens naar de verdiepingnummers terwijl hij naar onze verdieping klimt. David diept de sleutel op uit zijn zak terwijl ik een paar stappen achter hem blijf staan wachten. Vervolgens verdwijnt hij in zijn werkkamer en doet de deur achter zich dicht. Ik ga naar de slaapkamer, hang mijn jurk op en ga op bed liggen, triest en gedeprimeerd.

Wanneer David een uur later binnenkomt, staat de televisie aan, hoewel ik niet zou kunnen zeggen waar ik naar heb gekeken. Hij gaat op het voeteneind van het bed zitten en zegt: 'Ik geloof dat we moeten praten.'

Ik zet de tv uit. 'Dat ben ik met je eens.'

'Wat is er aan de hand? Je bent al maanden jezelf niet. Is er iets wat je me wilt vertellen?'

Het is de vraag die ik al maanden vrees. Maar nu David hem uiteindelijk heeft gesteld, kan ik geen antwoord verzinnen. Dat ik er een puinhoop van heb gemaakt maar dat het nu voorbij is? Dat ik mijn lesje heb geleerd? Alles wat ik tegen hem zeg, zou in het beste geval slechts een halve waarheid zijn.

'Ben je boos vanwege mijn verleden met Michael? Is dat waar dit over gaat?'

'Ik vind het interessant dat je het nooit hebt verteld.'

Als ik het hem had verteld toen het idee voor het interview voor het eerst ter sprake kwam, zou dat de bom die nu tussen ons ligt te tikken misschien onschadelijk hebben gemaakt, en zouden mijn mailtjes nooit die toon van geheimzinnige, flirterige opwinding hebben aangenomen.

'Omdat het speelde lang voordat ik die vrouw werd die zichzelf toestond om zoveel aan te komen,' zeg ik tegen hem. 'Toen ik Michael leerde kennen, was ik geen echtgenote of moeder of redacteur bij *House & Home*. Ik was gewoon Eva, een meisje dat iets wilde doen met haar leven. Het interview was Rons idee en ik kon geen nee zeggen. Maar ik vond dat mijn verleden puur mijn eigen zaak was.'

David kijkt me aan. 'Ben je met hem naar bed geweest?'

'Ja. En we praatten over architectuur. En we gingen uit eten, en we belden elkaar, en toen hebben we elkaar twintig jaar niet gezien. Zo gaan die dingen als je niet met iemand trouwt.'

We zitten een poosje zwijgend bij elkaar. Misschien heb ik me uit deze val gekletst, als een wolf die zijn eigen poot afbijt om vrij te komen. David is echter nog niet tevreden; ik kan zien dat hij er nog steeds over zit te malen.

'Maar nu is er niets aan de hand tussen jullie,' zegt hij.

En daar is het dan, het moment van de waarheid. Zal ik liegen om mijn huwelijk te redden, en het de komende jaren goedmaken tegenover David? Of zal ik hem vertellen wat ik heb gedaan, en riskeren dat ik alles kwijt zal raken?

De manier waarop hij het heeft geformuleerd, als een bewering die hij door mij bevestigd wil horen, maakt duidelijk dat hij niet zit te wachten op bekentenissen. Hij wil de geruststelling dat hij niets te vrezen heeft, dat we dit achter ons kunnen laten en doorgaan met ons huwelijk.

Toch weet hij dat er *iets* gaande is. Je barst niet zomaar in tranen uit, en de groeiende stilte tussen ons moet verklaard worden.

'Ik heb met hem gemaild.'

'Vertel.'

Ik kijk neer op mijn handen. 'Ron zette me onder druk om dat interview te regelen. Hij bleef maar zeggen dat we iets nodig hadden om het tijdschrift op een hoger plan te brengen, en een exclusief interview met een beroemd architect zou dat kunnen bewerkstelligen.' Ik sla mijn ogen op om zijn blik te ontmoeten. 'En ik geef toe, het was heel positief om iemand te hebben die me eraan hielp herinneren wie ik was toen ik nog jong was. Het hielp me gemotiveerd te blijven om mijn dieet vol te houden.'

'Dus ik heb je niet gesteund bij je dieet?'

'Je hebt me enorm gesteund. Maar degene die je steunde, was altijd *mijn oude ik*. Ik probeerde me een ander iemand voor te stellen: iemand die niet gewoon weer *mijn oude ik* zou worden als het dieet achter de rug was. Als jij naar me kijkt, zul je me altijd zien als wie ik ben, niet wie ik *zou kunnen* zijn.'

Aan de manier waarop hij naar me kijkt, kan ik zien dat hij gekwetst is, en ik steek mijn arm uit en leg een hand op zijn arm. 'Dat bedoel ik niet op een negatieve manier; het is nu eenmaal inherent aan getrouwd zijn. We versterken elkaars identiteit. Het is moeilijk om te veranderen als je al twintig jaar met iemand samenwoont. Telkens als de ander naar je kijkt, word je meteen weer wie je altijd bent geweest.'

Ik realiseer me dat ik ongemerkt ben overgestapt van proberen te vermijden om te vertellen wat er is gebeurd tussen Michael en mij, naar het verklaren. Ik wil wanhopig graag dat hij zal begrijpen was er in mijn hoofd omgaat. Een verhouding is het tegenovergestelde van een dieet, waar alles op je lichaam geschreven staat en de hele wereld het kan zien: je wanhoop, je falen, je honger naar verandering. In een verhouding is wat je doet met je lichaam niets anders dan een poging om de verborgen verlangens van je hart te uiten. Wat je motiveert, is niet het verlangen om *bij* iemand anders te zijn; het is het verlangen om iemand anders te *zijn*. En je denkt dat je die nieuwe ik alleen weerspiegeld kunt zien in de ogen van een vreemde.

David kijkt me niet aan, en ineens word ik vreselijk bang. Het is alsof we ons evenwicht proberen te bewaren op een heel dunne balk; één verkeerde beweging en we zullen allebei in de gapende diepte onder ons storten.

David richt zijn hoofd op en kijkt me aan. Ik kan zijn gezichtsuitdrukking niet doorgronden. 'Je moest huilen op de avond dat je terugkwam uit Californië. Wat was er toen gebeurd?'

'Ik had zijn vrouw ontmoet. Ze was heel aardig. Daardoor schaamde ik me.'

'En voordien schaamde je je niet? Je schaamde je nadat je haar had ontmoet, maar niet omdat je mij bedroog?'

'Ik zat er te zeer in verstrikt om te weten wat ik voelde,' zeg ik tegen hem. 'Ik kan het niet uitleggen, het dieet, de lichaamsbeweging, Michael, het werd een grote puinhoop in mijn hoofd. Het is alsof ik erin verdwaald ben geraakt. Ik kon alleen maar denken aan wat ik moest doen om af te vallen. Dat was het enige wat ertoe deed.'

'Nou, je ziet er fantastisch uit nu,' zegt hij verbitterd. 'Dat hoor ik van iedereen. Ze willen allemaal weten hoe je het hebt gedaan.'

We zitten een poosje zwijgend bij elkaar. Dan kijkt hij me weer aan en ik kan de uitputting zien in zijn ogen.

'Zo kan het niet langer, Eva.'

Mijn ogen vullen zich met tranen. 'Bedoel je dat je wilt scheiden?'

'Ik weet niet wat ik wil. Ik weet alleen dat we al een hele tijd geen stel meer zijn.' Hij staat op, gaat naar de badkamer en buigt zich over de wastafel om water in zijn gezicht te plenzen. Hij droogt zijn gezicht af en kijkt me met een vastberaden uitdrukking aan. 'Ik denk dat we moeten proberen om een poosje apart te gaan wonen.'

En dat was het dan. Ik heb mijn huwelijk kapotgemaakt. Ik kan praten als Brugman, maar daarmee zal ik hem niet terugkrijgen.

'Is dat wat je wilt?'

'Daar *gaat* het niet over. We zijn allebei niet gelukkig. Ik zie niet wat het nut is om op die manier te leven.'

'En Chloe dan?'

'Ze is een grote meid. Ze zal het op den duur wel begrijpen.' Hij heeft zijn besluit genomen, en niets of niemand kan hem nog op andere gedachten brengen.

En ineens, alsof er een lichtje aangaat, zie ik nog iets anders in de manier waarop hij me de rug toekeert, de gedecideerdheid waarmee hij een streep zet onder twintig jaar huwelijk.

'Is er iemand anders, David?'

Hij werpt me een boze blik toe. 'Dat zou je wel fijn vinden, hè? Dan zou dit allemaal mijn schuld zijn.'

Maar zelfs terwijl hij het zegt, kan ik zien dat het een schot in de roos is. 'Er is echt iemand anders, hè? Daarom heb je me nog niet eerder gevraagd wat er gaande was. Je had het te druk met iets voor me verborgen houden. En nu zie je een uitweg en probeer je mij ook nog eens de schuld in de schoenen te schuiven!'

Hij loopt de kamer uit. Even later komt hij terug met een koffer uit de gangkast. Er word geen woord gesproken terwijl hij woedend zijn laden leegkiepert in de koffer en vervolgens terugloopt naar de gang voor een kledingzak.

Het is moeilijk om verontwaardigde woede vast te houden terwijl je in gevecht verwikkeld bent met een kluwen kleerhangers, maar David houdt vol totdat hij de kledingzak heeft volgestouwd met vier kostuums, een arm vol overhemden, en drie paar schoenen. Dan gaat hij naar de badkamer, verzamelt zijn toiletspullen, en gooit ze in de koffer.

Maar wanneer hij die dicht wil doen, komt hij tot de ontdekking dat hij te veel heeft ingepakt. De koffer wil niet dicht, al duwt hij de kleren nog zo hard naar beneden om de rits ruimte te geven. Uiteindelijk grist hij er lukraak een handvol kleren uit en smijt ze op de grond. Hij ritst de koffer dicht en draait zich om naar mij.

'Ik bel je nog wel om een adres door te geven waar je mijn spullen naartoe kunt sturen.' Hij klinkt alsof hij in zinnen spreekt uit een oude film die hij heeft gezien, maar in zijn ogen ligt een smekende blik.

'Als dat is wat je wilt,' zeg ik. 'Ik zal ervoor zorgen dat alles klaarstaat als je belt.'

De blik verdwijnt uit zijn ogen. Hij pakt zijn koffer, gooit de kledingzak over zijn schouder en loopt de deur uit. Even later hoor ik de voordeur dichtgaan.

Twintig jaar huwelijk, foetsie. Ik doe mijn ogen dicht en nu komen de tranen – te laat om er nog iets aan te kunnen doen.

116

'Eet iets, oké?' Liz knikt naar mijn onaangeroerde salade. 'Neem een stukje kip. Die ziet er lekker uit.'

Ze praat tegen me zoals je tegen een kind zou praten. Wat het bijzonder irritant maakt, is dat ik vind dat ik het best aardig doe. Ik sta 's morgens op, ga naar mijn werk, ga naar de sportschool. Het enige waar ik niet zo goed in ben, is eten. Ik bereid maaltijden en vervolgens kan ik ze niet eten, dus wikkel ik ze in plastic en schuif ze in de koelkast. Als Liz me mee uit eten neemt, draait het er steevast op uit dat ik mijn maaltijd mee naar huis neem in een afhaaldoosje. Na een paar dagen mest ik de koelkast uit en gooi ik alles weg wat begint te stinken. Ik ben een maat gekrompen sinds David weg is, en ik veronderstel dat dat goed is. Liz kijkt naar me en schudt haar hoofd alsof ik ben veranderd in een of ander hongerkind dat rondloopt op breekbare luciferbeentjes. Maar de complete collectie van de allernieuwste mode behoort nu tot de mogelijkheden voor mij. Ik zou een model kunnen zijn, mits er ooit een ontwerper was die een onlangs gedumpte, depressieve veertigplusser nodig had die haar huwelijk had verkloot. De hemel weet dat ik niet de enige ben. Liz nodigt me uit om ergens iets te gaan drinken met haar groep verbitterde gescheiden vrouwen. Waarschijnlijk geef ik de dames een goed gevoel over zichzelf, aangezien zij niet meer dagelijks in tranen uitbarsten.

'Moet je nou toch kijken! Je bent zo mager,' roepen ze uit als ze me zien. 'Hoe heb je dat gedaan?'

'Overspel,' zeg ik. 'Echtscheiding. Je stopt met eten. Geen centje pijn.'

Ze staren me aan, totdat er eentje begint te lachen. 'O, jij bent me er eentje. Maar even serieus, hoe heb je het voor elkaar gekregen?'

Een dieet en lichaamsbeweging. Verantwoorde keuzes in het leven.

'Hij is nu bij haar ingetrokken,' zeg ik tegen Liz.

'Bij wie?'

'Maribel Steinberg. Ze schrijft dieetboeken.'

Liz trekt een wenkbrauw op. 'Dat is wel ironisch. Van de wal in de sloot, hm? Laat hem maar ontdekken hoe het is om samen te wonen met een echte dieetkoningin. Dan komt-ie er vanzelf achter hoe goed hij het had bij jou.'

IJdele hoop, want ik weet dat hij niet meer terugkomt. Echtgenoten komen nooit terug als ze eenmaal bij je weg zijn. *Hij komt wel weer terug* is gewoon een verhaaltje dat we onszelf op de mouw spelden om de eerste paar maanden door te komen, totdat we kunnen wennen aan het idee dat we de rest van ons leven alleen zullen zijn. Je kunt niet meer terug; je kunt alleen maar vooruit.

'Heb je het al aan Chloe verteld?'

Ik schud mijn hoofd. 'Ze is aan het rondtrekken door Oost-Europa. Ik wou eigenlijk wachten tot ze weer terug is in Parijs, omdat ik haar vakantie niet wil verpesten. Ik zit erover te denken om er misschien naartoe te vliegen en het haar persoonlijk te vertellen.'

'Dat is een goed idee! Ga een paar dagen naar Parijs. Ga met een Fransman naar bed. Er bestaat geen betere manier om jezelf te genezen van een Amerikaanse echtgenoot.'

Die gedachte was al bij me opgekomen. Maar al doe ik nog zo mijn best om realistisch te zijn, ik weet ook dat ik het gesprek met Chloe heb uitgesteld in de hoop dat het misschien wel over zal waaien, dat ik op een avond thuis zal komen uit mijn werk en David zal aantreffen. In plaats daarvan kom ik bij mijn thuiskomst tot de ontdekking dat er nog meer spullen van hem verdwenen zijn. Hij heeft me niet gebeld om een adres door te geven. In plaats daarvan is hij in zijn lunchpauze gekomen, gewoon naar binnen gegaan en heeft de spullen meegenomen die hij was vergeten in te pakken tijdens zijn dramatische vertrek. Ik was maar begonnen met dozen inpakken, die ik in de hal bij de voordeur neerzette. Wanneer ik thuiskom, zijn ze weg.

En dan zijn er nog de telefoontjes. Ik word overstelpt met mede-leven. Het lijkt alsof iedereen aan wie hij vertelt dat hij bij me weg is, mij opbelt om mijn verdriet te delen. Het enige waar ik aan kan denken, is dat dit de mensen waren die wisten dat hij een verhou-ding had, maar het niet konden opbrengen om het aan mij te ver-tellen. Ze hebben op dit moment gewacht om te zeggen hoe graag ze het me hadden willen vertellen. Edie, van zijn kantoor, is de eer-ste, en zij belt nog geen twee dagen nadat hij zijn biezen heeft ge-pakt. Hij moet het zijn collega's hebben verteld voor het geval ze hem probeerden te bereiken.

'Eva, ik vind het *zo* erg voor je,' zegt Edie tegen me. 'Ik zag wat er gaande was, en ik vond het verschrikkelijk. Laat me alsjeblieft weten of ik iets voor je kan doen.'

Ik bedank haar beleefd, zeg tegen haar dat het lief is dat ze belt, en hang vervolgens zo snel mogelijk op. Kan er iemand ook maar iets voor me doen? Ik heb al veel te veel gedaan voor mezelf.

'Enfin,' zegt Liz over Maribel, 'jij bent waarschijnlijk slanker dan zij tegenwoordig. En waar is haar boek gebleven? Het heeft een week lang in de etalage van alle boekhandels gelegen in de herfst, en nu is het zelfs op de planken niet meer te vinden.'

'Nou, daar kan ze haar uitgever niet de schuld van geven. David zei altijd dat dieetboeken een thema nodig hebben. Kennelijk wil niemand een boek kopen dat je vertelt dat je trouw moet zijn aan jezelf.'

Liz lacht. 'Vertel mij wat. Het leven is al zwaar genoeg. Als ik een dieetboek koop, wil ik alleen maar weten hoe eenvoudig het zal zijn en hoe vaak ik de boel mag belazeren.'

'Dat is mijn dieetplan. De hele boel belazeren, helemaal geen waar-heid.'

Ze kijkt me verbaasd aan. 'Is er soms iets wat je me niet vertelt?'

Opbiechten is goed voor de ziel, dus ik vertel het haar.

Als ik daarmee klaar ben, staart ze me verbijsterd aan. 'Eva, ik ben diep teleurgesteld in je! Hoe kon je een verhouding hebben zon-der het mij te *vertellen*?'

'Het is niet iets waar je mee te koop loopt.'

'Dat meen je niet! Waar ben jij geweest? Overspelige vrouwen worden als fascinerend beschouwd in onze cultuur. Je komt ze tegen in alle films, op tv, overal. Tegenwoordig zijn mannen die een verhouding hebben klootzakken, maar vrouwen die er eentje hebben, zijn ronduit *hip*.' Ze buigt zich naar me toe. 'Serieus, liefje, je moet dat dieetboek schrijven. "Bedrieglijk eenvoudig afvallen." Echtgenoten over de hele wereld zouden het lezen.'

'Zou je denken?'

Ze glimlacht ondeugend. 'En denk je eens in hoe Maribel Steinberg zich zal voelen.'

Lente 2007

124

'Mama, je bent nu op tv!'

Ik neem mijn koffiemok mee naar de woonkamer, waar Chloe languit op de bank ligt, haar voeten op de salontafel. Ze heeft de afstandsbediening van de televisie in haar hand, en zet precies op tijd het geluid harder, zodat ik de presentatrice van het ochtendprogramma nog net hoor zeggen: 'En we zijn weer terug. Onze gast is de schrijfster van een nieuw dieetboek dat voor behoorlijk wat ophef zorgt.'

'Het is zo grappig, zoals ze dat allemaal zeggen,' merkt Chloe op. 'Alsof zij niet degenen zijn die alle ophef creëren.'

De presentatrice trekt haar 'bezorgde burger' gezicht, dat ze altijd trekt als ze verslag doet van een maatschappelijke trend die het einde van de westerse beschaving inluidt. 'Maar is de suggestie dat ontrouw het meest effectieve dieetplan is voor getrouwde vrouwen niet onverteerbaar? Bij ons vandaag is Eva Cassady, schrijfster van *Het overspeldieet*. Welkom.'

De camera zoomt uit, zodat ik zichtbaar word, zittend op de bank in mijn nieuwste rode jurk en met een licht ironische glimlach. 'Je moet altijd iets roods aantrekken als je televisie-interviews doet,' had de mediatrainer die Edie had ingehuurd me verteld. 'Het is de kleur van het overspel.'

'Is dat niet een beetje erg cliché?'

'Cliché is goed, liefje. Eerst doe je de clichématige dingen, daarna mag je ironisch worden.'

En tot dusverre heeft ze gelijk gehad. Ze was erin geslaagd om een klein schandaal te creëren over het boek door een advance copy te sturen naar rechtse betweters die altijd op zoek waren naar bewijzen van de morele ondergang van de maatschappij. Vervolgens had ze een reeks relletjes in scène gezet bij signeersessies die ze had gepland bij verscheidene grote winkelketens in Midtown. Ze had een rondje gebeld naar de baptistenkerken in de stad, zich voordoend als een 'bezorgde burger' die hun predikanten wilde attenderen op deze ode aan de immoraliteit. Na een aantal pogingen vond ze een vent in Queens die een keer wat publiciteit had gekregen doordat hij zijn congregatie was voorgegaan in nachtelijke 'gebedsinstuiven' voor de deuren van een theater in Broadway waar een beroemd filmactrice die ooit Maria had gespeeld in een film over de laatste dagen van Christus nu elke avond uit de kleren ging als Mrs. Robinson. Hij had zijn congregatie gemobiliseerd om met bordjes te zwaaien en slogans te schreeuwen voor de plaatselijke nieuwscamera's, terwijl ik in de winkel in mijn rode jurk boeken zat te signeren. Vervolgens had ze een stuk of tien van de vrouwelijke werknemers van de uitgever geronseld, ze in bij elkaar passende T-shirts gehesen met een grote vuurrode O op de voorkant, en ze naar buiten gestuurd om een tegendemonstratie op te voeren als gelukkige, magere overspeligen. De vrouwen hadden er lol in, en een filmpje van hen waarin ze 'Eén, twee, drie, vier, afslanken geeft veel plezier!' scandeerden tegen de baptisten, haalde het journaal. Tegen de tijd dat ik aan mijn boekentournee langs twaalf steden begon, had Edie de campagne al draaiende als een goed geoliede machine. Ze stuurde kopieën van de video-opname naar de lokale televisiestations, en pleegde vervolgens nog meer 'bezorgde burger' telefoontjes naar de megakerken in de voorsteden. In de boekhandels stond er dan een levensgrote kartonnen versie van mij in mijn rode jurk, met een ironische glimlach, leunend op een reusachtige vuurrode O. Naast de stapel boeken lag er dan ook een stapel T-shirts te koop, en het gebeurde telkens weer dat er een menigte lachende vrouwen met het T-shirt al aan in de rij stond voor mijn handtekening.

'Het is verbijsterend,' zei ik tegen Edie over de telefoon. 'Ze trekken allemaal hun shirt aan en verkondigen vol trots dat ze overspelig zijn. Ik heb nog nooit zoiets gezien.'

'Dat is de kracht van een goede publiciteitscampagne, liefje. Zorg gewoon dat je slank blijft en blijft glimlachen, dan volgen ze je overal.'

Ik blijf glimlachen. Zolang we het blijven beschouwen als een ondeugend grapje, zullen vrouwen misschien de boodschap van het boek begrijpen: ze hoeven niet daadwerkelijk overspelig te *zijn*, maar alleen als een overspelige te denken. Eis je eigen tegendraadse verlangens op, zeg ik tegen hen. Zie in dat de wereld, door jullie te veranderen in echtgenotes en moeders, een honger in jullie wekt die alleen maar groter wordt naarmate je consumeert. Houd de overspelige vrouw in je binnenste in ere door te weigeren je te laten verteren door je verlangens. Onthoud dat je ooit een meisje bent geweest met je eigen dromen en ambitie. Eis je *eigen* leven weer op. Eet gezond, ga sporten, en gun jezelf de vrijheid om te dromen. Weiger om je te laten bezoedelen.

En er zijn ook recepten. Het is onmogelijk voor mij om niet te glimlachen terwijl ik het promoot.

Slank blijven terwijl ik op reis ben, dat is het moeilijke gedeelte. Ik ben altijd te vinden in de fitnessruimtes van de hotels, waar zakenreizigers zich in het zweet werken voor spiegelwanden terwijl ze naar CNN kijken op de televisie die aan het plafond hangt. Deze ruimtes zijn net zo onpersoonlijk als vliegvelden, en net zozeer een tussenstation. Ik ga van de ene stad naar de andere, en tref in ieder hotel dezelfde vijf apparaten aan.

'Hierna komen de televisie-interviews,' waarschuwt de mediatrainer me. 'Denk erom, de camera maakt je tien pond zwaarder.'

Dat is niets vergeleken bij hoeveel zwaarder het boek me zou hebben gemaakt als ik daar niet voor had gewaakt. Hoe heeft er iemand ooit kunnen schrijven voordat er rijstwafels bestonden? Ik heb negen maanden lang elke avond achter mijn bureau naar mijn beeldscherm zitten staren terwijl ik me door een zak zoutarme rijstwafels heen knaagde. Negen maanden van onbedwingbare verlangens: vijgenkoekjes, chocoladekoekjes met roomvulling, pistacheijs, M&M's. Toen ik zwanger was van Chloe, had ik tenminste nog een excuus om te eten. Maar hoe kon ik mezelf nou toestaan om dik te worden terwijl ik een *dieet*boek aan het schrijven was?

Het schrijven van het boek hielp me wel om over Davids abrupte vertrek heen te komen. Edie Boyarski hield me op de hoogte van zijn rampspoed in de liefde. Het bleek dat Maribel Steinberg er helemaal niet blij mee was dat hij ineens beschikbaar was. Ze had het prettig gevonden om een getrouwde minnaar te hebben, die haar leven niet op zijn kop zette. Maar nu was haar minnaar bij haar ingetrokken 'totdat hij iets voor zichzelf zou hebben gevonden'. In Manhattan kan dat heel lang duren. Ze gaf het drie maanden de tijd, en toen heeft ze hem eruit gezet.

'En om het nog erger te maken,' vertelde Edie opgewekt, 'gaat ze naar een andere uitgever. Ze heeft tegen haar agent gezegd dat wij niet genoeg hadden gedaan om haar boek te promoten.'

Een paar weken lang verwachtte ik half dat David ineens op de stoep zou staan. Maar kennelijk had hij ergens onderdak gevonden, en was hij nog steeds te boos of te trots om terug te gaan naar zijn vrouw.

Dus ik ging stug door met typen. Ik vertelde aan niemand, behalve Liz, dat ik aan het schrijven was, dus het was alsof ik het ene geheim had ingeruild voor het andere. En elke week een kleine stapel A4'tjes produceren, voelde gek genoeg bijna net zo als de getallen op de badkamerweegschaal steeds kleiner zien worden. In beide gevallen was het negen maanden trage, eentonige arbeid. Schrijven, lijnen, bevallen: allemaal dingen die tijd en geduld vergen, maar die je leven veranderen.

Toen het af was, stuurde ik het naar Liz, die me de volgende dag opbelde om te zeggen: 'Wanneer ben jij zo *verdorven* geworden? Je moet dit uitgeven!'

Ik voelde me voldoende aangemoedigd om het naar Edie te sturen, en die belde me een week later om te zeggen dat ze het wilde voordragen in de redactievergadering.

'Zal David bij die vergadering aanwezig zijn?'

'Weet je het dan nog niet? Hij is twee weken geleden vertrokken. Ik was van plan om je te bellen, maar ik kwam om in het extra werk.'

Misschien had ik niet zo verbaasd moeten zijn, maar de mededeling joeg een steek van pijn door mijn hart. Waarom had hij het me niet verteld? Het moest een ingrijpende beslissing zijn geweest, maar hij beschouwde het kennelijk niet als iets wat mij aanging.

'Wat doet hij nu?'

'Hij is "nieuwe mogelijkheden aan het onderzoeken". Dat is wat ze zeggen als ze je dwingen om op te stappen. Kennelijk liep het allemaal niet zo lekker, en zijn er problemen geweest bij een aantal projecten. Vervolgens stapte Maribel Steinberg op, en heeft haar agent wat lelijke praatjes rondgestrooid, en toen heeft iemand in de hogere regionen David laten weten dat het misschien wel tijd werd voor hem om die nieuwe mogelijkheden te gaan onderzoeken. En nu ga ik jouw boek voordragen in de redactievergadering. Is het niet *verrukkelijk?*'

Niet echt. Ik voelde me triest toen ik ophing. Dus belde ik Chloe op de universiteit. Ze was vorige zomer teruggekomen uit Parijs en moest toen constateren dat haar ouders gescheiden waren. Toch was ze in vele opzichten teruggekeerd met een nieuwe volwassenheid en levenservaring die maakten dat het leek alsof ze nauwelijks nog ouders nodig had. Ze had een paar weken bij mij gelogeerd totdat de colleges weer begonnen, maar ik had haar in die periode nauwelijks gezien. Ze had een stage bij een Frans mediabedrijf in New York geritseld, gebruikmakend van het netwerk dat ze had opgebouwd via een jongen die ze in Parijs had leren kennen en die welgestelde, invloedrijke ouders had. Het enige wat ze wilde, was afstuderen en dan teruggaan naar Parijs, dit keer met een baan op zak. Onze problemen leken alleen maar een extra reden voor haar om te willen vertrekken. Als je verleden achter je in rook opgaat, kun je toch niet anders dan je vastklampen aan de veelbelovende toekomst die voor je ligt?

Hoe het ook zij, ik belde Chloe op de universiteit en zei tegen haar dat ik in het weekend naar haar toe zou komen. Ze leek verbaasd, een tikje geërgerd zelfs. Het was het tweede semester van haar afstudeerjaar, en ze had het vreselijk druk. Kon ik niet gewoon een paar weken later komen, als ze haar bul kreeg uitgereikt?

'Er is iets waar ik met je over wil praten,' zei ik tegen haar.

'Gaat het over jou en papa?'

'In zekere zin. Maar het gaat ook over jou.'

We spraken af dat we die zaterdag zouden gaan lunchen. Dus pakte ik een exemplaar van mijn manuscript in en nam dat mee toen ik haar ging opzoeken. Tijdens de lunch kletsten we over haar scriptie, de sollicitatiegesprekken die ze voor de week daarop had staan, en haar plannen voor direct na het afstuderen. Een aantal van haar vrienden zou voor een week een huisje huren op Cape Cod, meteen na het afstudeerfeest, en ze had wel zin om met hen mee te gaan. Ik zei dat het me enig leek.

Toen we alle voor de hand liggende ouder-kind onderwerpen hadden afgehandeld, zei ik: 'Luister, Chloe...'

'Je gaat hertrouwen, hè? Of anders papa wel. Dus jullie gaan officieel echtscheiding aanvragen.'

Ik keek haar verbaasd aan. 'Chloe, ik heb niet eens een relatie met iemand. Heeft je vader tegen je gezegd dat hij gaat trouwen?'

Ze schudde haar hoofd. 'Hij praat niet met mij over dat soort dingen. De enige vrouw waar hij het ooit over heeft, dat ben jij.'

'*Ik*? Wat zegt hij dan?'

'Hij vraagt hoe het met je gaat, of alles goed is in het appartement, dat soort dingen.' Ze glimlacht. 'En dan zeg ik tegen hem dat alles prima is met jou. Druk, maar goed.'

Heel even was ik van mijn stuk gebracht door de gedachte aan David die informeerde of ik gelukkig was. Maar ik vermande me en zei: 'Chloe, ik weet dat het een vreselijke schok voor je moet zijn geweest toen papa en ik uit elkaar gingen.'

Ze haalde haar schouders op. 'Niet echt. De ouders van al mijn vrienden gaan uit elkaar de laatste tijd. Ik zat me al min of meer af te vragen wanneer het er bij jullie van zou komen.'

Het enige wat ik kon doen, was haar verbluft aanstaren. Dit gesprek verliep helemaal niet zoals ik het had gepland. 'We waren al jarenlang uit elkaar aan het groeien. Ik vermoed dat dat in heel veel huwelijken gebeurt.'

'Hetgeen een beleefde manier is om te zeggen dat papa een verhouding had.'

'Het was niet alleen zijn schuld.'

Ze lachte. 'Je bedoelt dat jij ook een verhouding had?'

Er viel een stilte, en toen haalde ik diep adem. 'We hebben allebei fouten gemaakt, Chloe.'

Ze staarde me aan. 'Meen je dat? Had jij een minnaar?'

Mijn keel voelde alsof ik een steen had ingeslikt die halverwege was blijven steken. Uiteindelijk sloeg ik mijn ogen neer en knikte.

'Dat is echt super, mam! Ik heb het al die tijd zielig voor je gevonden dat je thuis zat te wachten tot papa terugkwam. En nu blijkt dat je gewoon de bloemetjes buiten aan het zetten was.'

Wat mankeert die jeugd van tegenwoordig toch? Hebben ze het vermogen verloren om geschokt te zijn door hun ouders? Is dat de prijs die we betalen omdat wij weigeren geschokt te zijn door wat zíj doen?

'Ik heb een boek geschreven, Chloe. Als het wordt uitgegeven, wordt dit allemaal openbaar. Ik noem geen namen, en ik laat je vaders verhouding er voor het grootste deel buiten. Maar ik vond dat ik het je moest vertellen, omdat het je zou kunnen raken.'

'Je hebt een *boek* geschreven? Over papa en jou?'

'In zekere zin. Het is een dieetboek.'

Ze leunde achterover en lachte tot de tranen over haar wangen liepen. 'Dat is echt hilarisch! Arme papa. Alle vrouwen in zijn leven schrijven dieetboeken.' Ze veegde in haar ogen met haar servetje, keek naar mij en barstte opnieuw in lachen uit. 'Maak jij je serieus zorgen dat een *dieetboek* mij in verlegenheid zou kunnen brengen?'

Ik stak mijn hand in mijn koffertje, pakte het manuscript en schoof het over de tafel naar haar toe. 'Misschien kun je het beter even lezen.'

Ze keek neer op de titelpagina en haar ogen werden groot. 'Dat meen je niet.'

'Lees het nou maar, en bel me dan even. Als je denkt dat je er problemen mee zult krijgen, dan prop ik het in een la, en dat is dan dat.' Ik stond op van de tafel. 'Kom, ik zal je een lift geven naar het studentenhuis.'

Die avond liet ik me door Liz meenemen om ergens aan de drank te gaan. In de bar begonnen twee kerels naar ons te lonken, maar ik was te nerveus over Chloe om er iets mee te doen.

'Maak je geen zorgen,' zei Liz tegen me. 'Ze is een grote meid. Ze kan het wel aan.'

Maar dat was niet precies waar ik me zorgen over maakte. Het was het idee dat Chloe's hele beeld van mij zou veranderen als ze mijn manuscript las. Ik had verwacht dat ze geschokt zou zijn toen ze me voor het eerst zag nadat ik zoveel was afgevallen, en in werkelijkheid herkende ze me amper toen ik haar kwam ophalen op het vliegveld. Maar het duurde maar even voordat we het 'Je ziet er *fantastisch* uit' en het 'Hoe heb je dat *gedaan*?' hadden gehad en ze om zich heen keek en vroeg: 'Waar is papa?' Nu zou ze haar antwoord krijgen, en ik kon me bijna niet voorstellen dat onze relatie ooit nog hetzelfde zou zijn.

Toen ik die avond thuiskwam, stond er een bericht op mijn antwoordapparaat, het lampje knipperend als een waarschuwingssignaal. Ik drukte op de knop.

'Mam, met Chloe. Ik vind het boek helemaal geweldig! Mag ik het aan mijn kamergenotes laten zien? Sinds wanneer ben je zo *grappig*? Bel me als je thuis bent, oké?'

Nu zit Chloe op de bank, gekleed in haar eigen T-shirt met de sierlijke vuurrode O, terwijl we kijken naar mijn interview met de presentatrice van de plaatselijke ontbijtshow, dat de middag daarvoor is opgenomen op een lege set. De presentatrice doet haar best om zowel geamuseerdheid als sterke morele afkeuring voor te wenden. Ik blijf stoïcijns glimlachen. Geen van de vragen is nieuw voor me.

'Dus jij wilt echt beweren dat vrouwen moeten afvallen door overspel te plegen?'

'Helemaal niet. Sterker nog, het gaat niet eens om seks. Het gaat erom dat je je lichaam terugvordert door je dromen terug te vorderen. In onze dromen zijn we individuen, maar in ons leven zijn we echtgenotes en moeders. Afvallen is een egoïstisch proces in de zin dat je tijd vrij moet maken om aan jezelf te denken: wat je eet, hoe je voldoende lichaamsbeweging krijgt, dagelijkse doelen stellen die helpen je dichter bij je grotere ambities te brengen. We zijn geconditioneerd om de behoeften van anderen boven onze eigen behoeften te plaatsen, en dat is één reden waarom we dit nauwe verband zien tussen succesvol afvallen en buitenechtelijke verhoudingen. Vrouwen vallen af wanneer de begeerte die ze voelen groter is dan de dagelijkse pijn van afvallen en lichaamsbeweging. Wat ik duidelijk probeer te maken in dit boek, is dat we moeten leren om diezelfde begeerte op onszelf te projecteren, in plaats van op zoek te gaan naar iemand anders die onze dromen vervult.'

'Dus je probeert mensen niet aan te zetten tot overspel?'

Chloe rolt met haar ogen. 'Allemachtig, waar *vinden* ze dit soort vrouwen? Heeft ze niet gehoord wat je net zei?'

'Ze zijn niet echt geïnteresseerd in wat je zegt,' leg ik haar uit. 'Ze zitten daar bedachtzaam te kijken terwijl jij aan het vertellen bent, zodat de camera een reactieshot kan vastleggen, maar ze zitten tussendoor voortdurend in het script te kijken. Het enige waar ze zich druk over maken, is wat hun volgende regel tekst is. Die vrouw is elke ochtend twee uur lang op televisie. Ze heeft geen tijd om te luisteren naar wat haar gasten zeggen. Na mij had ze een interview met een hondentrimster over het winterklaar maken van je huisdier. Dus ik kom op, doe mijn zegje, en na afloop schudden ze me de hand en vertellen ze me hoezeer ze zich erop verheugen om het boek te lezen.'

Chloe kijkt naar de presentatrice in haar Chanel-pakje. 'Ze ziet er niet uit alsof ze zich ooit zorgen heeft hoeven maken over haar gewicht.'

'Je maakt een grapje, zeker? Ze maakt zich elke dag zorgen over haar gewicht. De camera maakt je tien pond zwaarder, dus ze is permanent op dieet.'

'Nou, als ze zo blijft flirten met de weerman, is er niets aan de hand.'

De presentatrice buigt zich ineens naar me toe, één hand opgeheven alsof ze me nog iets langer op mijn stoel wil houden, de keiharde journaliste spelend met een lastige vervolgvraag. 'Maar je geeft in het boek toe dat ontrouw je huwelijk heeft verwoest.'

'Ja, en dat is de reden waarom ik het boek heb geschreven. Het is makkelijk om het verlangen om je leven te veranderen te verwarren met het verlangen naar iemand anders. Het enige wat wij allemaal willen, is hoop, Joan. Als die er niet is, wringen we ons in allerlei bochten om hoop te krijgen. We willen gekarakteriseerd worden door onze toekomst, niet alleen door ons verleden. Wat ik vrouwen duidelijk wil maken, is dat ze die dromen zelf kunnen kiezen.'

De presentatrice schenkt me een minzame glimlach. 'Een interessant en provocerend betoog, en ik weet zeker dat we er in de komende weken nog meer over zullen horen. Bedankt voor je komst naar de studio.'

'Jullie bedankt.'

De camera zwenkt naar haar mannelijke co-presentator, die de bal doorspeelt naar de weerman. Ze schudden allebei hun hoofd en maken wat klokkende geluiden, en vervolgens waarschuwt de weerman ons voor een koufront dat regen zou kunnen brengen in de ochtendspits morgen.

Chloe pakt de afstandsbediening en zet de televisie uit. 'Ik snap niet hoe je het doet,' zegt ze. 'Gewoon maar blijven glimlachen, ongeacht wat voor idiote vragen ze stellen.'

'Ik stel me voor dat Maribel Steinberg zit te kijken.'

'Papa's vriendin?'

'*Ex*-vriendin. Die een moord zou hebben gedaan voor dit soort publiciteit.'

'Je had haar moeten noemen in je dankwoord.' Chloe kijkt op haar horloge. 'Over papa gesproken, ik ga vandaag met hem lunchen.'

Ik neem kleine slokjes van mijn koffie. 'Heb je hem al verteld dat je naar Parijs gaat verhuizen?'

'Ik heb hem niet meer gezien sinds ik de baan heb gekregen. Ik ga het hem vandaag vertellen.'

Ze loopt de kamer uit om te gaan douchen, en ik probeer niet te denken aan hoe het zal zijn als ze weg is. Ik heb het grootste deel van het afgelopen jaar in mijn eentje in dit appartement gewoond, in de avonden werkend aan mijn boek, en hoewel het zijn aangename momenten had, weet ik niet zeker of ik wel geschikt ben voor zoveel eenzaamheid.

Dat had je moeten bedenken voordat je je man kwijtraakte.

Ik mis hem nog steeds. Dat voelt als zwakte van mijn kant, vooral nu ik de sterke, onafhankelijke vrouw uithang in televisie-interviews. En in werkelijkheid is het niet Maribel Steinberg waar ik aan denk als ik die interviews geef. Het is David.

Heeft hij het boek gelezen? Ik heb hem een exemplaar gestuurd van de drukproeven met een briefje erbij waarop stond: *Ik vond dat je het recht had om dit te zien voordat het in de winkels ligt.*

Hij heeft er nooit op gereageerd.

'Ik zou geen moeite hebben gedaan,' zei Edie tegen me. 'Het is niet alsof je hem bij naam noemt. Alleen je allerbeste vrienden zullen weten dat hij de echtgenoot is in het boek.'

Maar ik weet het wel. En ik kan er niets aan doen dat ik me afvraag wat hij dacht toen de drukproeven arriveerden en hij mijn naam op de omslag zag staan. Als ik die televisie-interviews geef, zit hij dan te kijken? Begrijpt hij wat ik probeer te zeggen, of is dat alleen maar mijn fantasie?

Ik krijg hatemail van degenen die me zien als de dienares van de duivel, maar ik krijg ook een heleboel erotische fantasieën. Ik heb zelfs een paar huwelijksaanzoeken gekregen, gestuurd – zo moet ik veronderstellen – door mannen die kicken op het idee van hun vrouw met een andere man. Je kunt het zo gek niet bedenken.

En ik denk onwillekeurig bij mezelf dat David bewondering zou hebben voor de marketingcampagne. Door alle interviews en protesten, door alle haat en ophef, kunnen de winkels de boeken niet aangesleept krijgen. Het is verleidelijk om cynisch te zijn als je ziet hoe de publiciteitsagenten verdeeldheid zaaien, puur om boeken te verkopen, totdat je een ontbijtprogramma doet en mensen net zo hard ziet werken om alle *andere* verhalen te verkopen die door de presentatoren worden gebracht. Oorlog, schandaal, de meest recente bedrijfsfusie: er is iemand die het allemaal promoot. In mijn geval zou het publiek in ieder geval misschien nog een paar pond afvallen.

Chloe komt de badkamer uit, haar haren afdrogend met een handdoek. 'Papa komt me om twaalf uur ophalen, oké?'

Ik kijk in paniek het appartement rond. 'God, ik moet nodig eens opruimen.'

Ze kijkt me belangstellend aan. 'Ik denk niet dat hij van plan is om boven te komen. Hij zal waarschijnlijk bellen vanuit de hal.'

'Oké. Natuurlijk.' Ik leun achterover, opgelucht – maar ook een tikje teleurgesteld. Ik heb hem niet meer gezien sinds Chloe's afstuderen, en toen hebben we nauwelijks iets tegen elkaar gezegd, behalve dat ze er zo gelukkig uitzag. Merkwaardig toch, dat mensen die zo intiem met elkaar zijn geweest elkaar plotseling niets meer te zeggen kunnen hebben. Zien ze elkaar echt anders, of is het gewoon dat ze er niet langer op durven vertrouwen dat wat ze zeggen zal worden opgevat op de manier waarop het bedoeld was? Is dat alles wat een huwelijk mogelijk maakt? Een gevoel van vertrouwen?

'Als je wilt, kan ik wel vragen of hij even boven komt.' Chloe glimlacht nu. 'Of je zou met ons mee uit lunchen kunnen gaan.'

'Nee, gaan jullie maar met zijn tweetjes. Ik heb werk te doen.'

Ik schrijf nog steeds mijn column voor het tijdschrift, hoewel Ron me verlof heeft gegeven om het boek te promoten. Toen ik hem er voor het eerst over vertelde, leek hij het een verontrustend idee te vinden. Maar naarmate mijn beruchtheid toenam, begon hij al snel manieren te verzinnen om deze te gebruiken om publiciteit te krijgen voor het tijdschrift. Toen ik met mijn televisie-interviews begon, belde hij me met de vraag: 'Kun je het tijdschrift noemen?'

'Ron, ik zou niet zo goed weten hoe ik het erin moest passen. Het boek gaat over seks en lijnen.'

'Het is allemaal renovatie, toch?'

Dit uit de mond van een man die bang is om zijn adverteerders af te schrikken met een artikel over kunststof kozijnen. Maar ik zorgde ervoor dat mijn werk als columniste voor een tijdschrift over architecturale renovatie werd genoemd in de documentatie die de publiciteitsagente naar de interviewers stuurde, en een aantal van hen vroeg er zowaar naar.

'Merk je dat er een verband bestaat tussen het renoveren van je huis en het renoveren van je lichaam?'

'Absoluut, Meg.' Noem ze altijd bij hun voornaam, had de publiciteitsagente benadrukt. Daardoor klinkt het interview als een gesprek tussen twee vriendinnen die zitten te kletsen. 'Het gaat er in beide gevallen om dat je de schoonheid terugvindt die voorheen zichtbaar was. Een goede architect zou in staat moeten zijn om je te helpen vinden wat er verborgen ligt onder de druk van het dagelijks leven.'

Ik zei dit met een inwendige glimlach tijdens een interview op een televisiezender in Los Angeles. Toen ik terugkwam in mijn hotelkamer, had Michael een boodschap ingesproken op mijn telefoon.

'Eva, je bent een beroemdheid! Ik ren straks meteen even naar de winkel om vanochtend nog je boek te kopen. Hoe lang ben je in de stad? Enige kans dat ik je zou kunnen zien?'

We ontmoetten elkaar die middag voor een kop koffie. Hij had het boek nog niet gekocht, maar ik had een exemplaar bij me, dus dat gaf ik hem, met de opdracht:

Voor Michael,
Een goede architect zou in staat moeten zijn
je te helpen vinden wat er verborgen ligt
onder de druk van het dagelijkse leven.
Eva

Hij keek naar de omslag, waarop een piepkleine bruid staat afgebeeld die met een parachute van een bruidstaart af springt. 'En, kom ik erin voor?'

'Aan alle kanten,' zei ik tegen hem. 'Jij bent de inspiratiebron. Maar als je bedoelt of ik je naam noem, nee, dan kom je er niet in voor.'

Hij knikte, keek vervolgens naar me op en glimlachte. 'Je ziet er fantastisch uit. De roem staat je goed.'

'Ik zou dit geen roem willen noemen. Ik ben gewoon op boektournee.'

'Dat meen je niet! Je bent bij *Goeiemorgen met Meg!* geweest! Dan heb je het helemaal gemaakt hier in de stad. Ik durf te wedden dat de studio's inmiddels al tegen elkaar op aan het bieden zijn voor de filmrechten.'

Ik lachte. 'Het is een dieetboek, Michael.'

'Nou, dan geven ze de hoofdrol aan Kirstie Alley.'

Het was echt leuk om hem te zien. Maar onwillekeurig moest ik toch aan Mari denken. Na een poosje reikte hij over de tafel heen, pakte mijn hand en zei: 'Kan ik je vanavond zien? Ik zou het heerlijk vinden om wat tijd alleen met je door te brengen.'

Ik schudde mijn hoofd. 'Het is heel verleidelijk, Michael, maar ik heb al genoeg ellende veroorzaakt. Je hebt een schat van een vrouw. Waarom breng je niet wat tijd alleen met haar door?'

Het voelde goed om dat te zeggen, maar ik moet toegeven dat ik er later spijt van had, toen ik in mijn kingsize hotelbed lag te bedenken wat ik had laten schieten. *Het is een beetje laat om nu nog juffrouw Moraal te spelen.* Maar misschien was eenzaam zijn zo slecht nog niet. En gelukkig had het hotel een fijne, krachtige douche.

Hoe het ook zij, als David arriveert om Chloe op te halen voor de lunch, zit ik in mijn badjas achter mijn computer, waar ik probeer een column af te ronden over het verband tussen renoveren en lijnen. Een jaar geleden had ik massa's ideeën over dit onderwerp, maar nu lijken ze allemaal te voor de hand liggend. Onze levens zijn te complex. We kunnen ons verleden niet herstellen; we kunnen alleen een *nieuwe* ik creëren met het verleden als uitgangspunt. En zelfs dat idee lijkt me onjuist. Er bestaat niet zoiets als een nieuwe ik, alleen nieuwe bladzijden in één en hetzelfde boek.

Dus misschien is lijnen niet net als renoveren; misschien is renoveren net als lijnen. We zien ons huis als een versie van onszelf, en dromen altijd dat we terug kunnen gaan en onze fouten recht kunnen zetten.

De bel gaat. Chloe roept: 'Dat is papa!' Vervolgens hoor ik de deur van de hal dichtgaan, en ineens is het leeg en stil in het appartement.

Zo zit ik daar, en voel me eigenaardig hol en gedeprimeerd. Wat had ik dan verwacht? Dat David boven zou komen en dat ik een lekkere salade voor ons drietjes zou maken voor de lunch, en dat we dan rond de keukentafel moppen zouden gaan zitten tappen, zoals we deden toen Chloe op de middelbare school zat? Dat leven is er niet meer, en wat ik ervoor in de plaats heb gekregen, is tijd. Ik zou me moeten concentreren op mijn column, en me niet laten afleiden door dromen over het verleden.

Maar is het niet het verleden dat mijn lezers proberen te herstellen? Oude huizen zijn een fantasie over een eenvoudiger leven, toen gezinnen nog rond de keukentafel moppen zaten te tappen. Mijn dieet gaat over het herstellen van niet dát maar een nog vroeger verleden – zelfs nog voordat ik een keukentafel had, laat staan een man en dochter om er aan te zitten. Dat is het probleem met het herstellen van het verleden: je moet de ene versie ervan vernietigen om de andere te vinden. We zijn nooit tevreden met wat we hebben, dus we proberen terug te grijpen naar iets wat erachter verscholen ligt. We proberen aan het heden te ontsnappen door naar het verleden te reiken. Het lijkt een primaire menselijke impuls, ons ingegeven door de manier waarop we constant de wereld die we om ons heen zien, vergelijken met onze herinnering aan wat we ooit hebben gekend.

Wat zegt dat dan over mijn leven? Er is een heleboel om van te genieten op dit moment: ik ben slank; het boek dreigt me rijk te maken; ik ben zelfs min of meer een beroemdheid. Ik word uitgenodigd voor feestjes waar ik niet naartoe ga. Geen tijd, zeg ik verontschuldigend – de boektournee en al die interviews. Maar de waarheid is veel eenvoudiger: geen partner. Ik heb zelfs niet de homoseksuele vriend die iedere beroemdheid nodig heeft voor die momenten dat je geen man voorhanden hebt.

Ik ben het vrijgezel zijn ontwend, en ondanks al Liz' inspanningen, lijk ik het maar niet onder de knie te kunnen krijgen.

'Waarom woon je nog steeds in dat nare appartement?' Ze schudt treurig haar hoofd. 'Je hebt het geld om te verhuizen, dus laat het verleden nou eens achter je! Denk je eens in wat een hoop lol we zouden kunnen hebben met inrichten.'

Ik kijk om me heen in het appartement. Ze heeft gelijk: het is deprimerend om elke dag aan mijn mislukte huwelijk herinnerd te worden. Maar het laatste wat ik wil, is een van Liz' klanten worden, die haar lege leven vult met een stijlvol ingericht huis.

Mijn huidige leven heeft best een paar leuke kanten – maar zou ik teruggaan als het kon? Nou en of. Of misschien niet direct terug, maar vooruit zonder de beste elementen uit het verleden op te geven. Per slot van rekening brengt niemand een victoriaans huis terug in de originele staat. Je installeert moderne apparatuur, centrale verwarming, airco en een draadloos netwerk. We houden allemaal van de genoegens uit het verleden met het comfort van het heden.

David en ik hadden onze problemen, maar nu hij weg is, merk ik dat er iets ontbreekt in mijn leven: een lach, voornamelijk. En een praatje. Geen diepzinnige gesprekken, maar de simpele dingen: *Hoe*

was je dag? Goed, en die van jou? Je zult niet geloven wat er is ge-
beurd. Iemand om tegenaan te kruipen als je moe bent. Iemand die
lacht om dezelfde films, die boos wordt om dezelfde dingen op het
journaal. Iemand die mijn vreugde kan delen over de intelligente,
sterke vrouw die onze dochter is geworden.

En ineens, zonder waarschuwing, zit ik te huilen. Zo gaat het de
laatste tijd voortdurend, en dit is echt een tropische regenbui. Ik
ben op zoek naar papieren zakdoekjes als de telefoon gaat.

'Hé, mam. Met mij.'

Ik zit zo vreselijk hard te huilen dat het even duurt voordat ik iets
kan uitbrengen. 'Hé, liefje. Wat is er aan de hand?'

'Gaat het? Je klinkt alsof je hebt gehuild.'

'Welnee.' Eindelijk vind ik een zakdoekje, en ik snuit mijn neus.
'Ik geloof dat mijn allergie opspeelt.'

'Oké. Moet je horen, papa wil met je praten. Ik geloof dat hij
moeite heeft met het hele Frankrijk-gebeuren. Praat met hem, voor
mij, wil je? Ik geloof niet dat ik het hem aan zijn verstand gepeu-
terd krijg. Hij kan je om twee uur ontmoeten voor een kop koffie.'

Ik ben zo verrast dat ik stop met huilen. Ik veeg mijn neus af terwijl ik probeer te bedenken waar dit over zou kunnen gaan. Is hij
boos op me omdat ik niet met hem heb overlegd over Chloe's plannen? Het is niet aan mij om te beslissen wat ze doet met haar leven.
Of is het iets anders? We hebben nooit officieel echtscheiding aan-
gevraagd. Misschien heeft hij iemand ontmoet en wil hij hertrouwen. Ik voel de tranen weer branden, maar ik verzet me ertegen.

'Tuurlijk, lieverd. Ik kan hem wel ontmoeten.'

Ze dekt de hoorn af met haar hand, en ik hoor haar tegen hem
praten. Waarom heeft hij me niet gewoon zelf gebeld? Dan komt ze
weer aan de lijn en zegt: 'Oké, hij zegt om twee uur bij Cupola.'

Ik kleed me aan, doe mijn best om de puinhoop die mijn gezicht
heet te restaureren, en loop een paar minuten voor twee naar beneden. David zit aan een tafeltje bij het raam en staart met vermoeide
ogen uit over Broadway. Als ik binnenkom, staat hij op en geven we
elkaar onhandig een hand.

'Leuk je te zien,' zegt hij. 'Je ziet er fantastisch uit. Nog beter dan
op televisie.'

'Dank je. Jij ziet er ook goed uit.'

Hij is regelmatig in de sportschool te vinden, dat is duidelijk. Waarschijnlijk gaat hij erheen om vrouwen te ontmoeten, of om te zorgen dat hij kan blijven concurreren op de vrijgezellenmarkt.

Hij gebaart naar de toonbank. 'Wil je iets hebben?'

'Ik haal het zelf wel.'

Ik bestel een magere latte, voornamelijk om mezelf de tijd te geven om diep adem te halen en mijn evenwicht terug te vinden terwijl de knul achter de toonbank het hele uitgebreide ritueel afwerkt van brouwen, stomen en schenken. David kijkt naar me terwijl ik de latte mee terug neem naar het tafeltje. Hij heeft een kop zwarte koffie voor zich, zijn handen om het kopje heen alsof het er anders misschien vandoor zou gaan.

'Zo,' zegt hij als ik ga zitten. 'Wat is er aan de hand?'

'Chloe zei dat je me wilde spreken.'

Hij kijkt verbaasd. 'Ze heeft tegen mij gezegd dat jij *mij* wilde spreken.'

'Dus je hebt er geen problemen mee dat ze naar Frankrijk gaat verhuizen?'

'Welnee, helemaal niet. Ik gun het haar van harte. En jij?'

'Ik wil met haar mee.'

We kijken elkaar aan, met stomheid geslagen. Op dat moment klinkt bij ons allebei op de mobiele telefoon het signaal voor een sms-bericht dat Chloe jaren geleden voor ons heeft ingesteld. We kijken elkaar aan, zeggen gelijktijdig: 'Neem me niet kwalijk,' en reiken naar onze telefoon.

Sorry, luidt het bericht, *maar jullie zijn alle 2 :(Los het op. C.*

Tegenover me begint David te lachen.

Zomer 2007

Lieve Liz,

Je hebt geen idee hoe lang het duurt om een internetaansluiting te krijgen in Parijs. Het heeft alleen al tien dagen geduurd om telefoon te krijgen, en nu kan de internetprovider pas volgende week iemand laten komen. Gelukkig geeft dat mij een prima excuus om in een café te gaan zitten. Het appartement is schitterend, en Chloe woont op slechts tien minuten lopen. Ik vind het heerlijk om hier te wandelen; ik wandel overal. Veel beter dan de sportschool. En de ober heeft me zojuist een brioche gebracht. Ik ben echt in de hemel beland.

David komt donderdag aan. Geen cynische opmerkingen, oké? We gaan het gewoon proberen. Als het niets wordt, kan hij bij Chloe terecht, maar ik denk eigenlijk niet dat dat nodig zal zijn.

Had ik je al verteld welke titels Edies marketingmensen hebben geopperd voor het nieuwe boek? Ze heeft me laatst een hele lijst gestuurd: 'Samen uit, samen thuis', 'Retourtje huwelijk', en mijn persoonlijke favoriet 'Bedriegen om te winnen: hoe ontrouw mijn huwelijk redde.' Ze willen dat David en ik om beurten een hoofdstuk schrijven. Ik heb tegen haar gezegd dat we erover na zullen denken. Het geld zou beslist heel aangenaam zijn, maar het is nog zo pril, en ik weet niet of we het zouden overleven om samen een boek te schrijven. Bovendien, ik geloof dat ik veel liever wil genieten van het feit dat we weer bij elkaar zijn dan dat ik erover wil schrijven.

'Lezer, ik ben met hem getrouwd.' Alweer.

O jee – wat vliegt de tijd! Ik moet gaan, anders kom ik te laat voor mijn afspraak met Jean-Marc. Had ik hem al genoemd? Hij is mijn persoonlijke trainer, drie keer in de week, om alle brioche eraf te krijgen. Hij is precies zoals je je hem zou voorstellen – of althans, precies hoe ik me hem had voorgesteld. En dankzij hem ben ik superslank!

Maar geen woord over hem tegen David, oké?

Liefs,

Eva